Peter Weiss
Rekonvaleszenz

Suhrkamp

edition suhrkamp 1710
Neue Folge Band 710
Erste Auflage 1991
© Suhrkamp Verlag Frankfurt am Main 1991
Alle Rechte vorbehalten, insbesondere das
der Übersetzung, des öffentlichen Vortrags
sowie der Übertragung durch Rundfunk und Fernsehen,
auch einzelner Teile.
Satz: Wagner GmbH, Nördlingen
Druck: Nomos Verlagsgesellschaft, Baden-Baden
Umschlagentwurf: Willy Fleckhaus
Printed in Germany

1 2 3 4 5 6 - 96 95 94 93 92 91

es 1710

edition suhrkamp
Neue Folge Band 710

Im Nachlaß von Peter Weiss fand sich ein abgeschlossenes Typoskript, dem der 1982 gestorbene Autor den Titel *Rekonvaleszenz* gegeben hatte. Dieser Titel bezieht sich auf die persönliche Situation von Peter Weiss in der Mitte des Jahres 1970, als er, wie er es formulierte, »an die Grenzlinie«, an die Grenze des Todes, geriet; für ihn der Anlaß, eine Summe seines bisherigen Lebens als Schriftsteller zu ziehen: Die Veränderungen in seinem Schreiben, von den eher autobiographisch-surrealistischen Anfängen bis zu den objektiv dokumentierenden Theaterstücken, sein politisches Engagement selbstkritisch zu prüfen, auch auf seine Konsequenzen für sein Werk. Aber nicht nur Anlaß zum »Rückblick« war diese Zwischenzeit, sondern sie brachte auch neue Formen der Wahrnehmung mit sich: ». . . geriet ich in ein Nachtleben, in dem meine sonstigen Vorsätze zum vernünftigen, verantwortungsvollen Reagieren rücksichtslosem Spott ausgesetzt wurden. Mein Umgang bestand hier vor allem aus Prostituierten, Spielern, Zirkusartisten, Komödianten, aus Unzugehörigen, Außenseitern, Gescheiterten, in einer eigentümlichen Unterwelt, einer Art Totenreich.« Durch die täglichen Eintragungen, in denen Rückblick und Gegenwart sich verschränken, hat Peter Weiss einen einzigartigen Text geschaffen – indem er sich selbst, sein Schreiben, seine Nacht- und Tagträume in luzider Weise erzählt und durch sein Erzählen sie sich und dem Leser aufhellt.

Rekonvaleszenz

10. August 1970

Seit Jahren habe ich mich mit meinen Träumen und mit dem Nachspüren innerer Monologe nicht mehr beschäftigt, damit war ich fertig, das hatte ich früher zur Genüge getan, die äußeren Vorkommnisse waren jetzt wichtiger, und wenn es um mich gehen sollte, so konnte es sich nur darum handeln, welche Stellung ich in der Außenwelt einnahm, für wen ich Partei ergriff. Die persönliche Problematik zeigte sich höchstens in der Wahl meiner Arbeitsthemen, sie lag tief unter der Objektivität, mit der ich auf bestimmte soziale, ökonomische und politische Fragen reagierte. Das Material, das bei diesem Unterfangen auf mich zukam, war so umfassend, und zog die Aufmerksamkeit in so zahlreiche Verzweigungen, daß für die Meditation, das Phantasieren, die poetische Erfindung, kaum mehr Zeit übrig blieb. Bis zu dem Augenblick, in dem ich an die Grenzlinie geriet, benötigte ich für meine Gedankengänge die Unterlagen einer Sachliteratur, ich konnte nicht auskommen ohne Exzerpte, Zeitungsausschnitte, Bibliotheken, wissenschaftliche Archive, Korrespondenzen, alles war ein Teilnehmen an vorhandenen Fakten, ein Prüfen und Vergleichen, ein mühsames langwieriges Zusammenstellen, das schließlich zu einem in Form und Inhalt konzentrierten Wirklichkeitsbild führte. Die gesammelten Bücher zu einem neuen Ideenkreis, die Mappen mit den Notizen und Skizzen zu den einzelnen Abschnitten, die Blätter mit den Vorübungen lagen angehäuft auf dem Schreibtisch, während ich andernorts zuerst von ihnen losgerissen war, dann langsam wieder Beziehung zu ihnen suchte, sie erwarteten mich, als ich mich bei meiner Rückkehr, einen Monat später, ihnen zuwandte, ihr Inhalt war für mich der gleiche wie zuvor, sie hatten mein Interesse nicht verloren, es schien mir weiterhin sinnvoll, diesen Stoff, von dem ich schon so viel geklärt hatte, der bereits deutlich in Einzelheiten war, nun zur Ausführung zu bringen. Auch war ich während meiner Abwesenheit keineswegs untätig gewesen, nach wenigen Tagen war ich wieder fähig, in den Fachzeitschriften zu lesen, Studien zu betreiben und mit Aufzeichnungen meine Untersuchungen fortzusetzen. Die Weiterführung der Arbeit war selbstverständlich, die Kontinuität war ungebrochen, ich handelte unter Gewohnheiten, das Erreichen des Grenzpunkts war nur eine neue Erfahrung, mit der ich jetzt weiterleben würde, die direkte Berührung mit der Wende zum Nichtmehr-Vorhandensein brauchte mich nicht daran zu hindern, die einmal gestellten Aufgaben weiter zu verfolgen. Doch beim Versuch, wieder in die normale alltägliche Arbeit hineinzugelangen, stieß ich auf Unfähigkeit und Mutlosigkeit. Nicht daß ich an der Haltbarkeit des Begonnenen zweifelte, aber was jetzt mit Leichtigkeit, aus der Kraft eines selbständigen Prozesses ablaufen sollte, wie ich es nach langen Vorarbeiten früher gewohnt war, wurde zu einem unübersteigbaren Widerstand. Ich mußte akzeptieren, daß ich noch nicht zu einer Arbeit fähig war, die ständig nach der Anspannung eines großen Überblicks verlangte. Ich schob diese Einsicht wochenlang hinaus, denn sie schien mir verbunden mit einer Niederlage, schließlich aber hatte ich keine andre Wahl, wenn ich nicht einen Rückfall in die Krankheit riskieren wollte, als die Kompendien, Notizbücher und Manuskripte beiseite zu legen, mit dem Vorsatz, mich später nach der Rückkehr meiner Energien, ihrer wieder anzunehmen, und bis dahin meinen Anspruch auf Expansion zurückzuschrauben, und auf eine andre Stimme zu hören, die sich bemerkbar machen wollte.

Während tagsüber eine Verlorenheit überwog, eine Hilflosigkeit, da mir die üblichen Funktionen abhandengekommen waren, geriet ich in ein Nachtleben, in dem meine sonstigen Vorsätze zum vernünftigen verantwortungsvollen Reagieren rücksichtslosem Spott ausgesetzt wurden. Mein Umgang bestand hier vor allem aus Prostituierten, Spielern, Zirkusartisten, Komödianten, aus Unzugehörigen, Außenseitern, Gescheiterten, in einer eigentümlichen Unterwelt, einer Art Totenreich, das doch nicht im geringsten schattenhaft war, sondern intensive Begegnungen zuließ und Emotionen, die zu Tränen oder zu wildem Gelächter führten. Hier, mehr als bei nützlichen Schreibereien, Kommentaren und Ausdeutungen im Zusammenhang mit dem äußeren Betrieb, spielte sich mein eigentliches Dasein ab, unter Vorzeichen, die ich früher Flucht genannt hatte, und was mir widerfuhr schien mir bedeutungsvoll, wenn es sich beim Nachsinnen auch oft als Banalität erweisen konnte. In der vergangenen Nacht verschlug es mich in ein Theater, vielmehr in eine Höhle, eine Grotte, in der, völlig unübersichtlich, ein riesiges Schauspiel zur Aufführung kam, ohne daß es klar wurde, wovon das Stück handelte, wo die Bühne lag und wo sich der Zuschauerraum befand, und dazu gehörte, daß ich selbst eine Rolle zu spielen hatte, ohne zu wissen, welche Repliken und Aktionen damit verbunden waren. Dabei überwog die Empfindung, daß dies nun tatsächlich ein handfestes und realistisches Vorkommnis sei, daß es keine Ausflüchte gab, zudem war mein Name im Programmheft angekündigt. Mein Auftritt stand unmittelbar bevor, ich bemühte mich, herauszufinden, was ich denn nun sagen sollte, und dachte dabei daran, wie schwer mir schon in der Schulzeit das Auswendiglernen gefallen war. Ein Mitakteur, ein Inspizient, oder vielleicht sogar der Regisseur selbst, sprach mir die Worte vor, die ich dem Hauptdarsteller zuzurufen hatte, sie lauteten, fünf Mal, Laertes, hat man dir bereits nach dem Leben getrachtet, und er reichte mir ein Textbuch, daß ich es noch einmal nachlesen konnte. Dort stand jedoch, vier Mal, vier, nicht fünf Mal, und das übrige war nicht zu entziffern, die Seiten waren verschmutzt, abgegriffen, zerfleddert, so ungenau, so unsicher verlief hier alles, und ich sollte doch schon hinaus auf die Bühne. Als Kostüm hatte ich nur eine kurze bestickte Bolero-Jacke erhalten, das konnte nicht genügen, ich suchte nach einer Garderobe, einer Ankleiderin, fand sie tief unten am Ende eines schlauchartigen Ganges, in dem sie sich schon unter Decken zur Ruhe gelegt hatte. Warf mich den Schacht hinab, zog sie aus dem Bett, mahnte sie zur Eile und erhielt von ihr noch ein Hemd und eine schwarze Trikothose. Zog das Hemd an, doch es war nicht länger als die Jacke, reichte kaum über den Nabel, aber aus Seide war es, die Hose war unbrauchbar, es war keine Hose, es waren durchsichtige Strümpfe, in denen konnte ich mich nicht auf der Bühne zeigen, da lieber in den eigenen ausgebeulten Hosen. Doch unmöglich, zur Bühne zurückzufinden, oder war dies alles schon Bühne, gehörte dies alles schon zum Stück, ging es hier darum, zu improvisieren, und da waren wüste zerklüftete Landschaften, Regengüsse, ich mußte durch Tümpel hindurch, meinen Ruf übend, vier Mal, fünf Mal, Laertes, hat man dir schon nach dem Leben getrachtet. Pause, Zwischenakt. Ich geriet neben andre, die auf ihr Entrée warteten, und da war diese Vertrautheit, diese Intimität, die ich von der vergangenen Nächten her schon kannte, eine Schauspielerin befand sich neben mir, ich legte den Arm um ihre Schultern, ihren Namen wußte ich nicht, ihr Gesicht nah an meinem, Zuneigung ohne Umwege, Zärtlichkeit ohne Fragen, und da war auch Cora, Cora bist du hier, in welchem Stück trittst du auf, und ihr Lachen, ihre Stimme WIE AM ERSTEN TAG, und auch mich überkam das Lachen, hier gilt ein besonderes Lachen, das Gelächter schüttelt mich.

12. August 1970

Das Bestürzende immer wieder der jähe Wechsel von solchen Erlebnissen zur stabilen Tageswelt. Was eben noch einschneidend und bedeutungsvoll war, läßt sich schon kaum mehr halten, verfliegt schon, kann nach wenigen Augenblicken in Vergessenheit geraten, und doch, unleugbar, war die ganze Existenz davon ausgefüllt gewesen. Auch ist mir der Sinn für die Eigenart, die Sprache dieser nächtlichen Gegenden abhanden gekommen, vor zwei, drei Jahrzehnten war ich dort zeitweise mehr zuhause als in den Räumlichkeiten der äußeren Wirklichkeit. Hatte Stunden damit verbracht, die Einzelheiten der Erscheinungen zu analysieren, auch die Arbeit war gefärbt von dem Unberechenbaren, Fließenden, schnell Veränderlichen, Unerklärbaren, von all dem, was ich von meiner späteren Gegenposition her abwies und als überwunden ansah. Auch jetzt steht das Modell der konkreten rationalen Welt im Vordergrund, das Wissen, daß alle Entscheidungen hier getroffen werden müssen, daß nur hier Handlungen Folge tragen, nur hier die Vorgänge wirklich spürbar sind, und beschämt vergleiche ich meine flüchtigen flackernden Bilder mit den blendend hellen Gleichzeitigkeiten. Da ist die Müdigkeit, die mich überkommt, unverzeihbar, da ist die angebotene Ruhe nach einer Krankheit nur faule Ausrede, da wird meine Wartezeit zu einem sinnlosen Dahocken, während andre das ihre tun, im afrikanischen Busch, im Delta des Mekong, in den Gettos, den Fabriken, den Universitäten der großen Städte, und einige Stunden lang strenge ich mich an, zu einer nützlichen agitatorischen Tätigkeit zurückzufinden, und gerate dann doch nur wieder in meine Ermattung. Unversehens bin ich in den nächtlichen Szenerien, es fällt mir ein, daß ich Laertes für einen andern gehalten hatte als den Vater des Odysseus, eher für einen jugendlichen Helden, aber der Vater, der Erzeuger, der Schöpfer des Odysseus, das ist auch einer, der eine Dichtung ins Leben lockt, sei es Homer, sei es Joyce, und einem solchen wollte ich doch nacheifern, ich hatte meine Ziele, meine Ambitionen immer hochgesteckt, und bei diesen Bestrebungen, bei diesem Klettern aus dem Mittelmäßigen, hatte man mir, o Laertes, vier Mal, oder fünf Mal, nach dem Leben getrachtet. Die letzte, entscheidende Station, am 6. Juni dieses Jahres. Genau zwei Jahre zuvor in Ha Noi. Davor, ein Vierteljahrhundert zurückliegend, im Jahr 1944, beim Zusammenbruch in meiner alten Wohnung, an der Fleminggata. Und früher, das war in der Kindheit, ein, zwei Mal. Um etwas andres kann es sich in diesem Drama, in dem ich agiere, in dem mir auch die Hauptrolle zusteht, nicht handeln, denn woraus setzt dieses Stück sich zusammen, wenn nicht aus Einblicken in das Dickicht der eigenen Nerven und Organe, in diesen ungeheuer verletzbaren Lebensklumpen, vollgeladen mit Eindrücken, Impulsen, Reflexen, Verwitterungen und Fäulnissen. Wie ein Verräter, ein Fahnenflüchtiger schleiche ich noch eine Weile auf den Seitenwegen umher, in den Randgebieten des Gegenständlichen, ohne die Kühnheit, die Überlegenheit oder den Zynismus aufbringen zu können, das Notwendige, Praktische, Handlungsträchtige ganz fahren zu lassen, alles das, was mir als Wertbestand zugute kommt, wenn mein Einsatz hier einmal gewogen wird. Immer noch mit einem Seitenblick auf die bewohnte Welt, auf das deutlich Artikulierte, das Allgemeinverständliche, auf die Nöte und Qualen dort, auf die unaufhörlichen Anläufe dort, um endlich ins Freie vorzustoßen, frage ich nach Coras Lachen, spüre die Verbundenheit mit ihr, unzerstörbar nach Jahrzehnten, dieses Weiterbestehn der Umarmungen, trotz aller äußern Trennungen, das ist es, was das Gelächter hervorruft, das Gelächter über den Sieg der inneren Kontinuität, das Gelächter des Wagemuts, mit dem ich mich ohne zu zögern ins Verbotene hineinwerfe, das Gelächter der Bestätigung, daß die wichtigen Beschlüsse auch hier getroffen, die entscheidenden Handlungen auch hier eingeleitet werden, und da taucht das andre Gesicht auf, das dicht neben mir war, das keine Züge hatte und das ich doch kannte, und das dem Gesicht verwandt war, das mir in der Nacht zuvor begegnete. Es muß in einer Kaschemme, einem Bordell gewesen sein, denn meine Partnerin hatte noch einen Kunden abzufertigen, ehe unsre Beziehung begann. Was ist denn dies für ein Gesicht, was für eine elementare Nähe ist dies, in der nach keinem Namen gefragt wird. Sie, die sich schon von mir entfernte, hatte meinem Vorgänger, einem Passanten, den ich nirgends wiedererkennen würde, eins meiner Bücher zum Lesen gegeben, sie jedenfalls mußte mich sehr wohl kennen, denn das Buch trug den Titel Die Ermittlung, und damit saß der Fremde, auf der Straße, in der Nähe eines Bahnübergangs, im spärlichen Lampenlicht, ganz der Lektüre hingegeben, und ich fragte mich nach der Bedeutung dieses Bildes, zeigt es mir, daß meine Tätigkeit nicht vergeblich war, oder ist es Ausdruck des Wunsches, noch etwas klarzustellen, ja, etwas muß unbedingt klargestellt, unbedingt ermittelt werden, und dieser Wunsch war es, der mir die Tränen in die Augen trieb.

13. August 1970

Diese Phase begann vor einem Monat, als ich mich tagsüber noch um die Bewältigung eines bestimmten Arbeitspensums bemühte. Es war ein Weg in Vergangenes. Die Teile der Stadt, in die ich geriet, lagen dort, wo ich während des Krieges und der ersten Nachkriegsjahre gewohnt hatte, in der Fleminggata, jenseits des Kanals, der eisernen Bogenbrücke, die von den Hauptstraßen Stockholms übers Bahngelände wegführt, doch die Stadt war jetzt aufgerissen, ganze Häuserblöcke waren verschwunden und durch Neubauten ersetzt worden, anstelle der niedrigen Schuppen der Holzverkäufer, der Altwarenhändler am Ufer, anstelle des Wegs mit den vertauten Booten, der Markthalle, der Ziegelsteinfassade der Werkzeugfabrik ragten riesige Verwaltungsgebäude auf, mit Armeen von Arbeitenden an den Schreibmaschinen, Rechenmaschinen, Registern, elektronischen Apparaten, weggeschaufelt waren die Läden und Werkstätten der Vorstadt, die blaue Straßenbahn fuhr nicht mehr die Fleminggata entlang, es war alles angefressen von einer katastrophalen Zerstörung, die Hausbewohner waren aus ihren Zimmern gerissen, die Treppen hinuntergeworfen worden, stählerne Tragpfähle wurden in die Erde gerammt, kreischend drehten sich die Kräne, aus den Gruben schwankten Lastwagen voll Lehm und zersplittertem Gebälk hervor. Und doch, obgleich kaum mehr etwas zu erkennen war von der alten Umgebung, geriet ich in Torgänge, Höfe, die noch intakt waren, und in denen einige Überlebende dicht aneinandergedrängt ausharrten. Ich bin wieder einmal auf der Wohnungssuche, oder besser, ich versuche, meine frühere Behausung zu rekonstruieren, sie muß ja noch vorhanden sein, trotz der Einbrüche späterer Jahre, trotz des rasenden Hackens der Rammböcke, des Knatterns der Bohrmaschinen, und da finde ich auch schon Unterkunft. Es geschieht im Bewußtsein, daß dies die Grundsituation ist für ein Buch, und mit einem Buch ist ein Lebenszeichen gemeint, denn im Schreiben bin ich vorhanden, es ist meine Art des Existierens. Die Grundsituation ist das Eindringen in einen Bereich der Wirklichkeit, in diesem Fall in einen kleinen engen Bezirk, mit Erinnerungen an die Gegend der Londoner Docks, die Prager Altstadt, die rue de Rosiers in der Nähe des Temple in Paris, die mit den Bildabdrücken des Hausflurs, der gewundenen Treppe, dem Dachboden, den verschachtelten Räumlichkeiten an der Fleminggata verschmelzen. Ein paar Kammern seit langem verlassen, wie ausgebrannt,

Tapetenfetzen an den Wänden, zerborstene Fußböden, Obdachlose haben hier gelagert, daneben Stuben, die zu meiner Wohnung zu gehören scheinen, doch gänzlich aus meinem Gedächtnis geschwunden sind. Nebenan ist Frau Sjögren, die eine Verleihfirma für Handtücher hatte, noch ansässig, kocht die verschmutzte Wäsche im großen Trog in der Küche, ihr Mann, mit der Kapitänsmütze, kommt mit den Körben. Und jetzt mein neuer Aufenthalt. Hier werde ich zuhause sein. Ich bin krank, gealtert, ein Mädchen nimmt sich meiner an, hier gibt es Zeit im Überfluß, hier sitzt man beieinander, bespricht die Vorgänge draußen in der Welt, doch läßt sich davon nicht beirren, hier gibt es Spielraum fürs Nichtstun, für abwegige Spekulationen, man lebt hier in einer Art von Kollektiv, sitzt auf Bänken, Stufen herum, man hält sich noch für verschont, steckt hier ganz im Verborgenen, und der Gedanke, hier ansässig zu werden, ist mit einem fast unerträglichen Schmerz verbunden, mit Hoffnungen, die kaum mehr erreichbar sind. Meine Begleiterin führt mich zu einem Ausblick auf den Kanal. Ja, wir wohnen hier tief unten, im Schatten einer neuerrichteten Brücke, auf der sich die Ketten dampfender Automobile verschieben, wir sind durch die Tür auf eine schmale Terrasse getreten, hinter morschem Geländer fällt steiles Gemäuer ab, das Wasser ist reißend, voller Wirbel, große Erdbrocken, vom Abhang drüben losgerissen, treiben vorüber, das Getön der Stadt ist nah, und doch ist hier bei uns alles friedlich, verhalten, in sich versunken, die Gefährtin neben mir freundlich, still, auch ein Kahn liegt bereit, mit dem wir in die Stadt hineinfahren können, hineingleiten können, um wieder zurückzukehren in unsre Abgeschiedenheit.

14. August 1970

Die surrealistische Ausstellung, in die ich geriet, schien zunächst zu bestätigen, wie heruntergekommen diese ursprünglich vitale Kunstform war, sie bestand aus einer Ansammlung von verbrauchtem, halb mondänem, halb modrigem, makabrem bric à brac, in dem das Ungeordnete, Zufällige, Obszöne überwog, Fäkalienhügel, Collagen aus Geschlechtsteilen, Berge von Frauenhaar, von Brillen und Gebissen, aufgehäufter Jammer, schwelender Ekel, unterdrückte Wut. Damit wurde nichts gezeigt als unsre Machtlosigkeit, Passivität, Gebrochenheit, Lethargie, unser eigener Untergang. Zufällig auf der Straße vorbeigegangen, ungeladen eingetreten, drängte ich mich zwischen die zahlreichen Vernissagegäste und sah auf dem Fußboden Dali sitzen, doch trug er nicht seinen gezwirbelten Schnurrbart, von seinem Gesicht war deshalb der Ausdruck künstlichen Wahnsinns genommen, es war aufmerksam, forschend, von Intensität gezeichnet. Ich setzte mich neben ihn, nannte ihm meinen Namen und sagte, daß ich seine Arbeit stets bewundert habe. Er nickte zustimmend. Es wurden keine Worte mehr zwischen uns geäußert, es war ausgesprochen worden, worauf es mir ankam, und dies war gültig, trotz aller Abstandnahmen, Verurteilungen. Daß er sich den Faschisten, den Feudalherrn, den Plutokraten, den Prälaten anbiedert, daß er geschleckt malen kann, daß er kommerzielle Koketterien betreibt, daß er sich mit maßloser Eigenliebe brüstet, dies alles ist jetzt bedeutungslos, ich sehe sein Gesicht voller Ernst, besessen auf die Darstellung einer Wahrheit gerichtet, das Gesicht dessen, der das Buch MY SECRET LIFE geschrieben hat. Was dann aus der Kunstrichtung wurde, deren Höhepunkte er geschaffen hatte, wie dann alles weggesickert, ausgewalzt worden war unter korrupten Forderungen, das hat jetzt nichts zu sagen, was er, und mit ihm Eluard, Max Ernst, der frühe Chirico, Magritte, Desnos, Breton, Buñuel oder Artaud erreicht hatten, diese Entdeckungen, Aufdeckungen, Eröffnungen der inneren Welt, dieser Strom von Assoziationen, dieser Reichtum von neuen Aspekten, Perspektiven, Hinweisen, Ausdeutungen, von Lauten und Gebärden, diese überraschenden freigelegten Kräfte, dies alles war Bestandteil des gewaltsamen Aufbruchs, es gehörte zum Versuch der totalen Veränderung aller Lebensformen, aller gesellschaftlichen Verhältnisse, und es hatte seinen Nerv, seinen Puls nur verloren, weil es sich abgespalten, abgesplittert hatte von den sozialen Kräften, weil es sich hatte einfangen lassen von den ausgeworfenen Netzen der Spekulanten, der Schmarotzer, aber auch, weil es tief entmutigt worden war von den Pedanten und Philistern, den Querköpfen und Besserwissern der Revolution. Ursprünglich hatten die beiden Umwälzungen, die künstlerische und die politische, untrennbar zusammengehört, sie waren Pole eines gemeinsamen Kraftfelds, mit ihrer ständigen Wechselwirkung hätten sie die Erneuerung vorantreiben können, doch als die Einheit von kreativer Phantasie und praktischem Konstruieren vernichtet wurde, durch Zensur, Machtkult, Borniertheit, hierarchische Erstarrung, entzog sich das Ziel einer grundlegenden Umwandlung der Gesellschaft. Majakowskis Selbstmord leitete die Flut von Exekutionen ein, dieses Gedröhn von Hilferufen, vom Zerbersten großer Ideen, vom Stöhnen Erstickender, vom Gewürge der Ertrinkenden, dieses Knistern von verwelkenden Werken, und es ist noch nicht zuende, der rasende Kampf geht weiter, zwischen denen, die sich in ihrer Gewalt etabliert haben, und denen, die, nach maßlosem Blutverlust, immer wieder zu Boden geschlagen, in Folterkammern, in Todeslager geschleppt, immer auf der Flucht, immer in die Enge gedrängt, doch noch die Leuchtkraft, die Vielschichtigkeit des Lebens erweitern wollen, die daran erinnern wollen, daß der Disput zwischen Revolutionären ungebunden sein muß, die immer noch nach Bewegung, nach Offenem, nach Abweisung des Fertigen streben, andrängend gegen die Doktrin, den Fanatismus, die versteinernden Einschränkungen des Denkens. Mein Besuch dieser Ausstellung, auch wieder eingerichtet in Räumen die zu Kellern führten, zu Tiefen von Bergwerken, zeigte mir keine Kunst, gab keine ästhetischen Genüsse, stieß nur auf Abfall, Trümmer, und es ließen sich doch Modelle daraus erlesen, Stadtmodelle, Modelle zu großen Kompositionen, ich bewegte mich zwischen Rohmaterial, in dem hier und da eine Möglichkeit, der Ansatz zu einer Zusammenstellung auftauchte, ganz kurz einmal der Anklang an das unbeholfene Modell des Schlachtplans von Dien Bien Phu, im Armeemuseum zu Ha Noi, wo mich die Nierenkolik überkam, eine Erinnerung auch an die Metropolis, aus Holzstäbchen, Drähten, Papier, erbaut im vorsintflutlichen Berlin, in meinem Zimmer nach den Schulstunden, mit Uli, dem Freund, den das Meer später an die dänische Küste schwemmte, sonst alles ungestaltet, schlackenhaft, belebt aber durch die Begegnung mit Dali, durch den Appell an die Vielseitigkeit, an das eigene Geheimleben. Die Wanderung wurde bestimmt vom Wunsch, die fehlende Dimension, das Unvernünftige, Regellose, Spontane wieder gelten zu lassen, mich lange abgewiesenen Empfindungen wieder zuzuwenden, mich vorzubereiten auf etwas, das noch keine Form gefunden hatte, und vielleicht nie zu etwas andrem zu werden brauchte, als zu Phantasma und Halluzinationen. Ausgestellt wurde hier eine Gedankenmasse, die ich einmal als romantisch, utopisch, subjektivistisch diffamiert und disqualifiziert hatte, und dem Besucher wurde die Frage vorgelegt, wie er sich nun diesem Morast, diesen Mißgebilden gegenüber verhielt, und augenblicklich riß es ihn hin, zu bekunden, daß er diesem überflüssigen brodelnden Kram, der von den Wachposten des Bewußtseins als Quacksalberei abgetan wird, die Treue bewahrt hatte. Und damit bestätigten sich mir Gedankengänge, mit denen ich mich seit der Fertigstellung meines Stücks über den Antichrist des Kommunismus befaßt hatte, Auseinandersetzungen, in denen ich mich mit jenen befand, die sich zu meinen Übermännern machen wollten und vor denen ich das Recht auf den Widerspruch, das Recht des Experimentierens, das Recht auf das Anzweifeln alles als definitiv ausgegebenen Wissens verfocht, und die notwendige Wiedereinsetzung der Dialektik forderte anstelle der Verdrängung, die zur kollektiven Psychose führt, Auseinandersetzungen, deren Ergebnis die Scheidung der Fronten war, meine Verstoßung, mein Sturz in die Ungnade. Der Befehl, Selbstkritik zu leisten, meine Ansichten zu widerrufen, war auch an mich herangetreten, und ich hatte selbst genug Argumente geliefert gegen eine Kunst, die sich für reaktionäre Zwecke, als antisozialistische Waffe benutzen ließe, hatte mich selbst in meinen Äußerungen vereinfacht, hatte mich programmiert, zu einem parteilichen Sprachrohr gemacht, hatte meine Schwächen, meine Skepsis, meine Unsicherheit bagatellisiert, und mich dabei streckenweise veröden lassen. Doch jetzt, aus dieser Grotte kommend, gab ich meine Reverenz den Respektlosen, den Vogelfreien, den Ketzern, den Absurden, denen, die in den Traum vernarrt sind, die sich nicht abbringen lassen von ihren Gesichten, die nicht nach dem Nutzen ihrer Werke fragen. Meine Reverenz, auch wenn ich weiß, daß ich selbst zu dieser Verwegenheit nicht mehr tauge, daß ich bei allem, auch wenn es abseitig ist, meine Position im Auge behalte und bei jedem Wort das ich schreibe, auch wenn es sich ganz an mich zu richten scheint, nach der Beziehung, Tragkraft, Wirkung und Notwendigkeit innerhalb des umfassenden Kampfes frage. Doch dazu gehört der Zweifel. Mein Selbstgespräch hilft niemandem, höchstens mir selbst, und auch das bezweifle ich, es ist Ausdruck eines halbgescheiterten Europäers, der aus Übersättigung, aus kultureller Überanstrengung in seiner Verbrauchswelt zusammengebrochen ist, und, betäubt, aus seinem Rauch und Schutt den Kommenden, den Zukünftigen, den Guerilleros zuwinkt, mit seinem blutigen Taschentuch, seht mich, hier liegt euer Bruder.

15. August 1970

Morgens treten wir, ohne uns dessen recht bewußt zu werden, fast regelmäßig, zum Ritual eines Totengedenkens an. Während wir unserm Körper die erste Tagesnahrung zuführen, nehmen wir die Zeitungsmeldungen auf, kauend, schlürfend erfahren wir von den Erschlagenen, Zerstückelten, Verbrannten, Zerquetschten und Ertrunkenen, von den an Krankheit, Schwäche, Auszehrung oder Verzweiflung Zugrundegegangenen, von denen die es einzeln niederstreckte, paarweise, in kleinen Gruppen, bis zu den Massen, den Ungezählten. Die Opferplätze waren an Straßenecken, in Hospitälern, in Kontoren, Wohnzimmern, Fabriken, Versammlungsstätten, in Transportmitteln zu Land, zu Wasser, in der Luft, sie lagen in aufgeborstener Erde, unter Springfluten und Unwettern, in Einöden voller Stille, in grauenhaftem Tosen. Unerwartet, hinterrücks kam das Ende oder wälzte sich auf den noch Sehenden zu, es stürzte sich aus einem Tor, auf einer Gasse über dich, Dolchstöße zerrissen dich, Revolverkugeln zerschmetterten deinen Schädel, Schlagknüppel warfen dich zu Boden, oder nur eine harte flache Hand die deinen Hals traf. In unsrer noch schläfrigen Morgenandacht wird uns berichtet von den Zentren, in denen sich das Schlachten zusammenballt, in bestimmten Städten fallen sie in immer größeren Mengen, da ist die Auslöschung statistisch erfaßt, anhand von Tabellen können wir die Anzahl der Abgestochenen und Abgeknallten mit der Zahl des vorigen Monats, des vorigen Jahres vergleichen, und immer drastischer werden die Visionen, in denen die Augenblicke gefangen sind, und mit unsrer Morgenmahlzeit verschmelzen die aufgeschlitzten Bäuche, die herausgerißnen Gedärme, die abgeschnittenen Köpfe, die Schriften, an die Wand gemalt mit dem Blut der Ermordeten. Ausführlich, und mit wachsendem Detailreichtum immer kälter und gleichgültiger werden die Verhörschilderungen mit den Mördern, wir lesen schon darüber hinweg, kennen schon diese Abgestorbenheit, diese Beziehungslosigkeit zu den Taten, kennen schon dieses totale Unverständnis gegenüber der Schuld, verstehen schon die Empörung der Abgeurteilten, die es nicht fassen können, die nie zugeben können, daß andre durch ihre Hand aus dem Leben gerissen wurden, sie haben doch nur ausgeführt, was ein gültiger Mechanismus verlangte, was von höherem Ort befohlen wurde, über ihnen waren immer die großen Institutionen, in denen sie gelernt hatten, zu knebeln, zu würgen, zuzuschlagen, den Schuß abzugeben, hier hatte einer ein Dutzend umgelegt, das war noch nicht viel, die Befehle erstreckten sich immer über viel größere Zahlen, hier wurde einer verantwortlich gemacht für das Ende von hunderten, gar von tausenden, dort hatte einer mit der Liquidierung von zehntausenden, von hunderttausenden zu tun, und manchmal hieß es, dies läge ja schon Jahrzehnte zurück, dies habe keine Bedeutung mehr, da seitdem hunderttausende, Millionen auf ähnliche Weise ungesühnt vernichtet worden waren, und nicht einmal Schwindel überkommt uns bei den Ziffern, von denen erloschene Leiber umfaßt werden, Millionen erloschene Münder und Augen, und kein Entsetzen hält uns auf, da vor uns die Leichen liegen, denn wir wissen seit langem, in welcher Welt wir zuhause sind, wir sind schon so vertraut mit der Alltäglichkeit der Lüge, der Niedermetzelung, der Zerstampfung, des Verscharrens, des freien Umhergehens der Mörder, des freien Wirkens der Mordknechte, daß es uns keinen Schrei, nicht einmal ein Stöhnen entlockt, es sind immer andre die dran glauben müssen, uns kann es nie ereilen, bis du selbst am eigenen Leib erfährst, daß der Morgen sehr nah war, an dem du selbst als Aas auf dem Frühstückstisch liegst und man sich den Nachruf auf dich zwischen Butter und Marmelade aufs Brötchen streicht. Nein, nicht einmal diese Erfahrung kann dich aus deiner Benommenheit reißen, nicht einmal dem geringsten vereinzelten Sterben kannst du zur Hilfe eilen, für kein Grab reicht dein Trauern aus, und der Blick in die großen Gruben, dein Mitgefühl angesichts der ineinander verschlungenen Körper würde dich zersprengen, könntest du das Geschehnis fassen, die bloße Ahnung schon muß zurückgewiesen werden, denn es gilt, daß du dich selbst erhältst, daß du dein armseliges Kauen und Atmen noch einige Augenblicke lang weiterführst, denn ohne diese Stärkung, ohne diese Wegzehrung, ohne diese Aufrechterhaltung deiner selbst kannst du dir ja keine guten Vorsätze machen, Vorsätze, dem Elend, dem Morden auf irgendeine Weise abzuhelfen, du bist ja so belesen, hast dich ja schon mit so vielen Verbesserungsvorschlägen befaßt, hast auch schon genügend Farbe bekannt, keinen Zweifel daran gelassen, auf was es dir ankommt, wo du deine Verbündeten siehst, wo deine Feinde stehen, hast deine Aufrufe verlesen, bist in den Demonstrationszügen mitgerannt, mußt dich jetzt doch aufpäppeln, recht zu Kräften kommen, dich schonen, denn es wird noch mehr von dir verlangt, noch mehr von dir erwartet, du wirst noch gebraucht, während die andern, weit weg, unmittelbar vor dir, fallen und erstarren, während die Rotationsmaschinen der Massenmörder ihren Betrug ausspeien, während die höchsten Befehlshaber ihre Gesichter in wachsendem Irrsinn verzerren, stopf dein Stück Brot noch in dich hinein, schütte dir den Kaffee durch die Kehle, vergiß deine eigene Gebrechlichkeit, deine zitternden Organe, hoffe, daß du auch diesen Tag noch durchlebst, und vielleicht die Nacht noch, und vielleicht den kommenden unendlich entlegenen Tag, an dem du ein paar Worte finden wirst, ein paar Worte, die sich dem Chor anschließen, dem großen, einmal siegreichen Chor.

16. August 1970

Sie ist gesichtlos, namenlos, weil sie, die mir nachts immer wieder
begegnet, eher eine Kraft vertritt, eine Möglichkeit, als eine bestimmte erinnerte Person, sie ist von solch veränderlicher, nur
versprechender, nie erfüllender Gestalt, weil es ihre Aufgabe ist,
hinzuweisen auf alle die, deren Namen und Gesichtszüge ich
nicht mehr kenne, die vor Jahrzehnten eine Nacht mit mir teilten,
die hinaufgekommen waren in mein graues Zimmer an der Varvs-
gata, über der Werft, über dem Strom, am andern Ufer das Stadt-
haus, der hohe Rathausturm, die von der Fleminggata die Trep-
penspirale erstiegen hatten, der wuchtige Helm des Rathausturms
jetzt nah hinter den Hoffassaden emporwachsend, die in diese
Kammern gekommen waren, voll von raschelnden Papieren, von
Malgeräten, schwankenden Bildflächen, drüben dunkel der Park
des Krankenhauses. An ihnen, die den Weg zu meinem Lagerplatz
gefunden hatten, versuchte ich, etwas zusammenzufügen, was in
den frühsten Jahren, als man mir zum ersten Mal, Laertes, nach
dem Leben trachtete, gewaltsam zerteilt worden war. An den verschwundenen Gesichtern und Umarmungen wollte sich immer
ein Wunsch messen, der mit Begriffen verbunden ist, die immer
fadenscheiniger, hohler, lächerlicher geworden waren, Begriffen
wie Freude, Lust, Glück, die allmählich, durch das Unvermögen,
sie zu erreichen, zu Schund, Trödel und Kitsch degradiert und
schließlich ganz aus dem Vokabular gestrichen wurden. Anstatt
die Vollkommenheit zu finden, die Übereinstimmung von Gedanken und Körperregungen, die Untrennbarkeit von Intellekt und
Organismus, schlug ich mich herum mit einem von krampfhafter
Sucht erfüllten Leib, der seine Emotionen nicht fassen konnte,
und mit einem Gehirn, das mich zu unerreichbaren Leistungen
anspornte. Weil Nerven, Muskeln und Eingeweide nicht mit dem
Bewußtsein harmonisierten, weil die Bestrebungen, die Anspan-
nungen des Willens nicht völlig in der Körpermasse ruhten, mußte
ich erkranken. Ich wußte längst, woher die Krankheit kam, die
mich zersetzte, die den nächtlichen Begegnungen Enttäuschung,
Leere, Überdruß hinzufügte, und die Tätigkeiten des Tages erlah-
men ließ in Stumpfsinn und Desperation. Wußte, warum der Körper immer wieder neue Keime der Krankheit ansetzte, warum der
Arbeit ständig der Trieb zur Selbstvernichtung anhing. Und obgleich ich es wußte, obgleich ich mich jahrelang mit nichts andrem
abgab, als mit Erwägungen über diese Veranlagung, kam ich nur

zu einer Notlösung, einer billigen Vernunftslösung, die dem Triebhaften entgegengesetzt war. Chaotisch, anarchisch bestand alles weiter, rasend unbefriedigt oft, bis zum Erschöpfungszustand im dunkeln tappend, dabei überlagert von einer Stimme, die sich Sachlichkeit, Nüchternheit zeigen gemacht hatte, die souverän feststellte, die Beschäftigung mit dem eigenen Ich sei nun beendet, darüber sei bis zum Kotzen genug gesagt worden, es ginge nun endlich darum, sich Kenntnisse über die Zusammenhänge der Außenwelt zu verschaffen und sich um die zu kümmern, denen es weit dreckiger ging als dir, und die nicht, wie du, die Muße hatten, ihr privates Leiden auszuloten. Es klang richtig, wenn ich von meiner Zusammengehörigkeit mit ihnen sprach, wenn ich darauf hinwies, daß ich sie verstand, daß ich seit jeher auf der Seite der Getretenen gewesen war, bei denen die revoltieren mußten, die keine andre Wahl hatten, als sich mit Gewalt gegen die erdrückenden Übermächte zu wenden. So ließ sich der ungelöste Versuch, Übereinstimmung mit mir selbst herzustellen, unter verantwortungsvollen Vorzeichen auf einen äußeren Konflikt übertragen. Es gab mir neuen Mut, neue Ausdauer, es gab mir Genugtuung in der Arbeit, da ich mir einbildete, nicht mehr nur für mich allein zu versuchen, aus dem Morast herauszukommen, aus dem Gestrüpp mir einen Weg zu bahnen, da ich meine eigenen Mühen als Bestandteil größerer organisierter Bestrebungen sah, da ich nicht länger isoliert hinter der Schanze meines Schreibtischs lauerte und grübelte, sondern einem Internationalismus anzugehören meinte. Und doch war es dieser Umweg, auf dem ich zu den politischen Stellungnahmen gekommen war, der ein ständig nagendes schlechtes Gewissen zurückließ, eine Empfindung, daß meine Solidarität ungerechtfertigt sei, daß ich sie mir erschlichen, gestohlen hatte. Die Anschläge der Krankheit gegen mich zeigten mir dann und wann, daß das eigentliche Problem, das völlige Aufgehn in einer Sache, nach wie vor ungeklärt war, und daß es erst gelöst werden könnte, wenn es mir gelänge, diese fruchtlose Schuld zu beseitigen, und die Schwierigkeiten als symptomatisch zu akzeptieren, als Voraussetzungen für den Weg, den derjenige zu gehen hat, der eine verbrauchte Erziehung, ein erstorbenes Milieu hinter sich läßt, um sich in eine neue Epoche vorzutasten, die sich eben erst anbahnt. War es auch fast jedes zweite Jahr einmal so weit, daß ich mich abschleppen lassen mußte, so hatte ich doch bereits ein halbes Jahrhundert überstanden, und das war auf den Abschnitten der Wirklichkeit, auf denen ich mich befinde, schon viel. Da ich mich der Disziplin unterstellt hatte, bei der es hieß, man dürfe sich nicht wichtig nehmen, dürfe sich nicht erschüttern lassen, müsse die eigene Lage immer mit derjenigen vergleichen, der überall die Eingekerkerten und Gefolterten ausgesetzt werden, schob ich schnell nächtliche Erlebnisse, die mich aufwühlen wollten, die wild meine Selbstzensur, meine Standhaftigkeit angriffen, ins Vergessen zurück. Eins sein mit dir selbst, im Vollbesitz deiner Fähigkeiten leben, Sicherheit verspüren, dich an einer Zugehörigkeit erfreuen, welche Illusion, welche Verstiegenheit, da du in der großen Zersplitterung und Brutalisierung, in dem ständigen Aufeinanderprallen von Feindseligkeiten, in der hektischen Spannung zwischen Katastrophen froh sein kannst, wenn es dir gelingt, einen Bruchteil deines Anliegens zur Sprache zu bringen, wenn du sogar zwischen den Phasen der Niedergänge, der Bewußtlosigkeit, ein paar Bücher, ein paar Stücke angefertigt hast. Für diese Halbheit, für das äußerst Geringe was ich erreicht hatte, wollte ich mich rechtfertigen, als ich mich in jener Nacht, Anfang Juni, wiederholt rufen hörte, ich habe das Richtige getan, und vielleicht war es auch das Richtige, jedenfalls war es das einzige was ich vermochte, und warum soll ich mich nicht damit zufrieden geben, wer zwingt mich, Ansprüche an mich zu stellen, die außerhalb meiner Reichweite liegen.

17. August 1970

Und eben dort, wo der Vertreter der reichen Länder, der hoch-
entwickelten Industrie, der hygienischen Verpackungen, wo der
Verwöhnte, Gesättigte auf den zur Dritten Welt degradierten
Schauplatz geriet, eben dort wo er, erklärter Gegner des Systems,
das ihn selbst hervorgebracht hatte, zu effektiven Handlungen der
Solidarität antreten, praktisch sein Bündnis mit den Ausgeplünderten beweisen sollte, dort verlor er nach wenigen Tagen schon
den Boden unter den Füßen. Er hatte es sich zur Aufgabe gemacht, Material zusammenzustellen über die Verbrechen des imperialistischen Angriffs, hatte sich seit ein paar Jahren schon fast
täglich mit den Vorgängen in Südostasien beschäftigt, ein Epos
über den vietnamesischen Befreiungskampf geschrieben, und
wollte jetzt den Brennpunkt des gegenwärtigen Bewußtseins aufsuchen, wollte sich an Ort und Stelle zum Zeugen machen des
entscheidenden Zusammenstoßes zwischen den revolutionären
und reaktionären Kräften unsrer Zeit. Wenn er auch, mit Hilfe
seiner Begleiterin und Mitarbeiterin, und seiner vietnamesischen
Ratgeber und Genossen, den Auftrag durchführte, wenn es ihm
auch gelang, nach umständlichen Fahrten durch das zertrümmerte
Land, die Ergebnisse der Erkundungszüge zusammenzustellen
und sie in Pamphleten, Artikeln, Büchern zu veröffentlichen, so
war das eigentliche Erlebnis seines Besuchs doch die Erkenntnis
seiner Gebrechlichkeit, seiner eigenen Begrenztheit, die unab-
weisbare Tatsache des Nichtweiterkommens. Er, dessen Absicht
es gewesen war, seinen Freunden in deren Anstrengungen beizustehn, mußte sich von ihnen helfen lassen. Ihnen, die genug mit
dem stündlichen Kampf ums Überleben zu tun hatten, mußte er
zur Last fallen. Den Rapporten von dieser Reise ist darüber nichts
zu entnehmen, eine private Erkrankung hatte damit nichts zu tun,
sie war völlig bedeutungslos im Zusammenhang mit den Beschreibungen der zerstörten Städte, Dörfer, Straßen, Schulen, Fabriken,
Deiche und Dämme, der von Bomben zerpflügten Reisfelder, der
von Schrotkugeln perforierten Menschen, der unerhörten Leiden,
die zum Alltäglichen gehörten. Die plötzliche Erkrankung eines
fremden Besuchers war ein Nichts, da jede Familie ihre Verwundeten und Toten hatte, da jeder Mann, jede Frau, jedes Kind in
jedem Augenblick den Überfällen ausgesetzt war. Später ließ sich
alles rationalisieren, indem er doch durchhielt, konnten die Ergebnisse allein gelten, die Schwierigkeiten und Ohnmachtsanfälle,

die dabei überwunden werden mußten, brauchten nicht gerechnet zu werden. Jetzt aber, zwei Jahre später, da weitere riesige Areale von Feldern, Wäldern und Wohnorten verwüstet, weitere Zehntausende von Menschen vernichtet worden, da viele der Freunde, die damals die Besucher durch die Ruinen führten, an der Front gefallen sind, können diese zurückgehaltenen Erfahrungen eines Repräsentanten der europäischen Zivilisation zur Sprache kommen, denn auch aus ihnen kann eine Lehre gezogen werden, und zwar die Lehre von der Unterlegenheit des mit materiellen Gütern Überladenen gegenüber den unbemittelten Vertretern einer authentischen Kultur. Zusammensackend im kalten Vorführungssaal des Museums, während des Ablaufens des Films über Ho Chi Minh, bei den Bildern von seinem heimatlichen Dorf, den Lotosblüten im Teich, lenkte ich alle Aufmerksamkeit und Hilfsbereitschaft auf mich, die Türen wurden aufgerissen, ich wurde hinausgetragen, das Dienstauto rollte heran, die Freunde über mich gebeugt, dann Ärzte, Schwestern im Krankenhaus, und hier nun, in diesem Lazarett, in dem eine Injektionsspritze, einige Tabletten Antibiotika, ein Stethoskop, ein Napf, eine Bettdecke schon ein Reichtum waren, und der Unterschied zwischen der Überfülle von medizinischen Ausrüstungsgegenständen unsrer Regionen und der Spärlichkeit des Materials im städtischen Krankenhaus zu Ha Noi sich als etwas ungeheuer Definitives abzeichnete, hier kam mir, dem Herbeigereisten, dem Gast, eine Therapie zugute, die einer Tradition der Freundlichkeit, der menschlichen Anteilnahme entstammte, und aus der sogleich hervorging, daß alles für meine Heilung getan werden würde, was unter den hiesigen Umständen möglich war. Nach der starken Dosis des Betäubungsmittels, beim Zurückweichen des Schmerzes, den der Nierenstein in den Eingeweiden erzeugt hatte, stellte sich die Empfindung der Geborgenheit ein, ein junger Arzt belehrte die vietnamesische Schwester in der Bedienung des Apparats zum Messen des Blutdrucks, still und bedächtig wurden meine Pulsschläge gezählt, die Schwester blieb dann am Bettrand sitzen, strich mir über die Stirn, ihr Lächeln ersetzte die Sprache, bald kam Thach der Gesundheitsminister, herbeigerufen, und er, der mit Arbeit überlastet war, blieb lange, fragte, protokollierte, erklärte, vermittelte den Eindruck, daß meine Zivilistenkrankheit, hier im bombardierten Viet Nam erlitten, nicht weniger ehrenvoll sei, als eine Verletzung während des Diensts am Luftabwehrgeschütz, daß meine Gegenwart hier, im bedrohten Ha Noi, mich all denen gleichstellte, die zum Schutz des Landes ihr Leben riskierten. Eine asiatische Medizin, schwarzes Getränk, Extrakt aus den in kochendes Wasser getauchten getrockneten Blättern eines Lattichgewächses, wurde mir verschrieben, große Mengen davon nahm ich zu mir, sowie nach Chlor schmeckendes Selterwasser, ließ mir alle paar Stunden den Blutdruck messen, ließ mich unter den ramponierten, kaum praktikablen Röntgenapparat legen, wo eine kleine Platte, Gold wert, belichtet wurde, und verbrachte die Nacht neben einem sowjetischen Mitkranken, einem Opfer des Konflikts zwischen dem Ersten Arbeiterstaat und der Chinesischen Volksrepublik, sein Schädel zerbeult, seine Knochen zerschlagen in einer Auseinandersetzung zwischen technischen Beratern der beiden entgegengesetzten sozialistischen Anschauungen. Vom nächsten Tag an war der Krankheitsfall nur noch eine Behinderung, die Fahrt in die südlichen Gebiete des Landes, die dem sogenannten begrenzten Bombenkrieg ausgesetzt waren, das heißt, eine verdoppelte Tonnage empfingen, während die Gebiete oberhalb des 20. Breitengrades, als »Friedensgeste«, verschont blieben, mußte aufgeschoben werden, im komfortablen Zimmer des Hotels Thong Nhat, im Lehnstuhl sitzend, erwarb ich währenddessen Kenntnisse über Geschichte, Literatur, Kunst, Theater, Bildungswesen des Landes, vermittelt durch führende Spezialisten auf dem jeweiligen Gebiet, die oft von weit entfernt gelegenen dezentralisierten Institutionen zu uns kamen. Nach unsern Notizen arbeiteten G und ich das Material aus, und wenn G für einige Tage zu eigenen Exkursionen aufbrach, unterirdische Werkstätten, Schulen, Feldhospitäler, Minoritätendörfer in den Bergen besuchend, widmete sich mir Nguyen Dinh Thi, Autor, Sekretär des Schriftstellerverbands, legte mir Stunden, Abende lang, das Wesen der vietnamesischen Poesie dar, erklärte mir, in seiner grünen Armeeuniform, die Eigenarten der Sprache, erzählte mir Mythologien und Märchen, und begründete die Freundschaft zwischen uns, die sich durch keine Abstände von Kontinenten behindern läßt. Es war dieses Fortsetzen einer Tätigkeit, dieses unaufhörliche Studieren, das mich die Krankheit fast vergessen ließ, nur hin und wieder, wenn ich aufgestanden war, konnte sie mich anpacken, einmal im Stadtpark, bei den Affenkäfigen, in der drückenden Mittagshitze, ich verkroch mich in den Abtritt, krümmte mich dort zusammen, schluckte eine Handvoll Medikamente, erbrach, pißte schwärzlich roten Urin, und an den Wänden ein surrender Teppich dicker Fliegen, dann, in Schweiß gebadet, gestützt von den Freunden, zurück ins Bett. Von der Trinkkur getrieben, ging nach einer Woche der kleine scharfkantige Stein ab, und ich drängte darauf, die Reise ins Innre des Landes anzutreten, überwand die Widersprüche Thachs, der noch Schonung, Ruhe anriet, der mich schalt, als ich meinen Zustand bagatellisieren wollte beim Vergleich mit den jungen Männern und Mädchen, die in ihren Tropenhelmen, ihren Hüten aus geflochtenem Stroh, ihrer Tarnung aus grünem Gezweig, dem mächtigsten aller Feinde standhielten, der mich daran erinnerte, daß unsre Aktionen, auf unsern Kampfabschnitten, mit unsern Mitteln, ebenso notwendig seien, wie hier die Handhabung der Waffen, ließ mich dann aber mit unserm Trupp, zu dem auch ein Arzt gehörte, fahren. Erst in Hai Phong, in jener schwülen Nacht nach unsrer Ankunft, unterm Schwirren der Moskitos, auf der zerbeulten Matratze des Hotelbetts, war die völlige Verlorenheit erreicht, das Bereitsein zum Aufgeben, nichts mehr bot Halt, G irgendwo in ihrem andern Bett unterm Netz, zwischen den Schatten riesiger Möbelstücke, in dem unübersehbaren Raum, den französische Kolonialherrn um die Jahrhundertwende erbauen ließen, in dem Plantagenbesitzer und Generäle von Prostituierten gefächelt worden waren, in diesem schiefen Zimmer, hinter dessen offenen Fenstern die Luft schwer und reglos stand, G nicht mehr zu erreichen, mein Unterleib zu Blei gespannt im Krampf, das Atmen bald nicht mehr möglich, nur noch der Abruf vernehmlich, kein Zweifel, daß ich ihm Folge leisten würde. Lag schon in der Erstarrung, Laertes, in der man mich finden würde, ohne daß ich noch davon wüßte. Während des folgenden Monats in Viet Nam, ständig den Ort wechselnd, bei Nacht mit unsrer Wagenkolonne auf den zerschossenen Wegen vorkriechend, bei Tag durch die Überreste der Dörfer, die Schutthalden der Städte ziehend, aufzeichnend die Berichte der Menschen, die hier tief in die Erde gedrängt, unfaßbar geduldig, unfaßbar ausdauernd lebten, lag hinter allem die Nacht von Hai Phong, die Nacht des ausgelieferten Individualisten, des einzeln Sterbenden, des zu Tode Zivilisierten, der kein Land sein eigen nannte, der für niemanden und nichts sein Leben ließ. Hinter den Aufzeichnungen, die der Reisende zurücktrug in sein kaltes verbrauchtes Europa, versteckte er sorgsam das Urteil, das über ihn ausgesprochen worden war, er hielt sich diszipliniert ans Sachliche, tat das Seine, um

Berichte zu erstatten, die doch nur wenige hören wollten, redete sich Mut zu, versuchte, sich zu überzeugen, daß er etwas Nützliches, etwas Richtiges tat, und was wäre schon richtiger, nützlicher, als für jene zu sprechen, die Sache derer zu vertreten, die dort im Südosten Asiens, immer noch den vernichtungssüchtigsten Feind über sich haben, was wäre nützlicher, was wäre richtiger, als diesen Feind zu bekämpfen, und als Ergebnis steht dann doch immer nur das Unzureichende da, die Einsicht, daß alles was du schreibst, schwächlich, kläglich an den Panzern des Gegners zerbricht, daß dein Anlauf jedesmal mit einem Hohnlachen zurückgestoßen wird, daß dir nie etwas gelingen kann, solange die Front, der du dich zurechnest, so zerrissen, so über alle Maßen der Selbstzerfleischung hingegeben ist.

18. August 1970

Wenn ich an diese Zerrissenheit, diese Zersplitterung rühre, rühre ich an den Komplex, dessen Auswirkungen in diesem Frühjahr und Vorsommer dazu beitrugen, daß ich aus meiner Bahn geworfen wurde. Ich war einige Male in den Bannkreis jenes Zwangs geraten, den die Angeklagten in den Moskauer und Prager Prozessen kennengelernt hatten, als sie, durch Zermürbung, Zerrüttung, ihre eigene Vernunft, ihr Wahrheitsbedürfnis aufgaben und sich einer höheren und vernichtenden Instanz unterstellten, als sie, da es unerträglich für sie war, aus ihrem Lebenswerk ausgestoßen zu sein, sich in die letzte und schreckliche Identifizierung mit der Partei gleiten ließen. In ihren Bekenntnissen gaben sie der Selbstverachtung Ausdruck, bürgerlicher, zumeist auch jüdischer Herkunft zu sein, sie beschuldigten sich ihres Opportunismus, ihres mangelhaften oder unbefindlichen Verhältnisses zur Arbeiterklasse. Was ihnen, nach langen demoralisierenden Behandlungen, in den Mund gelegt worden war, und was sie, Opfer der sozialistischen Paranoia, als Selbstanprangerungen von sich gaben, war auch auf mich zugekommen, nur brauchte es in meinem Fall, da ich Gefangenschaft und Tortur nicht ausgesetzt war, nicht die Wirklichkeit des Alptraums anzunehmen. Widerrufen, im Interesse der Partei, vor aller Welt bekunden, daß die Partei recht haben muß, daß sie, die Elite, die Sache der arbeitenden Bevölkerung, des Sozialismus, der Revolution vertritt. Nur wieder aufgenommen zu sein, seine Fehler zugegeben zu haben vor dem byzantinischen Gericht, wieder in der Reihe zu stehn, unter den Ikonen der bärtigen Ahnen, geläutert aus dem Beichtstuhl zu kommen, dem rechten Glauben anzugehören, dem ewigen Leben wiedergeschenkt. Nur nicht dort zu darben, wohin so viele schon unter furchtbaren Flüchen gestoßen, dort in der Verbannung, dort schließlich wie ein toller Hund erschlagen und verscharrt zu werden, in trockner Erde auf der, wie es einmal hieß, nur Unkraut und Disteln wachsen sollten. Solcher Versuchung entgangen, füllte mich, nach der Absetzung meiner Stücke, dem Verbot meiner Bücher, meiner Ernennung zum Renegaten, zum Sowjetfeind, Scham darüber, daß ich für die gleiche Ideologie eintrat, die auch jene für sich in Anspruch nahmen, die die historische Fälschung, das primitive Tabu, die Unterdrückung der Kritik, die Aufhebung der freien Meinungsäußerung für vereinbar halten mit dem dialektischen Materialismus. Trotzdem durfte die Sicht nicht aufgegeben werden, daß bei allem Wuchern von Vorurteilen, Mißhelligkeiten und Lügen die Grundsätze der sozialistischen Bestrebungen weiterbestanden. Bei aller Verschiedenheit der Meinungen, bei allen Brüchen in den Organisationen, war eine Vitalität im Anwachsen begriffen, in allen Ländern, aus der vielleicht einmal die Synthese einer geschlossenen Aktion entstehen könnte. Von den Gegensätzlichkeiten, den zahllosen voneinander abweichenden Perspektiven ist unser Bewußtsein, in der gegenwärtigen Übergangszeit, geprägt. Viele der entscheidendsten Initiativen finden außerhalb der etablierten Parteien statt, da diese Parteien, von ihrer Struktur und ihrer Führung her, den neuen Forderungen nicht mehr entsprechen. Doch die Alternative zum zerspaltenen, sich selbst befehdenden Sozialismus ist der Kapitalismus, und unser Kampf gegen dessen Expansion zum Imperial-Faschismus kann nicht gelingen ohne die starke politische Organisation. In diesem Dilemma können wir nicht einmal mit Sicherheit behaupten, daß uns zumindest die Solidarität mit dem vietnamesischen Volk gemeinsam ist. Stellvertretend für uns, deren Bemühungen aufgehalten und eingedämmt sind, wird dort der revolutionäre Kampf geführt. Solange die monolithischen Parteien das riesige Potential der militanten Kräfte zurückstoßen und für unvereinbar halten mit ihren längst verwitterten Richtlinien, sind wir in unsern politischen Entschlüssen, Stellungnahmen und Handlungen zur Ambivalenz verurteilt. Immer wieder mußten wir zu Zeugen werden, wie Sozialisten, die uns nahstehn in ihrer Suche nach Lösungen, nach Möglichkeiten einer Erneuerung, bösartig, kurzsichtig und brutal zu bürgerlich Verseuchten, zu Verrätern abgestempelt wurden, und wie die absurde Situation entstand, daß der Umgang mit einem Fischer, einem Garaudy, Sartre oder Goldstücker, einem Charles Tillon, einem Vigier, einer Rossana Rossanda verruchter war, als der Umgang mit dem tatsächlichen Feind. Es ist diese Konfrontation mit der sturen Sprache des Antihumanismus, dieser blind einsetzende Terror, diese Ausschaltung jeglicher Verständigung, die unsre Entschlußkraft untergraben, uns mutlos machen will. Es ist diese ständige Verschüttung entstehender Ansprüche, unter staubigem Dünkel, doktrinärer Überheblichkeit, die den Sozialismus betrügt, und es den Gegnern leicht macht, ihre Stellungen zu festigen. Allein, daß wir immer wieder daran erinnern müssen, Sozialismus und Freiheit seien untrennbar miteinander verbundene Begriffe, diskreditiert uns selbst. Mit der Überrollung der tschechoslowakischen Demokratisierungsversuche wurde der Auseinanderbruch definitiv, und täglich verhärtete er sich, beim Erfahren der Schmähreden, der Strafmaßnahmen gegen diejenigen, die es wagen, ihre Stimme der Kritik innerhalb der Sowjetunion zu erheben. Die Notwendigkeit, den Ersten Arbeiterstaat zu verteidigen, schließt nicht aus, daß wir uns ein selbständiges Urteil bilden über die lateinamerikanische Guerilla, daß wir auf Seiten der Aufständischen von Paris stehn, daß wir voller Verständnis sind für die chinesische Alternative, sie schließt nicht aus, daß wir uns auflehnen gegen die Scheuklappen, die rassistischen Einflüsterungen, die Versuche, uns gefügig zu machen, uns im großen notwendigen Streitgespräch zu kastrieren, wir können nicht dem sowjetischen Verzicht auf die historische Analyse und dem Konformismus anheimfallen, können nicht die Behinderung einer Expansion akzeptieren, von der wir selbst vorangetrieben, in deren Prozeß wir selbst vorhanden sind. Auch wenn wir den Standpunkt verfechten, der Sowjetstaat kämpfe um die Bewahrung des Friedens und errichte das Prinzip der friedlichen Koexistenz, um die globale Katastrophe abzuwehren, auch wenn wir offen sind für die Ansicht, daß alle unbedachten Revolten, alle Provokationen, die nicht genügend unterbaut sind, die keinen Massencharakter haben, eher zum Schaden als zum Nutzen der gesellschaftlichen Veränderungen sind, so kann eine solche Realpolitik nie zur Verteidigung dienen all der Knebel, Zuchtruten und Handschellen, die dabei verwendet werden, kann nicht die Bevormundung andrer sozialistischer Länder und kommunistischer Parteien rechtfertigen, kann die Kerker, peinlichen Verhöre, Arbeitslager und Irrenhäuser nicht wegerklären, denen derjenige ausgeliefert wird, der zum Sozialismus die Freiheit des Ausdrucks fordert. Das kulturelle Klima, in dem das Bild eine neuen Menschen bereits im Entstehen begriffen war, fanden wir in Cuba, vor drei Jahren, als wir in Havana an der OLAS Konferenz teilnahmen, als Fidel noch offen die konterrevolutionäre Einstellung der lateinamerikanischen Parteien kritisierte. So wie die politischen Dispute geprägt waren von rabiater Aufrichtigkeit, so entfaltete sich auch Kunst, Literatur, Film, Theater. Che Guevara lebte noch. In der tropischen Nacht, unmittelbar nach unsrer Ankunft, standen wir auf dem Gerüst vor der riesigen Leinwand und malten an unserm Detail des Kollektivbilds, dessen Spirale, später auf Plakaten und

Briefmarken abgedruckt, heute einen schwachen Abglanz verhinderter Möglichkeiten darstellt. Seitdem hat sich die Schlinge um Cuba zusammengezogen. Che Guevara ist gefallen. Die moskautreuen Parteien haben ihn als Feind des Kommunismus, als einen neuen Trotzki verleumdet. Castro hat seine Kritik an den guerillafeindlichen Parteien einstellen müssen. Abhängig von sowjetischer Hilfe, sah er sich genötigt, dem sowjetischen Einmarsch in die ČSSR zuzustimmen. Er schwieg zum Pariser Maiaufstand und zu den Invektiven, die von der französischen KP und der Sowjetunion über die revoltierenden Arbeiter und Studenten ausgeschüttet wurden. Fidels Grundsatz, daß alles zulässig sei was *innerhalb* der Revolution geäußert würde, ist zweifelhaft geworden, denn gegenüber dem Antibürokraten Castro machen sich neue Gruppierungen von Funktionären geltend, die das kulturelle Leben mit Einschränkungen belegen wollen. Und wenn nun ein Sartre, ein Karol, in ihrer Zuneigung für Cuba, vor dem Auftauchen einer Repression warnen, so läuft Castro Gefahr, den Sinn zu verlieren dafür, wo sich seine wahren Freunde befinden. Er läßt sie in Ungnade fallen. Doch wenn zeitweilig auch die Meinungsfreiheit in Cuba unter Druck gesetzt wird, wenn Castro auch gezwungen ist, sowjetischen Anweisungen Folge zu leisten, wenn auch die gegenwärtige politische Wirklichkeit in Cuba nicht mehr übereinzustimmen scheint mit dem Idealbild, das europäische Intellektuelle sich von diesem Land gemacht haben, so stellt Cuba, neben Viet Nam, doch immer noch einen der am weitesten vorgeschobenen Frontabschnitte dar im Kampf gegen den Imperialismus. Der Dank dieser beiden militanten Länder für die Hilfe ihrer sozialistischen Verbündeten spricht gleichzeitig dem Prinzip der friedlichen Koexistenz Hohn. Keine Waffenlieferungen können die Tatsache verdecken, daß es Cuba und Viet Nam sind, die die Hauptlast zu tragen haben bei den Anstrengungen zur Verwirklichung eines revolutionären Sozialismus. Die unendliche Verlängerung des Widerstands, der Entbehrungen und Leiden, ist zurückzuführen auf das Ausbleiben einer tatsächlichen, konsequenten Solidarität der befreundeten Länder und Parteien. Die Schuld für verschärfte kulturpolitische Maßnahmen, so sehr diese uns auch beunruhigen mögen, trifft nicht Cuba, sondern die im Frieden lebenden westlichen Lohnarbeiter und Intellektuellen. Anstatt unsrer Kritik Ausdruck zu geben, sollten wir von unsrer Feigheit und Doppelmoral sprechen. Die cubanischen Künstler und

Autoren, eng mit der Bevölkerung und der revolutionären Vitalität ihres Landes verbunden, werden es verstehn, auftauchende Konflikte zur Lösung zu bringen. Unsre Aufmerksamkeit sollte sich mehr auf die Tausende von Eingekerkerten und gefolterten Arbeitern und Intellektuellen in den lateinamerikanischen Diktaturstaaten richten. Und an erster Stelle haben wir immer wieder den Feind zu nennen, der alles tut, was in seiner Macht steht, um die sozialistische Kultur zu zerschlagen. Gerade wenn es ihm gelungen ist, durch seinen Würgegriff um Cuba, krisenhafte Erscheinungen heraufzubeschwören, müssen wir uns darauf besinnen, in welch ausgesetzter Situation sich dieses Land befindet. Wenn auch individualistische Reaktionen zur Zeit zugunsten eines kollektiven Kampfs um das Überleben zurückgestellt werden müssen, so sehen wir doch, daß die kulturelle Arbeit auf allen Gebieten in Cuba, wie auch in Vietnam intakt ist, und progressiver als in den meisten sozialistischen und kapitalistischen Ländern. Als wir 1967 nach Cuba reisten, waren wir es, die dort lernten, die dort neue Impulse, Ausblicke und Hoffnungen für unsre Tätigkeit gewannen. So begaben wir uns auch nach Viet Nam, mit dem Wunsch, etwas von den Originalkräften kennenzulernen, die heute unsre Wirklichkeit verändern, und noch einmal muß ich versuchen, in das Wesen dieser Konfrontation einzudringen, dieser Konfrontation, die so stark, so entscheidend war, daß sie mich zunächst zu Fall brachte.

19. August 1970

Ich hatte versucht, mich weitmöglichst auf das neue Lebensgebiet einzustellen, in dem das Normale zur äußersten Entsagung gebracht und den Bewohnern seit Jahrzehnten zum natürlichen Wert und Maß geworden war. Von Anfang an fiel es G leichter als mir, sich den Bedingungen anzupassen, sie war mehr zum Dasein des Partisanen befähigt, war auch nicht von der Last der Hitze bedrängt, fand in der dumpfen feuchten Temperatur sogar ihr eigentliches Element, war selbst unter der Mittagssonne aktiv, als die vietnamesischen Freunde nach einer Ruhepause im Schatten verlangten, war sogleich Schwester der Arbeiterinnen in den Werkstätten, auf den Feldern, sogleich bereit, hier in den Erdhöhlen, den Dschungelhütten zu leben, während ich noch an meinen Gewohnheiten schleppte, an meiner Bürde von Abhängigkeiten, von Überlagerungen, die sich ein halbes Jahrhundert lang aus Büchersammlungen, zusammengestohlenen Kulturschätzen und Ansprüchen auf Privilegien herangebildet hatten. Obgleich ich mich dagegen wehrte, und obgleich uns auch hier noch das Beste zuteil wurde was die Gastgeber für uns auftreiben konnten, obgleich wir, im Vergleich mit der Bevölkerung, das Dasein von Mandarinen führten, mußte ich mich ständig daran erinnern lassen, daß ich aus meinem Wohlstand herausgerissen, daß mein Körper den Anstrengungen nicht gewachsen war und daß ich bei jedem Schritt die Gegnerschaft des tropischen Klimas zu überwinden hatte. Wir waren über die zerschossenen, notdürftig reparierten Straßen gefahren, an deren Böschungen nachts Menschen zusammengeschart lagerten, kauernd, schlafend, über kleinen Feuern ihre Suppe kochend, Fische röstend, Alte, Frauen, Kinder, auf denen Kolonnen von Soldaten vorbeigeglitten, lautlos auf Gummisohlen, und hohe, mit Blätterwerk überdeckte Lastwagen uns entgegengeschaukelt waren. In Hai Phong, nach dem Zeremoniell der Begrüßung, der gemeinsamen Mahlzeit, der Begegnung mit neuen Gesichtern deren Schönheit eine Zusammenfassung ist von den Eigenschaften des Muts, der Entschlossenheit, der Freundlichkeit, gingen wir, müde nach der Anspannung der Reise, hinauf ins Hotelzimmer. In der Dunkelheit draußen die schwitzenden Höfe. Das Grillengezirp plötzlich versiegt. Im geräumigen, ehemals prunkvollen, jetzt verfallenen Badezimmer der Geruch von Fäulnis und eine aufgescheuchte Riesenspinne. Und meine Zugehörigkeit, meine Anteilnahme wurde plötzlich wieder zur dünnen Konstruktion, selbst in dieser Umgebung eines konservierten Feudalismus, in diesem wenn auch angeschlagenen europäischen Reservat, war ich in einer absolut fremden Welt, einer Wildnis ausgesetzt, aller erworbenen Kenntnisse über dieses Land zerbröckelten, rieselten weg, in einem Niemandsland war ich jetzt, in einem Dahindämmern unterm Moskitonetz, Atemnot überkam mich, wurde unerträglich, ich schlug den Vorhang zurück, es war besser, von den Insekten zerstochen zu werden als zu ersticken, und dann kam es, zuerst als Traum, dann wurde es immer wirklicher, ich lag im Sand vergraben, gelähmt, Sand im Mund, ein Rieseln von Sand, mehr und mehr übersickert von Sand, und so wie ich lagen viele in dieser Nacht, in den südlichen Provinzen, hineingeschleudert, hineingesogen in die Erde, unterm Dröhnen der Bomber, beißend der Gestank, vernichtend die Hitze des Napalmfeuers, vereinzelte Schreie noch im Qualm, die Sanitäter, die Pioniere eilen durch die Laufgräben, im unterirdischen Lazarett, im fahlen flackernden Licht, genährt vom Fahrraddynamo, die Ärzte am Operationstisch, Sand stäubt herab, draußen Stille, dann die Woge des erneuten Angriffs, rasender Orkan, aufgepflügt die schon unzählige Male gepflügte Erde, voller Gebeine, Stahlfragmente, blutiger Körperteile, das Hämmern der Luftabwehrgeschütze, und hoch oben die Mörder, in kunstvollen Hülsen, zwischen Drähten, Stöpseln, Druckknöpfen, jeder Millionen wert, jeder Tausende von Dollars hinabschleudernd zu protzenden Explosionen, und in der Lähmung war nur der Wunsch zu spüren, träfe doch jedes Abwehrgeschoß diese losgelassenen Boten der Technokratie, hielten sie aus, hier im Sand, ertrügen sie diese Nacht, und die kommenden Nächte, verteidigten sie uns weiter, hier, zusammengedrängt auf engem Platz, übertönten sie mit ihren Geschossen, ihren Raketen das Geschrei der Vernichtung, besiegten sie die Herren im Weißen Haus, im Pentagon, die Herrn über die Bohrtürme, die Zinngruben, die Atommeiler, die Fabriken und Banken im reichsten Land der Welt, besiegten sie die Speichellecker in den westlichen Metropolen, die aus den Mordbefehlen Friedenshymnen, Lobgesänge auf Demokratie und Gerechtigkeit machten. Dazu mußte ich hierher kommen, um zu erfahren, wie sie hier für uns kämpfen, für uns sich in die Erde drücken lassen, für uns die Revolution führen, begleitet von den frommen Wünschen ihrer Brüder, während wir weit entfernt von ihnen, erstarrt in unserm Schrecken, mit ange-

haltenem Atem warten und verrotten, dazu mußte ich hierher
kommen, um mich zu konfrontieren mit ihrer schweigsamen lä-
chelnden Selbstverständlichkeit, die sie in Jahrhunderten ihrer
Geschichte erwarben, uns unendlich an Entschlußkraft, Konse-
quenz, Wissen, Humanität überlegen, uns belehrend, die wir er-
bärmlich und pessimistisch zu ihnen kommen und sie fassungslos
fragen, wie sie es fertig bringen, diesem Feind standzuhalten, seit
Jahrzehnten, und wenn notwendig, noch jahrelang. Und hilfsbe-
reit, zuvorkommend, voller Würde, setzen sie uns Schwächlingen
und Verwöhnten viele gefüllte Speiseschalen vor, lassen uns teilhaben an den Künsten ihrer Küche, während sie selbst sich mit
einer Reisschale begnügen, erbieten uns die wenigen noch heilen
Betten, während sie zusammengerollt liegen im Sand, und wenn
wir unsere Beschämung zeigen, so überzeugen sie uns davon, daß
unser Besuch für sie von großem Wert ist, daß unsre Freundschaft
sie in ihrem Kampf stärkt, daß auch wir beitragen zu ihrem Sieg.
Ich war hierher gekommen, um zu lernen, was Widerstand ist,
und zuerst lernte ich nur, wie es ist, sich nicht rühren zu können,
erstarrt, hingeworfen, weggeschmissen dazuliegen unter dem irrsinnig rasenden Giganten, erloschen unter dem Gewicht der
Todeszivilisation, die sich austobte über diesem Land.

20. August 1970

Lange genug haben wir uns darum bemüht, die Handlungen des Gegners einer objektiven, historisch kritischen Darstellung zu unterziehen und ihn als Repräsentanten des Finanzkapitals zu schildern, den die ökonomischen Gesetze des Imperialismus leiten. Umfassend sind die Mengen der Bücher, Zeitschriften und Artikel, in denen der Mechanismus seiner Gesellschaftsordnung, seine hektische Dynamik und Expansion analysiert werden. Selbst in seinem eigenen Lager war zur Diskussion das Bild freigegeben, aus dem anhand von Tabellen, Kurven und geographischen Zeichnungen hervorging, wie er seine Netze spannt, wie er sich einnistet auf allen Erdteilen, seine befestigten Zentralen errichtet, investiert, seine Profitraten steigert, wie seine Industrien erblühen, wie er Literatur und Kunst in seine Dienste stellt, wie er, durch seine Machtstellung im internationalen Handel, Großunternehmen und Regierungen zwingt, ihm nach dem Munde zu reden, zulässig war es, und sogar interesseweckend, mitzuteilen, wie er ringsum Feigheit, Doppelspiel und Betrug verbreitet und jeden erwachenden Widerstand durch Bestechung, Erpressung, Polizeiterror und Meuchelmord aus dem Weg räumt. Dies alles war akzeptierbar, wenn nur der sachliche, beherrschte Ton gewahrt blieb, wenn nicht offener Haß, Agitation für direkten bewaffneten Aufruhr dabei zur Sprache kam, denn der Gegner wußte, solange sein System unter den Vorzeichen einer Wertneutralität, eines unpassionierten Forschens behandelt wurde, so lange verblieben auch die Ergebnisse auf Seiten der herrschenden Ideen, und somit auf Seiten der herrschenden Klasse, erst wenn die Spielregeln durchbrochen wurden, und der Angreifer die verdinglichte Terminologie nicht länger wahrte, setzte die Abwehr ein, unterstützt vom riesigen Stab der gekauften Schreiber und Sprecher, die in den Massenmedien im Handumdrehn eine unzulässige Äußerung verdeckten. Auch in Schweden, das von Sozialdemokraten regiert, von multinationalen Industrien beherrscht, von den Vereinigten Staaten bevormundet wird, ist es möglich, den Angriffskrieg gegen Viet Nam zu verurteilen, wenn die Begründung in akademisch gepflegter Sprache dargelegt wird, doch tauchen bereits Schwierigkeiten auf, wenn wir das amerikanische Vorhaben Völkermord nennen wollen, obgleich auch diese Bezeichnung noch nicht den Rahmen des Konventionellen verläßt. Vor drei Jahren noch stellte die schwedische Regierung, im Einvernehmen mit der Gewerkschaftsführung, ihre kompakte Ablehnung dem Russell Tribunal entgegen, mit geringen Ausnahmen boykottierte die Presse die Stockholmer Tagung, oder versuchte, sie lächerlich zu machen, zu bagatellisieren, und nur die Berufung auf das Grundgesetz, in dem das Recht auf Versammlungsfreiheit gewährleistet ist, erzwang die Durchführung dieser Zusammenkunft, unterm ausdrücklichen Protest des Staatsministers Erlander. Noch peinlicher verlief die zweite Sitzung des Tribunals, in Dänemark. Sie war nicht nur dem Widerstand von Regierung, Gewerkschaften und Presse unterworfen, es war in Kopenhagen auch kein Lokal aufzutreiben, und ein einziges Hotel nur war bereit, das internationale Gremium zu beherbergen. Die Sitzung mußte in einem Vorort, weit außerhalb der Hauptstadt, abgehalten werden. Hier, in einer isolierten Enklave, von Presse und Fernsehen kaum beachtet, wurde das Anklagematerial zur Sprache gebracht, und es dauerte mehr als ein Jahr, bis die Protokolle publiziert werden und in die Außenwelt dringen konnten. Auch die sozialistischen Staaten ignorierten das Tribunal, denn es enthielt suspekte Persönlichkeiten wie Sartre, Dedijer, Deutscher, Basso, Stokeley Carmichael. Die Erfüllung der richtigen Parteilinie war wichtiger, als die Aufdeckung der Kriegsverbrechen, die in Indochina begangen wurden. Seitdem jedoch wurde die öffentliche Meinung, auf unterirdischem Weg, vor allem durch die anwachsenden Organisationen jugendlicher Aktivisten, in Bezug auf die Geschehnisse in Viet Nam beeinflußt, in Schweden in solchem Maß, daß ein Jahr später der nächste Mitarbeiter des Staatsministers, Olof Palme, in Anpassung an die veränderte Lage, an einer Antikriegs-Demonstration teilnahm, Arm in Arm mit vietnamesischen Gästen. Die Presse sprach jetzt nicht mehr vom »Vietkong«, sondern von der Nationalen Befreiungsfront, Rapporte über die Korruption in Sai Gon, über Zwangsumsiedlungen der Bevölkerung, über Folterungen und Abschlachtungen von Dorfbewohnern, über Ausrottungsaktionen, über Landschaftsverwüstungen durch chemische Waffen wurden publiziert, doch wurden immer nur isolierte Einzelheiten des Außenwerks gezeigt, nie wurden die tieferliegenden Funktionen des gesamten Vorhabens aufgedeckt, dieses neo-kolonialistischen Vorstoßes der Vereinigten Staaten, dessen Ziel es war, die Lebensgrundlagen des Sozialismus in Indochina zu vernichten. Nachdem die Erwähnung einzelner Verbrechen den Ruf der nordamerikanischen

Streitkräfte in ihrer Gesamtheit nicht schädigte, und nachdem die Beweise des geplanten und bewußt durchgeführten Genocides von keiner offiziellen Stelle, keiner einflußreichen Presse anerkannt wurden, konnte der Gegner weiter unbeeinträchtigt in seinem Wirken bleiben. Die schwedische Regierung wurde zwar, unterm Druck einer starken Opinion, gezwungen, die Demokratische Republik Viet Nam anzuerkennen, doch als sich die Kritik an den Vereinigten Staaten radikalisierte, als die imperialistische Struktur der USA, deren europäische Verflechtungen und schwedische Abzweigungen politisch gezielten Angriffen ausgesetzt wurden, begab sich der Vorsitzende des schwedischen Gewerkschaftsbundes, Gejer, sogleich nach Washington, und ihm auf dem Fuß folgte Palme, jetzt Staatsminister, um den Präsidenten der Vereinigten Staaten ihrer unverbrüchlichen Freundschaft zu versichern. Selbst wenn sie, im Namen der illusorischen Neutralität ihres Landes, erwähnten, daß sie diesen tragischen Konflikt in Viet Nam nicht befürworten könnten, bestätigten sie dem Herrn über das Weiße Haus doch, daß er der Schirmherr der Freiheit sei und die westliche Welt vor der Gefahr des Kommunismus schütze. Gewiß stünde bei ihm nicht alles zum besten, gewiß seien der schwarzen Bevölkerung noch nicht alle verbuchten Rechte zugute gekommen, gewiß seien noch allzuviele von den Reichtümern des Landes ausgeschlossen, gewiß seien noch zahlreiche Reformen durchzusetzen, und in dieser Kritik stimme man ja auch vollauf überein mit hervorragenden Sprechern im Senat, die Hauptsache aber sei, daß nichts die Beziehungen zwischen der amerikanischen und schwedischen Großindustrie, nichts die finanziellen Transaktionen, den wissenschaftlichen und kulturellen Austausch zwischen den beiden Ländern stören dürfe, und natürlich sei es eine garantierte Sache, daß der Beistand für Viet Nam, von großen Teilen der schwedischen Bevölkerung gefordert, beim letzten sozialdemokratischen Parteikongreß groß angekündigt, vom Reichstag gutgeheißen, rein humanitärer Art sei, entsprechend der Hilfe, wie sie an Entwicklungsländer oder an Gebiete erging, die von Naturkatastrophen betroffen worden waren, und daß eine Unterstützung zum Wiederaufbau des leider zu einem gewissen Grad zerstörten Landes erst nach Beendigung dieses von den Amerikanern nicht gewollten Krieges infrage käme. Faule stinkende Worte der Scheinheiligkeit, der Einschmeichelei bekommt der Herr über das Massenmorden zu hören von den Abgesandten des schwedischen Sozial- und Wohlfahrtsstaats. Die zur Verfügung gestellten Beträge zum Wiederaufbau Nord Viet Nams sollten, laut Bekanntgebung, unmittelbar zur Verwendung kommen, wegen des geäußerten Zorns des amerikanischen Präsidenten, wegen der Androhung eines Boykotts schwedischer Waren, wegen des Aufruhrs in den Sitzungssälen der Banken, den Aufsichtsräten der Fabriken Schwedens wurden die Gelder auf Eis gelegt. Und die Staatsmänner, voller Elogen für Nixon, redeten wegwerfend von den langmähnigen, bärtigen Rüpeln, Schreihälsen und Drecksäcken, die von Guerillakampf, von Revolution und Arbeitermacht phantasierten, und schlossen sich somit dem Chor in den sozialistischen Ländern an, der sich seinerseits gegen die gleichen Unruhestifter wandte. Weil es in den vergangenen Jahren nichts genützt hat, die Lage in gewählter Terminologie auseinanderzulegen, weil alle durchdachten und beherrschten Arbeiten den Gegner nicht in seiner Überlegenheit zu behelligen vermochten, erschien es plötzlich richtiger, zu andern Angriffsformen überzugehen, die dem imperialistischen Terror besser angepaßt waren. Sachlichkeit und Zurückhaltung wurde immer wieder als schweigende Zustimmung bewertet, faule Eier, Farbbeutel oder Mehltüten aber konnte der Gegner nicht ignorieren, dies waren Ansätze einer neuen Sprache, die er spüren, und von der er sich in drastischer Weise kennzeichnen lassen mußte. Und wie treffend solche Äußerungen sind, ist sogleich zu ersehn aus den Reaktionen der Verteidiger des Establishments, unerhört, skandalös ist es, wenn er, der hunderttausende von Menschen mit Gift, Brand und Bomben umbringt, auf offener Straße Mörder genannt wird, wenn ihm die Reifen seines Automobils zerschnitten, die Schaufenster seiner Reklameagenturen, seiner Handelszentren mit Steinen zerschmissen werden. Dem schwedischen Staatsminister würde es nicht einfallen, nach kränkenden Bezeichnungen seines mächtigen Geschäftspartners zu suchen, er zögert jedoch keinen Augenblick, jene, die ihrem Zorn gegen dessen Brutalität und Vernichtungswahn Ausdruck geben, Flegel und Lümmel zu nennen. Der Mechanismus ist bekannt. Das selbstverständliche Akzeptieren des berufsmäßigen Tötens, die Achtung und Demut vor der Aggression im Weltmaßstab, schlägt bei unsern Staatsoberhäuptern sogleich in Empörung um, wenn Gruppen von Machtlosen, von Nicht-Etablierten, zu ihren verhältnismäßig milden Sabotageakten übergehn, und bei der Niederschlagung der

Unruheherde wird jene Effektivität erstrebt, die in der imperialistischen Unterdrückungsmaschine zur Vollkommenheit entwickelt ist. Der zeitgemäße Sprachgebrauch, der hervorgerufen wurde von einer total verrohten und entmenschten Gesellschaft, kam zuerst bei den militanten Afro-Amerikanern zur Verwendung, und selbst wenn dieser schrill durch die guten Stuben unsrer Angepaßtheit fegt, uns bestürzt, und unsern Vorstellungen von besonnener, vernünftiger Strategie widerspricht, so gelingt es ihm doch, den Oberheiten ihre würdigen Standesnamen, unter denen sie sich kamouflieren und schadlos halten konnten, abzureißen, ihnen, durch grobe Dethronisierung, den metaphysischen Charakter zu nehmen und sie in ihre beschmutzte aktuelle Realität zu ziehn. Im Aufgeben der noblen Terminologie befürchten wir, selbst dem Faschismus zu verfallen, jedoch geht es hier nur um eine verschiedenartige Auffassung der Wirklichkeit, um die Frage, ob gewisse Staatsmänner, Wirtschaftsbosse, Institutionsvorsitzende nicht durch augenfällige erniedrigende Behandlung etwas von der Gefahr verlieren, die sie sonst um sich verbreiten. Hätte die internationale Opposition rechtzeitig einem Ribbentrop, einem Rosenberg oder Göring bei Auslandsbesuchen die Aufgeblasenheit durch Lächerlichmachung genommen, vielleicht wäre ihr eigentliches Wesen dann auch von der Öffentlichkeit früher erkannt worden. Die Tatsache kann nicht abgewiesen werden, daß derjenige, der es über sich bringt, von allen Rücksichtsnahmen Abstand zu nehmen, und die Machtelite der modernen Hölle mit abgründigen und kloakenhaften Ausdrücken zu belegen, mehr um die Aufdeckung der Wahrheit bemüht ist, als derjenige, der sich noch um die Festhaltung ihrer Hoheitszeichen bemüht. Von einer solchen Perspektive her lassen sich die in die Wohnviertel der schwarzen Bevölkerung einbrechenden Polizeitruppen ohne weiteres Schweine nennen, und es braucht nicht länger umständlich und schönmalerisch umschrieben zu werden, daß der Chef über das Syndikat in Washington eine gute Nase hat für Sadisten, Rassisten, Halsabschneider und Pervertierte aller Art, um aus ihnen seine Banden von Schlägern, Folterknechten und Brandstiftern zu rekrutieren, die er für seine Raubzüge benötigt. Auch braucht nicht länger von Großraumstrategie, von Machtbalance geredet zu werden, sondern nur von Schiebung, Bestechung, Hinterlist und Tücke, von einer Umgarnung der Schwachen, von einer Niederstampfung und Aussaugung, einer Schändlichkeit und Verkommenheit, wie kein Imperium der Geschichte es kannte.

21. August 1970

Es läßt sich nichts abbrechen, nichts vom Leib halten, die Konsequenzen des Trotzki-Stücks habe ich weiter auszutragen, nicht nur in der Veränderung meiner Beziehungen zu den sozialistischen Ländern, es fügt auch dem Zusammenhang, in dem ich mich hier im Westen befinde neue Konfliktmuster hinzu. Das Theater in Göteborg gibt jetzt den Versuch auf, das Stück herauszubringen, nach einer Vorarbeit von drei Monaten. In der Mitteilung des Theaters heißt es, daß Regisseur und Ensemble nicht imstande waren, die schwierigen Probleme zu lösen, die das Stück stellte, und daß sie es für besser hielten, auf die Vorstellung zu verzichten, als ein mangelhaftes Resultat vorzuzeigen. Hinter diesem ehrlich erscheinenden Beschluß liegt zunächst eine mißglückte Regiekonzeption, anstatt das Stück zu spielen wie es geschrieben worden ist, sollte das dokumentarische Element hervorgehoben und durch eine Anzahl historischer Hinweise ergänzt werden. Doch damit verschoben sich schon die Proportionen des Stücks, das nur im begrenzten Sinn dokumentarisch ist, und eher als Vision, fast halluzinatorisch, Gestalt annehmen müßte. Sind die einzelnen Szenen auch von authentischen historischen Ereignissen geprägt, so geht der dramatische Impuls doch vom Bewußtsein einer einzigen Gestalt aus. Dem Stück wurde vorgeworfen, daß zuviele Figuren darin erscheinen, daß diese Figuren zu flüchtig sind, nie von einem Schauspieler entwickelt werden können, dem Schauspieler keine Gelegenheit zur Charakterzeichnung geben, als schwer verständlich wurden die zahlreichen Sprünge in der Zeitdimension angeführt, der ständige Wechsel im geographischen Milieu, es hieß, daß es unmöglich sei, die Reflexionen eines Mannes darzustellen, die ein halbes Jahrhundert umfassen, die durchflackert sind von großen geschichtlichen Ereignissen, von Konfrontationen mit Persönlichkeiten die nach einer genauen Analyse verlangen. Zu einem Verständnis des Stückes würden viel zu viel Kenntnisse beim Publikum vorausgesetzt, alles was sich abspielte, bestand nur aus Andeutungen, aus konzentrierten, fast telegrammhaften Zusammenfassungen, und diese Vorwürfe mögen richtig sein, und doch verstehen wir die Kräfte, die hinter ihnen stehn. Es scheinen aber hinter der plötzlichen Beendigung der langen Probenarbeiten noch andere Motive zu liegen, Motive politischer Art, denn ein Teil der jungen Schauspielergruppe gehört dem marxistisch-leninistischen Verband an, in dem die prostalinistische Haltung und naturgemäß die Vorurteile gegen Trotzki dominieren. So dringen auch hier die Zerwürfnisse ein, die in Zentraleuropa die Linke gesprengt haben.

22. August 1970

Es ist verständlich, wenn die schwarzen Bewohner der Gettos, die Rebellen Lateinamerikas, die internationale Jugend, spontane Aktionen begehn, ohne Massenstrategie, nur weil der Druck des Gegners so unerhört ist, weil keine Partei in Sicht ist, die zu revolutionären Aufgaben bereit wäre, weil die Zustände sich immer nur zum Vorteil der Machthabenden hinbewegen, während die Zahl der Benachteiligten wächst, es ist zu verstehn, wenn desperate, oft blind erscheinende Schläge ausgeteilt werden, wenn wahnsinnige Zerstörungen stattfinden, die keine Lösung bringen, und die doch notwendig sind, weil die Erniedrigung jenen Grad erreicht hat, in dem sie nicht länger ertragbar ist. Doch auch dem Einwand muß zugestimmt werden, daß solche Handlungen, ohne sorgfältige Planung, ohne Basis in der Bevölkerung, mit nur mangelhafter Bewaffnung, oder ohne Waffen, in Kürze eliminiert werden durch die überlegenen Schutztruppen der Ordnung, daß sie nur zu neuen Opfern führen, zu unschuldig mit hineingerissenen Verwundeten und Toten, daß sie nichts an der Struktur der Gesellschaft ändern, sondern diese nur zu noch größeren Entladungen ihrer Gewalt provozieren. Unabweisbar ist die Tatsache, daß nach jedem solchen Aufflammen Erschlagene auf der Strecke bleiben, daß die Besten in die Gefängnisse geraten, ohne Möglichkeit zur Verteidigung, von vorn herein verurteilt von der Klassenjustiz, daß monatelange, jahrelange Haft auf sie wartet, daß sich dann Stille über sie senkt, eine Stille, in der die Eingekerkerten sühnen müssen für ihr unrealisierbares Freiheitsbedürfnis, für ihren Aufschrei gegen die Prasserei, den Wucher, die Tyrannei, sei es in Mexico City, Los Angeles, New York oder Tokio, in Rio de Janeiro, Valparaiso, Bogotá, Madrid, Athen oder Lissabon, in Rom, Milano oder Paris, wo auch immer, in jeder schönen, dem Tourismus anempfohlenen Stadt, in der die Aktien sich in den Tresoren häufen, die Kunstschätze blenden und dem Fortschritt Denkmäler gesetzt werden. So sind diese Taten sinnlos, müssen sinnlos bleiben, soweit sie nicht bewußte Akte des Selbstmords sind. Unmöglich unter den gegenwärtigen Voraussetzungen ist die Revolution, selbst wenn dies bedeutet, daß hunderttausende, Millionen an Armut, Auszehrung, Hoffnungslosigkeit weiterhin zugrunde gehn. Unmöglich in unsrer Zeit, mit kleinen Gruppen den großen Schreckensapparat zu Fall zu bringen, gefährliche Utopie, zu vermeinen, daß der Feind sich von Gegenterror beunruhigen

ließe, einzige Möglichkeit, geduldig für die allmähliche Erweiterung der Partei zu arbeiten, beizutragen zur Stärkung des Klassenbewußtseins der Ausgebeuteten, jede unüberlegte übereilte
Handlung als schädlich abzuweisen, diszipliniert, im Einvernehh-
men mit dem Mehrheitsbeschluß, im Lohnkampf, im Streik, im
Bildungswesen tätig zu sein, nur so, unter Beibehaltung eines Optimismus, zäh, ausdauernd, kannst du Dienst tun an der Sache
der gesellschaftlichen Veränderung. Antwort, daß dies gelten mag
für unsre supertechnisierten Schaukästen, in denen bürgerliche
Ideale den Lohnarbeitenden zur Gewohnheit geworden, die Lügen vom Ausgleich der Klassen ihnen den Sinn für Proportionen
umnebelt haben, in denen auch der Geringste noch Nutznießer ist
der Ausräuberung andrer, die ihm unendlich fern und gleichgültig
sind, daß sich dieser konstruierte luftlose Zustand dort aufrecht
erhalten läßt wo das Prinzip der friedlichen Koexistenz antagonistischer Gesellschaftssysteme Lebensbedingung ist, daß aber
dort, wo von Koexistenz keine Rede ist, wo die Millionenmassen
zutiefst abgetrennt von den Oligarchien ihr Dasein fristen, und
Lethargie, totale Loslösung von allen Aussichten auf Besserung
den verstaubten, verhungerten, von Fiebern verseuchten Tag füllt,
jene rückhaltlose Zustimmung der ausgegebenen Parteistrategie
zum Anachronismus wird. Deshalb die Verachtung, der Hohn,
der Haß auf die Parteibonzen in den lateinamerikanischen Städten, von Seiten der Guerilleros auf der OLAS-Konferenz, deren
Anklagen, daß die Partei jeden revolutionären Gedanken aufgegeben habe, die Guerilla nicht nur nicht unterstütze, sondern sie in
ihren Bewegungen behindre, sie verrate, sie den Söldnern der Dol-
lar-Magnaten und Kompradoren ausliefere, daß sie das einzig gül-
tige Gesetz, daß nur mit äußerster Gewalt noch Erneuerung zu
erreichen sei, verleugne. Verachtung, Hohn, Haß gegen die, die
sich Sozialisten nannten und, nur auf ihre eigenen Vorteile be-
dacht, voller Furcht, das bisher Erreichte zu verlieren, sich auf
Seiten des Bodenschachers, des Investierungsschwindels stellten
und den Spekulanten der Reichen Welt Schützenhilfe leisteten.
Und zu dieser Oberklasse gehörten hier, wo eine Wellblechba-
racke das höchste an Wohnlichkeit für die Bevölkerung darstellte,
auch die Staaten des sozialistischen Blocks. Ja, außerordentlich
vernünftig klingt es auf unsern Breitengraden, wo, nach den unerhörten Verlusten des Weltkriegs, endlich der Sozialismus in einem Teil Europas etabliert werden soll und wo nichts diesen Auf-

bau stören darf, vernünftig, bestimmt von praktischem Denken, ist auch die Tatsache, daß zwei Drittel der Erdbewohner noch eine Weile, bis zu ihrem Verrecken, warten müssen, daß ihre Zeit noch nicht gekommen ist, und daß offene Versuche, einen solchen Zeitpunkt zu forcieren nur zum apokalyptischen Zusammenstoß führen können. So steht die technologische Vernunft der revolutionären Unvernunft gegenüber, preisgegeben sind die Hungerleider von den tüchtigen hochindustrialisierten Arbeitern, verschrien als kopflose Idealisten sind die Gruppen von Gerechten, die sich, im Widerspruch zu allen Pragmatikern, in den Bergen, Dschungeln und Gettos sammeln, die in die Enge getrieben und einzeln abgeschossen werden, zum Triumph der Rechthaber, und das Gleichgewicht wird gewahrt zwischen den beiden ungeheuerlichen Waffenbastionen, die die friedliche Koexistenz garantieren, und nichts würde die Harmonie stören, wenn nur diejenigen, die von der Koexistenz ausgeschlossen sind, das friedliche Bild akzeptierten. Doch ein solches Übereinkommen gibt es nicht mit den Kämpfern im Busch von Angola und Mocambique, mit den exilierten oder auf Todesinseln gefangenen Südafrikanern, mit den Aufständischen in Calcutta und Bengalen, mit den Partisanen in Thailand, den hinter spitzen Bambuspfählen geketteten Indonesiern, den oppositionellen Studenten in Manila, San Francisco, Washington, Rom und Paris, es gibt kein solches Übereinkommen mit Huey Newton, Eldridge Cleaver, Bobby Seale, oder Chato Peredo, es gibt kein solches Übereinkommen mit den andalusischen Grubenarbeitern, den Eingekerkerten im Fort Peniche, den an den Füßen aufgehängten, von elektrischen Stromstößen durchjagten Gefangenen in Sao Paulo, und die Bemühungen derer, die den praktischen Vorschriften der etablierten Sozialisten nicht Folge leisten wollen, sind universal, heute vielleicht noch machtlos, weil sie vogelfrei sind zwischen den Lagern, im Stich gelassen von den Parteien, aber sie sind vorhanden, sie erinnern uns daran, wie krampfhaft wir uns anstrengen, eine Scheinsicherheit aufrecht zu erhalten, eine Scheinsicherheit zum Vorteil der Wenigen auf Kosten der Vielen, eine Scheinsicherheit, in der wir mehr und mehr zum Fraß werden einer Staatsmaschinerie, die jede menschliche Regung zermahlt.

26. August 1970

Auf meinem täglichen Spaziergang, meiner vom Arzt verschriebnen Bewegungsübung, längs der Uferwege des Tiergartens, diesmal vom gewölbten Jagdtor aus, flankiert von golden hingestreckten Hirschen, Freund Wennerberg grüßend, den Tüchtigen, der Dichtung, Musik, Wissenschaft in sich vereinte, sozialer Reformator, Förderer des Bildungswesens, hervorragender Sprecher im Reichstag, der hochaufgerichtet, mit heroischem Haupthaar, Schirmmütze in der Hand, Halstuch locker wehend, den langen leichten Mantel offen, am Wendepunkt seines optimistischen Jahrhunderts dem unsern entgegenblickte, vorbei an der verstummten Sängerin, Jenny Lind, gebannt sitzend im bauschigen Schäferinnenrock, die Beine übereinandergeschlagen, Tanzschuhe an den Füßen, die Bänder kreuzweise geknüpft, die Hände ruhend im Schoß, die Brust halb entblößt, den Rücken gewendet zur Stadt, in der sie, wie es hieß, so viele Tränen der Rührung und des Entzückens, so viele Beifallsstürme hervorgelockt hatte, starrend ins Grüne, die Berühmte, verehrt von den Tiecks, der Bettina von Arnim, von Meyerbeer, Mendelsohn, Schumann, dem Unglücklichen, die auch Gold erntete mit ihrer Stimme in den großen Opernhäusern der Welt, und dieses, wie es hieß, freimütig verteilte, geboren, als Hölderlin noch lebte, gestorben, als meine Mutter eben geboren war, jetzt außerordentlich still, außerordentlich träumend, unterhalb der Höhen von Skansen, aus denen in böser Klage der Pfau nach Léon rief, vorbei am Waldschloß Rosendal, wo das Gewässer sich zum Kanal verengte, drüben die Residenzen der imperialen Gesandten, die weiße Fassade, der Fregattenmast des Seefahrtsmuseums, das Palais derer von Bernadotte, durch den Geruch des Blattwerks, der Farnkräuter gehend, gelangte ich an meine Bank, meinen Rastplatz, nachdenkend über die politischen Forderungen, die wieder über mir zusammenschlagen wollten, obgleich ich versucht hatte, ihnen zu entkommen, aus denen es doch kein Entkommen gibt, und auf seinem Fahrrad kam dahergerollt Hermansson, Vorsitzender der Kommunistischen Partei, Abgeordneter im Parlament, ich winkte und er setzte sich zu mir, hatte seinen freien Tag, zwischen Wahlreden, Agitationsreisen, vor der Pressekonferenz morgen im Rundfunk, und dem Verhör am Tag darauf im Fernsehn, über die bevorstehenden Wahlen. Angefeindet von den Moskautreuen in der Partei, und den abtrünnigen Jugendlichen, im polemischen Kampf gegen den Stalinismus in den eigenen Reihen und die Aufwertung Stalins, wie sie von der neugegründeten Gegenpartei der Marxisten-Leninisten betrieben wird, und die bei den Septemberwahlen mit den Kommunisten um die Sitze im Reichstag konkurriert, von den Altvordern als allzu offen für die radikale Linke, von den Jungen grausam als Revisionist, als Opportunist, als nicht genügend revolutionär verspottet, stellt er, beherrscht, freundlich, überlegen, von intellektueller Kraft, immer noch die Führungsinstanz dar dieser Partei, der viele das Ende prophezeien, nachdem sie bei den Wahlen vor zwei Jahren, unmittelbar nach dem Einmarsch in die Tschechoslowakei, schon einen Tiefpunkt erreicht hatte. Die Partei hält laut Beschluß, trotz starker Gegenstimmen, an der Verurteilung der Aktion gegen die ČSSR fest, vertritt ihre Selbständigkeit gegenüber Moskau, und betont, auch dies unterm Widerspruch einiger Fraktionen, ihren Wunsch, freundschaftliche Beziehungen zur chinesischen Volksrepublik zu unterhalten. Es ist der uneinheitlichen, in sich gesplitterten, auseinanderstrebenden anstatt in zentralen Fragen sich verständigenden Partei nicht gelungen, die neue linke Generation aufzunehmen, diese engagierte Wählerschaft, diese potentielle revolutionäre Kraft, die ihre Massenbasis benötigt, und sie sich jetzt unter den Bildern Mao Tsetungs, Ho Chi Minhs, Lenins und Stalins, unter der Fahne der FNL sammelt, unter Feldzeichen, die ihr im eignen Land nicht zum Durchbruch verhelfen können. Vieles geschieht aus reiner Unkenntnis der Sachlage, stellten wir im Gespräch fest, ihnen, die in den Jahren nach dem zweiten Weltkrieg aufwuchsen, ist über die Politik der Komintern nichts bekannt, sie haben kaum etwas erfahren über die Hintergründe der Auseinandersetzungen zwischen der Sowjetunion und China, auch sie, obgleich sie Zugang hätten zur einschlägigen Literatur, sind Opfer der propagandistischen Vereinfachung, der fertig gelieferten Meinungen, des Verzichts aus Bequemlichkeit vorm eigenen Denken und Studieren, für viele sind die Moskauer Prozesse ein Märchen, die Entwicklung zur heutigen Lage ist in ein Dunkel gehüllt, das unanalytisch abgetan wird, indem man das revolutionäre China zum Vorbild erhebt gegenüber der sowjetischen Staatsmacht von heute, die mit den Vereinigten Staaten Abkommen trifft, um die gemeinsamen Herrschaftsinteressen zu sichern. Sie sind es, die an der Theorie festhalten, daß mit einem solchen Bündnis der Supermächte zur Erhaltung des Friedens, der Gedanke an eine Weltrevolution definitiv aufgegeben worden sei, und verbraucht sind in·ihren Augen die alten kommunistischen Parteien Europas. Die Annäherung an die schwedischen Arbeiter aber gelingt ihnen nicht, sie treten ein für die Streikbewegung, die sich nicht nur gegen die Arbeitskäufer sondern auch gegen die Gewerkschaftsführung richtet, sie leisten wertvolle Stoßaktionen zugunsten der Grubenarbeiter, der Werftarbeiter, sind im ganzen aber besser unterrichtet über die Agrarländer Asiens und Lateinamerikas, als über die Lohnkämpfe und Organisationsfragen, die Pläne, Ziele und ideologischen Begrenzungen der schwedischen Arbeiterklasse. In Ermangelung revolutionärer Voraussetzungen, oder auch nur vorrevolutionärer Gegebenheiten, identifizieren sie sich mit Kräften, die andernorts, weit von ihnen entfernt, entstehn, und denen sie von wenig Nutzen sein können. Allzu oft auch sind sie von den Alten, den Parteigetreuen, vor den Kopf gestoßen worden, allzuviel sture Ablehnung haben sie zu hören bekommen, Ausschlag von Generationsfeindlichkeit, von kleinbürgerlicher Obstinatheit gegen neue·Lebensformen, Gebräuche, Interessen, und Hermansson, der auf ihrer Seite ist, ist ihnen zu mild, zu konziliant, zu wenig militant, sie verstehen nicht, daß er ständig auszugleichen versucht, zwischen den gegensätzlichen Polen in der Partei, sie fordern eine eindeutig revolutionäre Linie, haben keinen Sinn für die Taktik des langsamen Vorgehns, diese Taktik, die notwendig ist für eine zahlenmäßig kleine Partei, in einem Land, in dem die Arbeiterbewegung seit vielen Jahrzehnten tief verankert ist in der Sozialdemokratie. Sie kennen nicht die schwierige geduldige Tätigkeit an den Arbeitsplätzen, um die ständig auftauchenden Konflikte aus ihrer ökonomischen Determinierung allmählich in politische Forderungen zu verwandeln, und die ebenso zähe und unermüdliche Arbeit, die selbstverständliche und gewohnheitsmäßige Zugehörigkeit zur profillosen, ideologisch kraftlosen Sozialdemokratie aufzulockern und Voraussetzungen für eine Annäherung an die kommunistische Partei zu schaffen. Die Etablierung einer neuen marxistisch-leninistischen Partei konnte da wenig helfen, konnte im Gegenteil dem Erreichten nur eine neue Bruchstelle hinzufügen. Die Gewaltmaßnahmen gegen die Tschechoslowakei, die Erscheinungen der Unfreiheit in der Sowjetunion und andern Ländern des Warschauer Pakts verdeckten das Positive in den sozialistischen Ländern, gaben dem Mißtrauen gegen die kommunistische Bewegung weitere Nahrung, verhinderten die Heranbildung einer Einigkeit innerhalb der Linken, und machten die Errichtung einer gemeinsamen Basis möglich. Das Auftauchen der extrem eingestellten Gruppen revolutionierte die Arbeiterklasse weniger, als daß es sie dazu trieb, an ihrer Scheinsicherheit festzuhalten und weiterhin für das traditionelle Instrument der sozialdemokratischen Gewerkschaften einzutreten, das ihnen zu einigen sozialen Verbesserungen und zu einem erhöhten Lebensstandard verholfen hatte. Die Kommunistische Partei, die sich, in einer Verwischung der Konturen, nunmehr Linkspartei Kommunisten nennt, hatte sich vor allem auf die Aktivität innerhalb der Gewerkschaften eingestellt, dort auch an manchen Stellen Einfluß gewonnen, sie versuchte, aufklärend einzuwirken auf die Arbeiter der niedrigsten Lohnstufen, diese großen proletarisierten Schichten der schwedischen Wohlstandsgesellschaft, hatte dabei aber die Bedeutung der heranwachsenden Generationen unterschätzt. Die Scheuklappen vieler älterer Genossen trugen die Schuld daran, daß zehntausende neuer Wähler in diesem Jahr sich der Stimme enthalten, oder sie dem Verband der Marxisten-Leninisten geben, und mit jeder dieser verlorenen Stimmen wird die Gefahr größer, daß die Partei die für den neuen Einkammerreichstag bestimmte Vierprozent-Klausel nicht überschreitet, und somit die Sozialdemokraten im Parlament ohne die notwendige sozialistische Kritik sitzen. Hermansson ist jedoch voll Zuversicht, meint, daß die Situation, wie er sie auf seinen Rundfahrten durchs Land angetroffen habe, für die Erhaltung der Mandate spräche, vielleicht redet er sich auch nur Mut zu, ich frage mich, wie er die Kraft aufbringt, durchzuhalten, sehe die Zeichen der Anspannung in seinem Gesicht, die scharfen Falten, die sich um Nase und Mundwinkel ziehn, und von Müdigkeit, Enttäuschung sprechen. Wie bei vielen der besten Kommunisten ist die Last der letzten Jahre deutlich zu spüren, die Last, daß durch die abschreckenden Vorgänge im Ersten Arbeiterstaat die Anziehungskraft auf die Gruppen, von denen eine Neubelebung der Partei kommen könnte, verloren ging, die Last, daß alle Versuche, sich den zeitgemäßen Ideen und Ansprüchen in den westlichen Ländern anzupassen, auf jene Abweisung von Moskau her stößt, die ein Zeichen ist von Unwissenheit und Ignoranz gegenüber einer außerhalb der hermetischen Absperrung verlaufenden Entwicklung. Während dieser Stunde, auf der Parkbank am Wasser, glaubte ich zu verstehn, daß auch in ihm, der seit langer Zeit als stärkster Wortführer die

Partei nach außen vertritt, schon ein Zug nagt, die Arbeit aufzugeben, sich zurückzuziehn, nur noch Studien zu betreiben, zu schreiben, sein begonnenes Werk über die Verzweigungen des schwedischen Finanzkapitals fortzusetzen, und dies als Folge der Unmöglichkeit, die morsche Parteistruktur von innen her zu befestigen, Mittel und Wege zu finden, die Vergangenheit zu klären, und aus der Verfilztheit den Weg frei zu legen, der ein Weiterkommen verspricht. Ohne eine breite Öffnung für neue Kräfte in der jungen Arbeiterschaft und der studentischen Jugend, ohne die Errichtung einer gemeinsamen Kampffront der Linken, wird die Partei stagnieren. Wieder, wie oft schon, im Zusammensein mit französischen, italienischen, tschechoslowakischen Genossen, das Bild der nicht mehr überbrückbaren Kluft zwischen dem in Europa konzipierten und festgesetzten Sozialismus und dem revolutionären Sozialismus der Kontinente, die sich aus Kolonialismus und Ausplünderung zu befreien suchen. Und dagegen gestellt die wieder und wieder heraufbeschworene Antithese, gegenwärtig noch Utopie, daß die Meinungsverschiedenheiten, die Feindseligkeiten überwunden, die Eintracht zwischen der sowjetischen und der chinesischen Linie wiederhergestellt werden könnte, daß der globale Internationalismus, so offensichtlich notwendig für alle Marxisten, sich schließlich doch als stärker erweisen würde als die Aufteilung der Welt in Arme und Reiche, als die verheerende Diskriminierung zwischen Entwickelten und Unterentwickelten, daß die europäischen Sozialisten ihre Vorrangstellung aufgeben könnten zugunsten der gemeinsamen Sache. Solchem Blick in die Zukunft gaben wir uns, auf der Bank im Königlichen Tiergarten, eine Weile lang hin.

28. August 1970

Und wie sollte er denn auch, seine geistige Überlegenheit nutzend, überzeugend den Standpunkt der Partei verfechten, da er sich doch in einem Vakuum befand, wie konnten seine Antworten, die er den beiden impertinenten Fragestellern im Fernseh-Interview gab, mehr ausdrücken als überanstrengte Beherrschtheit, sinnlose Bemühung, das berühmte Image zu erreichen, das in der Konkurrenz-Gesellschaft so gefragt ist und von dem in Wahlzeiten alles abzuhängen scheint, wie sollte er, gegenüber der Dummdreistigkeit der Reaktionäre, deren populäre Aufgabe es war, ihn zu skandalisieren, und die immer wieder den flachsten Tonfall anschlugen, um alle gesellschaftlichen Probleme zu umnebeln, zu grundsätzlichen Stellungnahmen fähig gewesen sein. Er saß im bürgerlichen Bildschirm gefangen, als eine Absonderlichkeit, die versuchte, sich als etwas fest Konturiertes, allen Verständliches auszugeben. Anstatt sich der kurzen Stunde von Popularität anzupassen, und die Kommunistische Partei als die Versöhnlichkeit und die Gerechtigkeit par excellence zu präsentieren, wäre es vielleicht besser gewesen, klar zu machen, daß es keinen Kompromiß geben konnte zwischen der sozialdemokratisch-kapitalistischen Scheinheiligkeit und dem wissenschaftlichen Sozialismus, die Verrätereien und Betrügereien aufzudecken, die auf dem Gebiet der Stadtplanung, des Wohnungsmarkts, des Geschäftswesens tagtäglich an der Bevölkerung begangen wurden, und auch die Widersprüche und Mißhelligkeiten in der eigenen Linkspartei darzulegen, vielleicht wäre es, anstatt den Ausdauernden und Beschwichtigenden zu spielen, besser gewesen, auf die noble Zurückhaltung, das gute Benehmen zu verzichten, sich ein für alle Mal als stubenreiner, in bürgerlichen Kreisen gangbarer Kommunist unmöglich zu machen und, endlich doch Unruhe aufwühlend, unter Gebraus zur Hölle zu fahren.

29. August 1970

Krankgeschrieben, wie es bei uns heißt, die Tagegelder der Versicherungskasse entgegennehmend, der Betrag dem Einkommen entsprechend, hoch den Hochverdienenden, gering den Geringverdienenden, Rekonvaleszent der Klassengesellschaft, gedenkend derer die keine Schonzeit haben, begebe ich mich mehrmals wöchentlich in die Klinik, zu Nachuntersuchungen von Blutfett, Blutdruck, Herztätigkeit, zur Überprüfung der wachsenden physischen Leistungsfähigkeit, Arme und Beine schwingend, Hanteln hebend, Radpedalen tretend, dem einen, dem andern Gefährten begegnend, die gleichzeitig mit mir in der Abteilung lagen, von ihrem Zustand vernehmend, Auskunft gebend über den eignen. Problem für alle, mehr oder weniger versteckt, mit der Unsicherheit, der Unruhe fertig zu werden, die dir nach der Entlassung aus dem technisch perfektionierten Apparat noch geblieben ist. Dort gab es, soweit du überlebtest, erprobte Methoden, um deinen Organismus zu behandeln, jeder deiner Herzschläge und Atemzüge stand unter Kontrolle, doch indem du wieder auf die Beine kamst, wurdest du auch mehr und mehr deinem eigentlichen Problem überlassen, das bei einigen bald wieder zum Alpdruck wurde, für das es keine Therapie gab, und das höchstens mit Medikamenten behandelt wurde, zur Betäubung, zur Einschläferung. Der Gegensatz zwischen der technischen Vollkommenheit, die sich deines Körpers annahm, und der hilflosen Leere, die deine persönliche Existenz umfing, versetzte manchen in ein Schwindelgefühl. Was soll werden, du bist Anfang, Mitte Fünfzig, wirst du deinen Beruf wieder aufnehmen können, mußt du dich vorzeitig pensionieren lassen, wird der Augenblick wiederkehren, an dem der Schmerz, der Krampf, die Atemnot über dich kommt, an dem du dich nicht mehr aus eigner Kraft weiterbewegen kannst, an dem du zusammensackst, auf der Treppe zur Untergrundbahn, auf dem Stuhl im Büro, an der Drehbank, mitten auf der Straße, und nur noch hoffen kannst, daß andre sich deiner annehmen, dich nicht einfach liegen lassen, im Glauben du seist besoffen, dich in die medizinische Maschinerie befördern, auf schnellstem Weg, dich an all die Schläuche, Behälter, elektrischen Leitungen und Kanülen legen, die jetzt einzig und allein noch deine Hilfe sind. Die Besorgnis um das Einkommen, um die Familie, zeichnet sich in den Gesichtern der Patienten ab, während sie sich bemühen, der Aussicht Glauben zu schenken, daß sie jetzt, nachdem die

Krise vorüber, gesünder und widerstandskräftiger werden als zuvor, da sie jetzt ja nachholen, was sie vordem versäumten, achtend auf gesunde Nahrung, auf körperliche Bewegung, auf Enthaltsamkeit im Nikotingebrauch. Und auf dem Weg zum Gymnastikraum der Einblick in die bekannten Korridore, auf denen, in grauer schlotternder Kleidung, die vom Grabeslager Auferstandenen ihre Gehversuche machen, jeder für sich allein, Nummer im Räderwerk, oder Begegnungen mit eben Hereingetragenen, neuen Gestürzten, neuen Verwundeten des Straßenkampfs, eine unaufhörliche Folge von Opfern der Produktionsschlacht, verendend, oder noch einmal hinübergerettet zu erneutem Einsatz.

30. August 1970

Wieder in meinen nächtlichen Gegenden, in den Hofräumen eines verfallenen Palazzos, in einem ärmlichen Viertel, in dem sich alles im Aufbruch befand, fliehend vor einer herannahenden Katastrophe, Möbelstücke, Bettzeug, Koffer herumliegend, panische Suche nach Karren, Lastwagen, Taxis, schwirrende Gerüchte von einem ausgebrochenen Vernichtungskrieg, auch mein Vater war irgendwo, ich fand ihn nicht mehr, versuchte noch, Wegzehrung aufzutreiben, fand in einem Laden etwas Undefinierbares, Brotähnliches, Teigiges, Dickflüssiges, eine Art Spaghettipudding, G war mit dem Vollstopfen des Autos beschäftigt, schnell her mit ein paar großen Reisetaschen, aus weichem schlapprigem Leder, da ließ sich noch was von unserm Kram hineinstecken, wie aber mit dem Auto durch dieses Gewühl von Menschen und Gepäck, und es drängten noch Leute auf uns ein, die mitgenommen werden wollten, und da war ein Tor, durch das wir hindurchmußten, es war bewacht von einem wild fauchenden Luchs, und meine Kleider waren verschwunden, hatte mir nur meinen alten zerrissenen blauen Bademantel übergeworfen, war barfuß, wie an jenem Abend, am 6. Juni, als es losging, als weder die Ambulanz, noch die Taxistation zu erreichen war, als im abgelegten Telephonhörer das Anläuten der Hilfszentrale zu hören war, und ich, im Bademantel, auf dem Boden lag, nach Atem ringend, und G, da niemand den Alarm beantwortete, hinunterjagte, das Auto zu holen, und als ich dann in den Fahrstuhl kroch, und unten auf dem Stein im Hausflur lag, und dann das Auto vorgefahren, wie komm ich durch die Tür, wie komm ich auf die Straße, ins Auto, kriechend, barfuß, im offnen Bademantel, auf dem rückwärtigen Sitz liegend, die Arme hochwerfend, schon sausen wir die Straßen entlang, durch die am Samstagabend vollgepfropfte Stadt, schnell, der Würgegriff ist nicht mehr zu ertragen, vorbeirauschend die Häuser, die Fahrzeuge, Gesichter, Körper, wo sind wir, irrsinnig lange vor roten Ampeln haltend, weiter durch die Straßen, kippend durch die Kurven, endlich Einfahrt zum Krankenhaus, Unfallstation, G holt Hilfe herbei, ich werde hinausgezogen, getragen, eine Bahre, in kaltem hellem Raum idiotischen Fragen ausgesetzt, schnell, verliert keine Zeit, tut etwas, weiter, durch Korridore, Fahrstuhl hinauf, in die Intensiv-Abteilung, nach der Injektion Erleichterung, und dann alles was kam, obgleich es jetzt schnell auf den Grenzpunkt zuging, fast schwerelos, und nur zu akzeptieren. An den Drähten und Schläuchen liegend, die Sauerstoffleitung in die Nase geschoben, vom Schüttelfrost überkommen, geriet ich bei vollem Bewußtsein immer näher an den Schlußpunkt heran. So war es, das bevorstehende Ende war sehr konkret, doch es war von aller Angst befreit. Ich hörte mich sagen, wenn so das Sterben ist, dann ist es ganz leicht und schön. Dachte noch daran, daß dies vielleicht meine letzten Worte waren. Ich will zwar versuchen, durchzukommen, aber wenn es nicht gelingt, dann tut es nichts, dann ist es leicht und schön. Kein Schmerz, nur ein Zittern, dagegen ist nicht anzukommen, ich bin klarwach, und die Erfahrung dieses Augenblicks ist, daß es keine Furcht gibt, daß alles getan ist, was getan werden konnte, ich konnte mich auch nicht entsinnen, Fehler begangen zu haben, ich hatte versucht, so gut es ging, das richtige zu tun, und ich wußte, ich hatte das richtige getan, und war jetzt froh, so wach zu sein, da das Letzte bevorstand. Auch als ich dann durchgekommen war, während der nächsten Tage, stellte sich keine nachträgliche Angst ein, jetzt, da ich diese Erfahrung besaß, wollte ich sie auch nicht missen, alles war eigentümlich hell, deutlich, greifbar, die Gegenwart der Menschen von besonderer Wärme, tiefer als je zuvor die Zusammengehörigkeit mit dem Lebendigen. Nicht störend, dies alles nur bestätigend, der Gedanke, wie leicht und schnell es geht, dies alles zu verlieren, unwiederbringbar. Denn das Furchtbare, daß du nicht mehr da bist, daß du an nichts mehr teilhaben kannst, das ist ja nur im Gedanken des Lebenden enthalten, bist du tatsächlich aus dem Lebendigen entfernt, dann weißt du es nicht mehr. Was du als Verlust empfindest, das ist Angelegenheit der Überlebenden, und diese werden ihr Urteil darüber abgeben, ob es ein Verlust ist oder nicht, daß du nicht mehr da bist. Der Gedanke der definitiven Trennung, die qualvolle Vorstellung des Herausgerissenseins aus allen Zusammenhängen, die Vorstellung, daß alles das, was du liebst, weiterbesteht ohne dich, welche Absurdität, denn solange du von dieser Nostalgie ergriffen bist, lebst du ja noch, und danach ist die Angelegenheit für dich vollkommen erledigt. Trotzdem, obgleich es damals, als ich nicht darauf vorbereitet war, als es plötzlich, überraschend einsetzte, weder Schrecken hervorrief, noch größere Schwierigkeiten auferlegte, eher als natürlicher Vorgang sich vollzog, kam später der Schock, und seitdem bringt er sich von Zeit zu Zeit in Erinnerung, versetzt die stoische Haltung in leichtes Schwanken, zwingt das Bewußtsein, sich abzufinden mit der ständig bevorstehenden Möglichkeit, jäh den entscheidenden Schritt tun zu müssen. Diese selbstverständlichste Sache der Welt, der keiner entgeht, mit der jeder früher oder später konfrontiert wird, die unter unzähligen Systemen des Trostes notdürftig versteckt wird, bis du selbst, ohne Ausflüchte, daran stößt, diese konkreteste aller Sachen zu akzeptieren, zu akzeptieren, daß du ihr verschrieben bist, daß jedes deiner Vorhaben im nächsten Augenblick abgebrochen werden kann, und doch nicht der Selbstaufgabe, der Lethargie zu verfallen, gegenüber dem Faktum, daß du mitsamt deinem Wirken fürs Nichts da bist, deine Tage zu nützen, als hätte deine Tätigkeit darin einen Sinn, die Ausdauer, den Mut, die Hilfsbereitschaft zu preisen, diese Eigenschaften hoch zu bewerten, obgleich sie unversehens zerstäuben können, unbeirrt weiter nach dem zu suchen, was du deine Wahrheit nennst, und gleichzeitig ständig zum Abgang bereit zu sein, das wäre Bewußt-Leben.

31. August 1970

Doch sind die positiven, konstruktiven Erwägungen und Zielrichtungen unaufhörlich dem Anlauf des Destruktiven ausgesetzt, und da wirkt das Erreichte geringfügig, unter all dem Halbdurchdachten, Übereilten, all diesen Äußerungen gebrochenen Willens, diesen erstickten wütenden Impulsen, diesem matten unfähigen Gelalle, dieser Gekuschtheit, die sich Luft verschaffen will, diesen Prahlereien aus Unsicherheit, dieser Eitelkeit aus Schwäche, dieser ganzen Aggressivität, die nur das Zeichen von Gebrechlichkeit und Todesfurcht ist. Die klare und logische Zeichnung vom Weg in einen Zustand der Erleichterung und Befreiung hat sich nie weiter als bis in Ansätze einer Realität übertragen lassen, die entschlossenen Vorstöße wurden immer wieder aufgehalten von Kleinlichkeit, Geiz, Phantasielosigkeit, Herrschsucht, vom weiterbestehenden, weiterwachsenden Berg des Verbrauchten, das Vernünftige, das Zweckmäßige, das Nützliche wurde immer wieder erdrückt vom schlappen, bequemen Festhalten an dem zur Gewohnheit gewordenen Betrug, und entstand hier und da ein Lichtblick, ein kleines Stück festen Bodens, dann wälzte sich das Ungeheuer der Vergangenheit gleich darüber hinweg, und wer sich dagegen anstemmte, dem wurden mehr und mehr die Kräfte untergraben. Das Einfache, Freundliche, Gerechte, über das man nicht verschiedener Meinung zu sein braucht, verbirgt sich plötzlich, wenn du daran rühren willst, hinter Bastionen der Unwirklichkeit. Aber weil du in deinem Optimismus meinst, daß es doch einmal greifbar werden müsse, und weil du von nichts besserem weißt, setzt du deinen Weg fort, und vielleicht, um deine Absichten praktisch zu unterstreichen, trittst du der Partei bei, in deren Manifest einmal die Grundlagen deiner Zielsetzung gegeben wurden, indem du das Parteibuch erwirbst, willst du dich selbst unter Beweis stellen, das kleine rote Parteibuch ist mehr als ein Symbol, es ordnet dich ein in eine starke Kette organisierter Zusammengehörigkeit, so meinst du, und du glaubst, zum Bestandteil einer internationalen Bestrebung zu gehören, und wenn du so weit gekommen bist, dann mußt du, für dich selbst, noch einmal ganz von vorn beginnen, mußt den Anfang des Kampfes noch einmal nachvollziehn, mußt zu den Wurzeln zurückgehn, alle Umwege, Entstellungen, Lügen, Fälschungen, Verrätereien überwinden, in deiner gegenwärtigen Situation alle verspielten Möglichkeiten ins Leben rufen und dir sagen, daß alles, was mißglückte, was nicht ausgeführt werden konnte, was stecken blieb, was widerrufen wurde, was in Vergessenheit geriet, von dir wieder aufgenommen werden muß. Und so siehst du deine guten Genossen, die auch von Vorsätzen erfüllt waren, die auch genug hatten von den Ungerechtigkeiten, du siehst sie, jeder mit seinem Parteibuch, jeder von Schwierigkeiten überladen, an Müdigkeiten, Verirrungen, Mutlosigkeiten tragend, du siehst sie, wie sie von Wahngebilden angefochten werden, doch auch, wie sie stundenweise helle Ausblicke vor sich haben, du siehst, wie sie ihr möglichstes tun in einem kleinen Bezirk, wie sie versuchen, sich der Meinung, der Entscheidung des Kollektivs anzupassen, wie sie dabei vergessen, auf die eigene Stimme zu hören, wie sie billige Wahrheiten über eigene instinktive Bewertungen schieben, wie sie nicht mehr die Fähigkeit aufbringen, die Ursachen des inneren Auseinanderfalls zu untersuchen. Du beobachtest, wie Genossen, mit ihrer Treue zur Partei, eine Verachtung kultivieren für alles was außerhalb der Partei liegt, wie sie die Stärke des Parteiapparats mit ihrer eigenen Beschlußkraft verwechseln, wie sie, deren ursprünglicher Wunsch die Bescheidenheit, die Rücksichtnahme war, einer Geltungssucht verfallen, einer Intoleranz, wie sie Kennzeichen von Hysterikern, von Psychopathen entwickeln, wie sie, die fest in ihren Ansichten waren, schwanken, verschwimmen und ursprünglich konstruktive Ideen ausarten lassen zu Verfolgungswahn. Symptomatisch ist dieser alte zuverlässige Genosse, der sich in solchem Maß verkümmern und verkrüppeln läßt, daß er sich selbst nicht mehr greifen kann, nicht mehr merkt, wie er Antihumanes vertritt, wie er sich mit wachsender Heftigkeit wendet gegen jede Erscheinung, die Spuren trägt von dem, was er selbst einmal angestrebt hatte und was ihm unerreichbar geworden ist. Anstatt der Brüderlichkeit, in deren Namen er begann, Ausdruck zu geben, zeigt er sich als Tyrann, anstatt zur Vitalität zu finden, in der er sich einmal entfalten wollte, umspannt er seine Ideologie mit starren Grenzen, mit hierarchischen Regeln, anstatt die Gesamtheit zu sehen, in der sich das Wirken der Gegensätze erkennen läßt, starrt er in einen engen beschränkten Kessel, anstatt alles zu befürworten, was nach Erfindungsreichtum, nach kühnem Experimentieren verlangt, läßt er die stumpfe verarmte Sprache eines lebenslänglich Gefangenen aus sich sprechen, und er weiß nicht mehr, wie es dazu gekommen ist. Er, der auszog als Revolutionär, steht da als Konformist, verständnislos den Jungen gegenüber, die ihn fragen, was aus der Revolution geworden ist. Unvereinbar jetzt sein erloschenes Bild vom weltweiten Umbruch mit der noch ungestalten Vision, die ihm entgegenschlägt. Diese alten Genossen sind es, die sich vor uns aufpflanzen, die sich bei ihren Kongressen vor uns versammeln, mit dem Anspruch auf absolute Rechtmäßigkeit, schwer, wuchtig, viereckig ein jeder, mit Gesichtern, die das letzte Lächeln verlernt haben, Männer, Büffel, Patriarchen, Autoritäten, die keine Frau zwischen sich zulassen, obgleich sie einmal von der Gleichberechtigung der Geschlechter gesprochen hatten, und ernst, viereckig und würdig wollen sie uns belehren, mit ihrer Engstirnigkeit, mit ihrem Festhalten am längst Balsamierten, tibetanische Priester, die Gebetsmühlen schwingend, den großen Gong schlagend, aufragend als uneinnehmbare Mauer wo immer sich die Stimme eines selbständig denkenden Ketzers erhebt, diese sind es, die unsern Weg zum Trotten im Staub ausgestampfter Spuren machen, die uns Zwang, Freudlosigkeit, geistige Behinderung auferlegen, die uns das Maul mit Gips stopfen wollen, wenn wir sie daran erinnern, daß der Sozialismus dazu da ist, unsre Kenntnis der Wirklichkeit zu bereichern.

2. September 1970

Im Zuschauerraum des Dramatischen Theaters, Stockholm, bei
der Generalprobe des Stücks Tolstois Testament. Obgleich das
Thema fesselnd, die Schauspieler hervorragend, die Dramaturgie
vielversprechend, die Bühnenbilder phantasieanregend sind,
überkommt mich nach kurzer Zeit Qual und Atemnot, eine Klau-
strophobie, bald nicht mehr erträglich, Schweißausbruch, Ohnmacht nah, ich verwechsle Tolstoi mit Trotzki, es ist Revolution
1905, ich erwarte den Auftritt der Arbeiter und Soldaten, das
Publikum aber ist ruhig, kein Zischen, kein Kichern, kein Zwi-
schenruf, es kann nichts geschehn, Tolstoi, mit langem weißen
Bart auf dem Fahrrad im Birkenwald, Tisch gedeckt zum Früh-
stück im Grünen, Manets Geist gegenwärtig, in solcher Gesellschaft kann nichts geschehen, da spricht die junge Revolutionärin
von der Not der Arbeiter, alles ist gut, wichtig, gegenwärtig, aber
ich kann es nicht mehr ertragen, es ist alles Kulisse, alles Theater,
warum ist das Publikum so still, warum setzt kein Geschrei ein,
ich stolpre durch die dunkle Reihe, stoße die Tür auf, laufe hinaus
auf die Straße, hinaus ins Helle, die Knie weich, Schwärze vor den
Augen, liege dann zuhause erschöpft, doch erleichtert, einer Gefahr entronnen.

4. September 1970

Fast hätte er mich um einige Wochen überdauert, Max Bernsdorf, zwanzig Jahre älter als ich, mein Gefährte aus Prag, und den ersten Stockholmer Jahren, Anfang Juli kam die erste Attacke, dann am 15. Juli der Herzschlag, der sein Leben beendete. Im Garten des kleinen Hauses in Waldkirch, in dem er sich eingemietet hatte, hörte der Wirt ihn noch rufen, fand ihn dann auf dem Boden liegend in der Kellerwohnung, die aus einer mit Büchern überladenen Kammer und einer Küchennische bestand. Zu mehr als diesem Unterschlupf hatte es nicht gereicht, seine Heimkehr nach Schwaben, nach den langen Jahren der Emigration, hatte ihn vom Exildasein nicht befreit. Er hauste, wie in Prag, in Stockholm, in New York, in einem muffigen verrauchten Loch, sein Schlafsofa mit Zeitungen und Zeitschriften aus aller Welt überlagert. Einen Bleistift zum Anstreichen der Meldungen, eine Schere zum Ausschneiden, eine klapprige Schreibmaschine, das war sein Arbeitsmaterial, ich weiß nicht, was er an Aufzeichnungen selbst noch zuwege brachte, doch nahm er bis zum letzten Tag teil an der politischen Wirklichkeit, in der er doch seit 1933 ein Ausgestoßener war. Wir hatten während der letzten Jahre keinen Briefkontakt mehr, waren uns seit seiner Abreise aus Stockholm, nach meiner Ausstellung in der längst abgerißnen Messehalle am Brunkebergsplatz, nicht mehr begegnet. Später war ich einige Male auf dem Weg, ihn in seiner ländlichen Abgeschiedenheit im Breisgau zu besuchen, es kam nie dazu, aus Gründen dieser unverzeihlichen Trägheit und Gefrorenheit, von denen wir uns in unsern Beziehungen allzu leicht erfassen lassen. Aus New York, wo er als Aufwäscher sein Leben fristete, kamen noch Briefe, voller Bitterkeit, doch auch noch mit den Resten eines Galgenhumors, nach dem Krieg, als er in die Landschaft zurückgekehrt war, nach der er sich im Exil immer gesehnt hatte, wurden die Briefe seltener, versiegten dann ganz. In seinem Schwarzwaldwinkel blieb er ein Sonderling, ein unverständlicher Fliegender Holländer, den es in ein Nest verschlagen hatte, ein Unikum, der seine monatliche Unterstützungssumme in Büchern und Zeitungen anlegte. Für immer entwurzelt, ging er oft mit dem Gedanken um, weiter zu reisen, wußte aber nicht, wohin, und so blieb er in dem Land, aus dem er einmal verstoßen worden war, und liegt jetzt dort begraben, nicht mehr erreichbar. Er hatte es mir lange nachgetragen, daß ich in meinen Büchern so offen über ihn berichtet hatte, dann, später, zürnte er mir, daß ich für den Kommunismus eintrat, denn er, einst Mitglied der Partei, doch wegen »unkommunistischer Auffassung und parteifeindlicher Tätigkeit« ausgeschlossen, da er, Spanienkämpfer, den Syndikalisten zu nahe stand, hatte nie die Hinterhältigkeit und Grausamkeit überwinden können, von der er, und viele seiner alten Genossen, betroffen worden waren. Für ihn war der Kommunismus nach den Prozessen der Dreißigerjahre endgültig disqualifiziert. Beschmutzt, betrogen, enttäuscht zog er sich in sich selbst zurück, vergrub sich, sowohl von den Stalinisten als auch von den Nazis für die Todesfuhren selektiert, in ein versponnenes und zweifelhaftes Unterfangen, er versuchte, die Rubijat des Omar Khaijam nach einer englischen Version ins Deutsche zu übertragen. Daneben feilte er hin und wieder an eigenen Gedichten, im Stil des Persers, die er mit dem Pseudonym Mufti Bufti zeichnete. Ich hatte es unterlassen, ihn, der sich meiner angenommen hatte, als es mir in Prag am dreckigsten ging, noch einmal zu besuchen, noch einmal an die Gespräche anzuknüpfen, die sich vor drei Jahrzehnten über Nächte und Tage, Wochen und Monate erstreckt hatten, hatte mich damit begnügt, an ihn zu denken, wenn ich in den Straßen und Vororten Stockholms auf Überreste von Bauwerken stieß, die wir einmal auf unsern Wanderungen wahrgenommen hatten, und die zwischen den Bruchstellen, Ausschachtungen, Auftürmungen immer seltener wurden. Max, mein einziger Vertrauter aus jenen Jahren, war von mir im Stich gelassen worden, er erwähnte es noch einige Male mit Ironie in seinen Briefen, in denen er sich an jemanden wandte, der einmal mit ihm das Leben im Unscheinbaren, Abseitigen, im Untergrund geteilt hatte, und der dann, wie ihm schien, sich in einer Welt der Anerkennung und des Erfolgs verlor, und für ihn, den Unbedeutenden, kein Interesse mehr aufbrachte. Und, in einem Zerrspiegel gesehn, hat dies seine Richtigkeit, denn Max, und das Leben das er führte, war für mich etwas Altes, Verbrauchtes, Abgelegtes, es war verbunden mit Erinnerungen an ein düsteres und erniedrigtes Dasein, das ich vergessen wollte. Auf einem Foto, das er mir vor einigen Jahren schickte, war er der gleiche, die Pfeife wie immer im Mund, die Gesichtszüge knöchern, nur das Haar und die buschigen Augenbrauen jetzt schlohweiß, und die dreißig Jahre der Trennung sind nichts, er ist mit seiner Stimme, seinen Gebärden, mit seiner schwerfälligen Nähe und Vertrautheit in meiner Nostalgie enthalten, die anzuerkennen für mich etwas Verruchtes hat und die nur auflebt nachts, in den unwirklichen, unpraktischen, nutzlosen Zusammenhängen, in denen nach Beherrschtheit nicht gefragt wird. Max, der alte Knabe, in seinem schäbigen Mietszimmer überm Prager Güterbahnhof, Max in seiner engen Bude in Schedins Pensionat an der Drottninggata, mit mir ziehend durch das graue winterliche Stockholm, durch diese Insel im Krieg, verbunden, wie auch ich, diesem Harry Haller, der da noch irgendwo vorhanden war, in seinem Haus am Berghang über Lugano, in diesem fabelhaften Montagnola, das nie mehr zu dem werden würde, was es einmal war, ein paar Sommer lang, als ich in der Villa Camuzzi wohnte, im Dachzimmer mit den runden Fenstern, und dann unten in Carabbietta, bei Margarete, meiner ersten Geliebten, die auch zu Staub geworden ist, wie Haller, wie Max, wie mein Vater, meine Mutter, wie Margit, meine Schwester, weg seit Unendlichkeiten, die Gebeine meiner Schwester vergraben in der Erde des Babelsberger Friedhofs, hinter Mauern und doppeltem Stacheldraht. Es lebe das Zurückdenken, das hoffnungslos Unerreichbare, es lebe das Unwiederbringliche, es lebe alles was verloren ist in grüblerischem Trauern und was der Entschlußkräftige, im aktiven Leben Stehende verachtet, es lebe das kurze, brüchige, haltlose Dasein, in dem das meiste aus Versäumnissen besteht.

5. September 1970

Es leben die Begegnungen mit den Toten, es lebe das Hinunter-
steigen in die Regionen der Zwecklosigkeit, es leben die Gescheiterten, es leben alle die es zu nichts gebracht haben, die aus
Schwermut und Schmerz nicht vermögen, sich morgens zu erheben, die verkommen, die es nur noch aushalten können, wenn sie
sich bis zum äußersten mit Alkohol und Narkotika betäuben, es
leben die Verachteten, Verhöhnten, die Verkrüppelten, die Ver-
dämmernden, die Umnachteten, es leben die Vereinsamten, es leben die, die heulend in ihren Verstecken sitzen, es leben die, die
alles aufgegeben haben, von denen nie die Rede sein wird, die
nichts hinterlassen und die im eigenen Unrat verrecken. Es leben
alle die, für die ich Hilfe suchte und denen ich, aus eigener Ent-
kräftung, keine Hilfe leisten konnte, es lebe die furchtbare Machtlosigkeit, die ich in klaren Augenblicken so hasse, die ich aus dem
Bewußtsein streichen möchte, und die mich doch dazu verurteilt,
in heimlichen Stunden mit ihr gemeinsame Sache zu machen, es
lebe der Ausbruch aus allem Vernünftigen, Sinnvollen, Zukunfts-
bedachten, es lebe Gert, den es aus der Welt der Dinosaurier in die
Städte verschlug, der nachts durch die Straßen taumelt, der irgendwo in Hinterhöfen sein Lager hat, der Verschollene, der
dumpf vor sich hin Lallende, der mir näher ist in dieser Stunde als
jeder junge militante Planer und Erneuerer, und dem ich auswei-
che, wenn ich ihn doch einmal an einer schummrigen Ecke, an
einem Hofeingang erblicke, schaukelnd in einer Gruppe von abgerißnen erdfarbigen Brüdern, diese um Kopfeslänge überragend,
vor dessen schallendem Gelächter ich flüchte, den ich verrate, auf
irgendeinem schnellen Weg von Praxis zu Praxis, es lebe Hierony-
mus, der vor mir Verlassne, der zwischen den Bergen seiner un-
lesbar bekritzelten Papiere, den Ruinen seiner verschrobenen Maschinen, Bildermaschinen, Sternschaumaschinen, Höllenmaschi-
nen, elendig verendete, zu dessen kläglichem Armenbegräbnis ich
an einem blendend hellen kalten Wintertag stolperte und als einzigen Abschiedsgast dort jenes Mädchen traf, das er sich als Kind
in seine Höhle geholt hatte, und das dann mit ihm Schluß machte,
mit der ganzen Liebe und mit allem, wie ich aus einem winzigen
Zettel erlesen konnte, unbeholfen, bekleckst und verwischt beschrieben, der unter seinem modrigen Kopfkissen lag. Schluß mit
allem, ich weiß du bist krank. Aus. Ein vergilbtes Stückchen Papier, von Kinderhand beschrieben, aus einem Schulheft gerissen.

Ich hatte mir vorgenommen, seine Manuskripte zu sichten, die Tausende von zerknitterten Blättern in Ordnung zu bringen, die dünnen Bleistiftzüge zu deuten, ich brachte die Ausdauer dazu nicht auf, immer legte ich die eigene Arbeit dazwischen, die eigene Hilflosigkeit, die Gleichgültigkeit gegenüber den Hirngespinsten, Traumgeweben eines andern, auch wenn dieser andre dir nah ist wie ein Zwillingsbruder. Es lebe diese Unfähigkeit, diese Verschwörung der Untergehenden, obgleich sie einer Welt angehört die ich bekämpfe, die wir bekämpfen müssen, um nicht selbst drin zu verenden, es lebe Jacques, den ich in England, auf dem Bahnhof von Chislehurst, Grafschaft Kent, dem totalen Verschwinden überließ, dem ich wohl noch eine Weile nachforschte, und der dann doch weg war, für immer, als müsse es so sein, es lebe Uli, mein Jugendfreund aus dem Berlin vor dem Tausendjährigen Reich, der so voll war von Phantasien, Ideen, unerhörten Möglichkeiten, und der, steckend in der Uniform der mit dem Hakenkreuz geschmückten Mörder, als aufgeschwollene Leiche an der dänischen Küste lag, es lebe Elisabeth, der es gelang, Maxens fahles Gesicht noch bleicher werden zu lassen, die ihn in stundenlange verzweifelte Auseinandersetzungen zog, die ihn zerbrochen, in Tränen aufgelöst, zurückließen, und die ich zwei Jahrzehnte später, kurz vor ihrem Tod, noch einmal traf, an den Stockholmer Kaianlagen, an der Fährstelle, jetzt war auch ihr großflächiges Gesicht schneeblaß in der Umrahmung des schwarzen Haares, kaum verständlich waren ihre geflüsterten Worte im Lärmen des Verkehrs, ich hab nur noch ein paar Wochen, Krebs, es leben die Toten, es leben alle die, die ihren Tod überdeutlich mit sich herumtragen, die auf dem Weg zum Fährboot sind, zum Acheron, die schon den Ruderschlag, den Ruf hören des Charon. Es lebe das Unwirkliche, dem ich so oft meine Gegnerschaft angesagt habe, es lebe der Gedanke, daß meine Tätigkeit jeglichen Zwecks entbehrt, daß das Schweigen, das Aufgeben ehrlicher wäre als der Drang, sich zeitlebens eine Gedächtnisstätte seiner selbst zu errichten, es lebe das Nachgeben an alles was mich herabziehn will ins Unkenntliche. Nur einen Augenblick lang, dann gelingt es mir wieder, mich in Einklang zu stellen mit der gegebenen Stunde, dann bin ich wieder bereit, der Bemühung Vorzug zu geben, den Krankheiten und Seuchen mit allerlei Medikamenten beizukommen, dann bin ich wieder verschworener Feind des Selbstmitleids, der Poesie der Auflösung, der Euphorie des Untergangs. Die Schicht ist dünn, auf der wir gleiten, tappen, auf Zehenspitzen schleichen, auf der wir schlittern, ausrutschen, kriechen, notdürftig uns aufrecht halten, um folgerichtigen, überprüfbaren Vorsätzen gerecht zu werden, es schwankt, knirscht, knackt unter unsern Schritten, wir müssen uns leicht machen, tief Luft holen, um nicht abzusacken, unversehns zu verschwinden, in einem winzigen Loch, das sich gleich wieder schließt, wir müssen eine enorme Kraft aufbieten, um uns selbst davon zu überzeugen, daß es hier ein Weiterkommen gibt, mit der ganzen unvorstellbaren Schwärze unter uns, müssen uns vorsehn, daß wir vor tollem Gelächter über unsre Situation nicht verweilen und den hauchdünnen Halt, den wir uns einbilden, zerplatzen lassen, müssen so tun, als führe unser Unterfangen, obgleich wir es nicht ernst nehmen können, irgendwo hin, müssen uns ständig zwingen zu vergessen, daß jede unsrer Äußerungen winziges Fragment bleibt und gleich schon verblasen ist, müssen uns unaufhörlich der genialen Leistung anschließen, den kurzen Aufenthalt auf diesem Planeten zur Verbesserung unsrer Lebensbedingungen zu benutzen, und dabei diejenigen zu bekämpfen, die sich uns in den Weg stellen, die das Angenehme und Wohnliche nur für sich selbst beanspruchen, und die zumeist stärker sind als wir, weil sie nicht an den Sturz in den Abgrund denken. Von denen, die die Kunst des Vergessens so viel besser beherrschen, lassen sich die Wissenden allzu leicht beiseite drängen, bestehen bleibt das Selbstsichere, Freche, Unverschämte, Zynische, in gigantischer Verschwendung dagegen sterben die Keime von Hoffnung, Liebe, Wärme und Zuversicht ab. Es lebe das Wirkliche, wenn wir uns an den Haaren wieder heraufgezogen haben, nach unsern Absenzen, unsern Schwächeanfällen, wenn wir wieder einen Fußbreit Boden ertasten können, es lebe die Aufgabe, mit all unsern Toten in uns, mit unsrer Totenklage, unserm eigenen Tod vor Augen, zwischen den Lebenden dahin zu balancieren, sich ihnen bemerkbar zu machen, es lebe das wilde Ansinnen, alles ringsum in leuchtender Greifbarkeit entstehen zu lassen. Phantastisch, ungeheuerlich dieser Einfall, daß wir im Leben vorhanden sind, daß es noch etwas für uns zu tun gibt, daß noch etwas bevorsteht, unfaßbar, daß wir hier um unsre Bleibe kämpfen, daß wir hier sogar Gerechtigkeit einrichten wollen, daß wir Hilferufen entgegeneilen, daß wir erwarten, auch nach uns strecke sich eine Hand aus, wenn wir sie brauchen, da es doch nur eine Gewißheit gibt, gleich ist es zuende.

6. September 1970

Doch ziemlich fest sind wir der Regel unterworfen, die uns anhand reichlicher Beispiele zur Gewohnheit geworden ist, der Regel, daß das Flüchtige zum Festen wird, der Regel, daß wir zu-
schanden kommen, wenn wir aus der Reihe springen, der Regel,
daß das Vorhalten unsrer eignen Mutlosigkeit und Gebrechlichkeit ein Schlag ins Gesicht ist derer, die von uns Mut und Ausdauer verlangen, der Regel, daß selbst unsre geringste Zuversicht
noch jemandem nützen kann und daß wir, wie tief wir auch ab-
gesackt sein mögen, unter uns immer noch das Kratzen, Schaben
und Klopfen hören von Nöten und Bemühungen, die unbarmher-
ziger eingeschlossen sind als die unsern. Wenn du dir eine kurze
Betrachtung deines eigenen Unglücks gegönnt hast, bist du gleich
wieder der Regel unterworfen, wachsam zu sein und dich nicht
verleiten zu lassen von den Einflüsterungen, die dir weismachen
wollen, alles sei zur Vernichtung bestimmt. Du kannst dich nicht
drücken, selbst wenn hinter und vor dir nur Unwirkliches liegt,
nur Ungreifbares. Deine Gegenwart mußt du dir immer wieder
zur Wirklichkeit erklären. Das Wirkliche, das ist das Kurze, kaum
Begonnene, schon Beendete, das Wirkliche, das ist die Weiterführung von dem was andre angefangen, das Wirkliche, das ist dein
Wort, deine Handlung im Vorübergehn, der Widerhall des Worts,
der Abdruck der Handlung eines andern, das Wirkliche, das ist
ein Entschluß, der auf viele übergreift, der viele mitreißt, der sich
als Kettenreaktion verbreitet, plötzlich eine ungeheure Kraft ent-
faltet, das Wirkliche, das ist das Aufeinanderprallen von Ideen,
aus denen Funken überspringen zu neuen Lebensformen, das
Wirkliche, das ist das Dabeisein, das Wissen, daß es weitergeht,
auch wenn du nicht mehr da bist, das Wirkliche, das sind deine
aufgespeicherten Erfahrungen, die du den Gesichtern, den Berüh-
rungen, den Äußerungen und Taten andrer abgelesen hast, und
desto wirklicher ist alles, je stärker du empfunden hast, wie leicht
und schnell es entgleiten kann, je geladener es ist von den Bestandteilen des Traums, des Entrücktseins, des Sterbens, des Unver-
ständlichen. Dies ist kein paradoxer Begriff von Wirklichkeit,
denn immer ist es ja grade die Verarmung der Realität, die Los-
trennung der schwer erklärbaren Elemente aus ihr, die Überbeto-
nung des Rationalen, Praktischen und Programmatischen, ihre
Beschränkung auf den konkreten Handlungsausschlag, was der
Existenz den Anschein des Unwirklichen gibt. Und wenn es an

die großen Realitäten der gesellschaftlichen Umwälzung geht, so haben wir oft genug gesehn, wie auf Grund der Vorherrschaft all der konstruktiven Aufgaben, der Konzentration auf das Organisatorische, das Verordnete, die eigentliche und wesentliche Veränderung ausblieb, weil dabei die Eigenart des Menschen außer acht gelassen wurde. Und sollte das Gedankliche und Emotionale berührt werden, so war nicht Erweiterung, Bereicherung das Ziel, sondern Einengung, Hemmung, Bevormundung. Immer wieder hieß es, und häufig stimmten wir dem zu, daß alle Kraft nur dafür sich einsetzen müsse, der unmittelbaren Not, dem unmittelbaren Leiden Abhilfe zu leisten, daß alles, was sich nicht direkt und ausschließlich mit den sozialen, ökonomischen, politischen Fragestellungen befaßte, bürgerlich dekadenter Abfall, individualpsychologische Schlacke war. Verfochten wurde immer der Standpunkt, daß zuerst die äußern Lebensbedingungen umgestülpt werden mußten, um die Voraussetzungen für einen neuen, gerechten Zustand zu schaffen, doch wenn nach diesen Eingriffen Stimmen daran erinnerten, daß es jetzt um die Weiterführung ging, um die umfassende, totale Revolutionierung, daß es sich jetzt nicht nur um den umstürzenden Menschen handle, sondern um den Menschen, der eine Utopie in sich zur Greifbarkeit zu verwandeln habe, dann machte sich plötzlich ein Atavismus breit zwischen den Wortführern der praktischen Handlungen, und alles saß fest in uralten antiintellektuellen Vorurteilen.

7. September 1970

Bei den Gesprächen damals, als ich als Gast noch willkommen war, mit Kulturpolitikern der DDR, mit Abusch, Hager, Kurella, Girnus oder Gysi, stieß der freundschaftliche Ton immer an eine Grenze, von der aus es kein Verständnis, kein Weiterkommen mehr gab. Es ging nicht nur um Biermann, Huchel, um andre Repräsentanten auf den Gebieten der Kunst, Literatur, Wissenschaft, die auf Grund ihrer Eigenart, ihrer besonderen Interessen, ihrer Unruhe, ihrer Offenheit für die Widersprüche im sozialistischen Staat zu kurz kommen mußten, es ging um prinzipielle Bedingungen für Forschung und künstlerische Aktivität. Daß die Kunst auf der Seite des Fortschritts, des Humanismus, der gesellschaftlichen Veränderung stehen sollte, das war selbstverständliche Voraussetzung der Diskussionen, und doch ließ sich nie die Perspektive herstellen zur Ungebundenheit, zur Vielfalt, die zu dieser Grundeinstellung gehörte. Was hinderte diese Persönlichkeiten daran, so fragte ich mich, diese Männer, die für ihre politische Überzeugung Kerker, Torturen, Konzentrationslager, schwere Jahre der Emigration überstanden hatten, jene Reife und Überlegenheit aufzubringen, die zum Amt der kulturellen Förderer gehörte. Warum konnten sie, die Quälereien, geistige Unterdrückung am eigenen Leib erfahren hatten, nicht die Notwendigkeit der Ausdrucksfreiheit, des uneingeschränkten Laborierens auf dem Feld der revolutionären Kunst einsehn, warum mußten sie, denen es gegeben war, die Richtlinien zu bestimmen, mit so vielen Einengungen und Einschnürungen von ihrer Macht Gebrauch machen. Was war mit ihnen geschehen, daß sie sich zu solcher Anmaßung verstiegen gegenüber Ausübenden von Berufen, die nicht ihre eigenen waren, daß sie ihnen mit solchem Anspruch auf absolute Gültigkeit Vorschriften diktierten, die sich nur dank ihrer Stellung, nie ihrer Überzeugungskraft wegen, durchsetzen ließen. Ich zweifelte nicht daran, daß sie das Beste der Entwicklung im Auge hatten, daß sie nicht aus Eitelkeit ihre Gebote ausgaben, ihr Aufbau des Erziehungswesens zielte darauf hin, daß die kulturellen Güter der gesamten Bevölkerung zugute kommen sollten, ihr Wunsch war es, daß jeder seine Fähigkeiten entwickle, Kunst, Literatur, Musik aufzunehmen und zu verarbeiten, doch ging ihnen in ihrem Grundsatz, daß Kunst parteilich sein müsse, und in der Einordnung dieses Grundsatzes in den Verwaltungsapparat, der Sinn für das Wesen der künstlerischen

Tätigkeit verloren, und anstelle des Kreativen hob sich die schulmeisterlich belehrende Hand. Es erging unsern Gesprächen immer so, daß sie sich zuerst im Kreis drehten, daß ich nach Einfallswinkeln für meine Argumente suchte, während die andern Sprecher den Standpunkt verfochten, daß die Kunst, um den Sozialismus zu stärken, vom positiven, optimistischen, realistischen, klassenbewußten Geist getragen sein müsse, und soweit war alles gut, bis es sich immer schärfer und krasser zeigte, daß das was ich sagen wollte, sich überhaupt keinen Zugang mehr verschaffen konnte, da den Gesprächspartnern mein Bezugsmaterial, meine Vergleiche, Werte und Maßstäbe unbekannt waren. Seit ein paar Jahrzehnten war die künstlerische Problematik, sowohl im Formalen als auch im Inhaltlichen, mit der wir uns in den westlichen Ländern beschäftigt hatten, hier ausgeschlossen worden. Nicht nur die Produkte der Kunst und Literatur, auch was sich theoretisch, kritisch, analytisch damit befaßte, und was parallel dazu von der Philosophie entwickelt wurde, gehörte einer Ebene der Wirklichkeit an, die höchstens einmal in Betracht gezogen wurde, wenn jemand pauschal und abschätzig ein Urteil darüber aussprechen sollte, ein Urteil, dessen Beweggründe niemand nachprüfen konnte, da der Allgemeinheit keine Unterlagen zugänglich waren. Wenn ich auf diesen Mangel zu sprechen kam, setzte ein hermetischer Hochmut ein, denn alles was bei uns erörtert und mit Interesse verfolgt wurde, war für meine Gesprächspartner a priori wertlos und anrüchig, es wurde, obgleich sie es kaum kennen konnten, grundsätzlich von ihnen verachtet. Immer erschreckender wurde diese Einseitigkeit, dieser Mangel an Neugier, diese Abwesenheit einer Lust an der Auseinandersetzung mit Neuartigem und Fremdem, dieser Verzicht auf das dialektische Streitgespräch. Ich wehrte mich dagegen, in ihnen, deren Leistungen auf sozialem Gebiet ich achtete, Ignoranten zu sehn, bis ihre monotone Abweisung alles dessen, was ihnen nicht in den Kram paßte, mich zum Verstummen brachte. Es gab keine Möglichkeit für sie, zu verstehn, daß eine offene kulturelle Debatte, eine reich differenzierte künstlerische Aktivität, eine Aufnahme von kontroversen Stoffen, das Ansehn ihres Landes nur weiter anheben könnte, sie hatten ein für alle Mal ihre Vorstellung festgelegt, wie die Kultur im Arbeiter- und Bauernstaat aussehen sollte, es wurde ihnen nicht bewußt, daß sie mit ihrer Härte und Unbeweglichkeit zur Absperrung des Landes beitrugen. Dieser Vorwurf aber mußte letzten Endes auch die Schriftsteller und Künstler treffen, die zu den Leidtragenden der ausgegebenen Direktiven wurden. Ich kenne kaum einen Intellektuellen dieses Landes, der nicht immer wieder, während der Jahre unsrer Bekanntschaft, seiner Unzufriedenheit, seiner Behinderung, ja seiner Verzweiflung Ausdruck gegeben hätte über den Zwang, dem seine Tätigkeit unterworfen war, und keiner von ihnen wäre als Gegner des Staats, als Gegner des Sozialismus zu bezeichnen, keiner würde die Wiederherstellung der kapitalistischen Verhältnisse anstreben, viele waren überzeugte Kommunisten und hatten praktische Beweise ihrer Haltung erbracht, doch allen war es gemein – und es brauchte kaum daran gerührt zu werden, es platzte bei der ersten Begegnung schon auf –, daß sie an einer Beengung litten, die ihnen die Arbeit streckenweise lähmte oder absterben ließ. Warum aber, da sie doch alle ähnlich reagierten, war ihnen das Klagen genug, warum fügten sie sich, wenn sie doch davon überzeugt waren, daß die Beschlüsse weder zum Vorteil ihres Berufs, noch zum Vorteil ihres Landes gefaßt wurden, warum beließen sie es bei Haßausbrüchen im Freundeskreis, bei Hohn, Verbitterung, warum ließen sie ihre Arbeit zum mühseligen Prozeß werden, in den sich von Anfang bis Ende Funktionäre zensurierend einmengten, warum konnte es ihnen nicht gelingen, als Bürger ihres eigenen Staats, ihre fachlichen Forderungen durchzusetzen, warum mußte, stellvertretend für sie alle, Biermann allein sich heiser schrein. Ja, wir wissen die Antwort. Sie wurde in der Tschechoslowakei gegeben. Wir wissen, und wir müssen es immer feststellen, daß die sozialistische Führung, in ihrer gegenwärtigen Zusammensetzung und in der gegenwärtigen Kampfsituation, einen Ausbruch von Freiheit auf dem Gebiet der Meinungen, der künstlerischen Medien, nicht dulden kann, weil sie, immer tiefer in ihre autoritäre Rolle hineingewachsen, besessen ist von der Vorstellung, eine solche Freiheit könne sich nur mit bürgerlichem Liberalismus vermengen, könne nur durch Anflüge des Zweifels, des Übermuts, der Disziplinlosigkeit, durch individualistische Ausartung, das unter großen Schwierigkeiten Gewonnene zunichte machen. Und so muß sich die Bedrückung fortsetzen, und anstatt daß gegenseitiges Verständnis, daß Meinungsaustausch hergestellt wird, werden grundsätzlich verbündete Kräfte abgestoßen.

8. September 1970

Im Gegensatz zur Schmalspurigkeit, in der sich der Wissensdur-
stige in den sozialistischen Ländern zu bewegen hat, sind wir auf
allen Gebieten der Künste einem Überangebot ausgesetzt, doch
wenn auch der größte Teil des auf den Markt Geworfenen mer-
kantiler Fabrikation entstammt und von unserm Kulturausver-
kauf spricht, so ist uns doch das Recht auf freie Wahl gegeben, wir
können in dem Wuchernden und Unnützen doch immer Einzelheiten aufspüren, die für uns von Wert sind, und die wir für das
Weiterkommen in unsern Studien benötigen. Zwar wird im sozialistischen Land die Wegschneidung der Vielseitigkeit, die Ablehnung der Universalität zugunsten eines knapp bemessenen linientreuen Lehrplans unter das Vorzeichen von politischer Verantwortung gesetzt, doch ist zweifellos unsre eigene Suche nach dem
Wertvollen und Haltbaren verantwortungsvoller; wir haben von
unserm eigenen Unterscheidungsvermögen auszugehn, während
unsern Freunden drüben das für sie gut Befundene vorgesetzt
wird. Wir müssen selbständig zu unsrer Auffassung der Wirklichkeit gelangen, auch wenn uns dabei viele Fallgruben in den Weg
gelegt sind, das Vorgeschriebene und fest Umrissene, das dem
literarisch, künstlerisch, philosophisch Interessierten in der sozialistischen Gesellschaft dargereicht wird, kann jedoch nur eine Illusion von Sicherheit geben, da bei jedem Schritt auf dem Boden
des Gestatteten all das Fehlende eine schwindelnde Leere erzeu-
gen muß. Daß mein Entwicklungsgang vom Überfluß, von Bil-
dungsprivilegien geprägt ist, ist unabweisbar, wie auch die Tatsache, daß ich auf den Zugang zu den wichtigsten internationalen
Zeitungen und Zeitschriften sowie der neuerschienenen Fachlite-
ratur nicht verzichten möchte. Wir haben uns oft genug von
schlechtem Gewissen über unsre Sonderstellung bedrücken lassen, wir trugen schwer an dem Bewußtsein, daß wir unsre unerhörte Zivilisation, mit all ihren aufgelagerten Schätzen, nur durch
gründliche Ausplünderung anderer hatten erreichen können. Der
Begriff eines westeuropäischen Intellektuellen wurde von uns
selbst masochistisch einer Erniedrigung gleichgesetzt, wir konnten uns nicht anders als schuldig fühlen gegenüber dem Kampf der
verarmten Länder, und es wurde zum Ausdruck unsrer Unzu-
länglichkeit, wenn wir uns mit denen solidarisierten, die sich nun
daran machten, unser Raubgut zurück zu erobern. Wie wenig wir
in unsrer Bildung ruhen, wie unausgeglichen wir in unsrer politi-

schen Zugehörigkeit sind, in welch geringem Maß wir das erreichte, komplizierte Wirklichkeitsbild verwerten können, wie
schwer es uns fällt, bei allen Kenntnissen zu einer Deutung unsrer
Situation zu finden, zeigt sich an dem Kreuzfeuer, dem wir von
allen Richtungen her ausgesetzt sind, und an dem wir uns selbst
aktiv beteiligen. Als zwei Pole dieser Angriffe, die innerhalb der
westlichen Länder auf den Schreibenden zukommen, können
symptomatische Namen wie Grass und Marcuse gestellt werden.
Grass, aus seiner bürgerlich liberalen Sicht, verurteilte meinen sozialistischen Standpunkt, er, der Reformist, konnte mein Vorhaben nur verhöhnen als Hofnarrentum. Marcuse, seinerseits, seinen Rang als Obersterpriester der Revolution schwinden sehend,
beschimpfte mich, von seiner Villa an der französischen Riviera
aus, weil ich über Viet Nam schrieb, anstatt mit der Maschinenpistole in Indochina den Imperialismus zu bekämpfen. Beide
hatten recht, insofern als sie an meine konstitutionelle Unsicherheit und Zweifelskrankheit rührten, und eine Verteidigung wäre
mir nur möglich, wenn ich meine Skepsis ersetzen könnte durch
die restlose Zuversicht, daß sich alle Güter der Bildung und Wissenschaft einmal überall gerecht verteilen ließen. Die Attacken des
Grass gegen mich begannen mit meinem offiziellen Eintritt in den
westdeutschen Kulturbetrieb, 1962, als ich zum ersten Mal an der
Zusammenkunft der Gruppe 47 teilnahm. Seit zwei Jahren war ich
bereits als Lieferant von Gehirnprodukten bekannt, doch jetzt
erst, nach meiner Lesung aus dem Gespräch der drei Gehenden,
wurde mir klar, in welch ein Kräftespiel von Interessen und Intrigen ich hineingeraten war. Eine von Grass geschickt geführte
Maffia setzte unmittelbar nach den ersten Anzeichen einer positiven Kritik ihre Tätigkeit ein, mit geflüsterten Rankünen, Herbei-
winkungen, zusammengesteckten Köpfen, es ging darum, einen
nicht genehmen Läufer im Rennen außer Spiel zu setzen. So wie
Grass sich patriarchalisch für jüngere Anfänger einsetzen konnte,
so zwang ihn ein tiefgehendes Standesbewußtsein, denjenigen anzugreifen, dessen Konkurrenz er witterte. Unterbaut von der
Autorität des führenden deutschen Prosaisten, wurden hämische
Abwertungen laut, es ging zu wie bei Börsenjobbern, in einer
kurzen effektiven Kampagne wurde ein angelegtes Kapital verun-
sichert, ich verstand den Mechanismus damals noch nicht ganz,
mir war das plötzliche Zusammentreffen mit schreibenden Kollegen noch etwas Neues, die Umstellung von meiner Stockholmer

Isolierung zur verdichteten Hochkultur, vom Selbstgespräch zur Festung literarischer Koryphäen, war allzu heftig, als daß ich schon den Aktienmarkt, der dahinter lag, hätte überblicken können. Ich begriff noch nicht, warum Grass, den ich als Autor schätzte, meine Prosatexte als wertlos erklären mußte. Ich wurde dann, in der Idiotie des Wettbewerbs, der zur Einrichtung dieser Literaturarena gehörte, zusammen mit Bobrowski auf die Bahn gejagt und in dieser überaus peinlichen Hatz, unterm Gepfeife und Gejohle der Zuschauer, von meinem Mitbewerber, der ebenso zerknirscht war wie ich, mit ein paar Punkten geschlagen. Weder er noch ich hatten irgendetwas mit dieser Art finanziellen Kräftemessens zu tun, doch indem wir uns der Veranstaltung hinzugesellt hatten, waren wir schon zu Bestandteilen geworden eines Systems, dem wir, solange wir uns schreibend betätigten, nicht entgehen konnten. Als sich die Gruppe im folgenden Jahr in irgendeinem Oberammergau wiedertraf, und auch ich, der ich nun einmal Blut geleckt hatte, dabei war, sammelte Grass seine Verbündeten zu einem Frontalangriff gegen meinen eben abgeschlossenen Marat. Damals war es Hans Mayer, der mir zur Hilfe eilte, und als glänzender advocatus diaboli ein gewisses Gleichgewicht in diesen mit blanker Klinge ausgefochtenen Kämpfen herstellte. Ich hatte inzwischen ein deutlicheres Bild gewonnen von der europäischen Intellektuellen-Schizophrenie, ich war, nach zahlreichen privaten Gesprächen, der Meinung gewesen, daß mich mit Grass fast etwas wie Freundschaft verband, und sah nun, wie er sich jetzt, als handle er in einem Lehrstück über kulturelle Eigentumsverhältnisse, mit mächtigem Elan der Konspiration gegen mein Drama widmete, um dieses, noch ehe es auf die Bühne kam, zu vernichten. Als das Stück dann 1964 in Berlin uraufgeführt wurde, war zu beobachten, mit welch verbissener Abscheu mein Kollege diese Premiere über sich ergehen ließ, wie er in der Pause noch einmal versuchte, Stimmen für eine Ablehnung des Stücks zu gewinnen, wie er dann, nach der Vorstellung, grußlos an mir vorbeiging; ich hatte zumindest ein freundliches Beileid erwartet, wie bei solchen Gelegenheiten üblich. Seitdem sind die Gespräche zwischen uns beendet, nur hin und wieder trifft mich noch ein Pfeil aus seinem olympischen Köcher. Meine Gastspiele in den von Futterneid dominierten Literatenkreisen sind selten geworden, ich spüre wenig Verlangen, mich Konfrontationen in diesem intellektualistischen Schlachthaus auszusetzen. Wohin

aber gehört dieser europäische Intellektuelle, den der Aasgestank
des Spätkapitalismus betäubt, der sich der hier befindlichen
künstlerischen und wissenschaftlichen Arsenale zwar noch be-
dient, lieber aber sprechen möchte im Namen seiner vietnamesischen, cubanischen, afrikanischen Freunde.

9. September 1970

Während sich unter der immer wieder kontrollierten und gefilterten Schulung in den Ländern des sowjetischen Blocks der »richtige« politische Standpunkt ergibt, während die chinesische Bevölkerung ihre sublim vereinfachten, kollektivistisch ausgerichteten Lehren empfängt, um nach ihnen, und nur nach ihnen, mit erhobenem Katechismus zu handeln, so ist der in den Ländern des Spätkapitalismus behauste Sozialist auf seine eigenen Forschungen angewiesen und hat zur Errichtung einer Anschauung und eines Handlungsmusters nach bestem Vermögen selbst seine Schlüsse zu ziehn aus der auf ihn einstürzenden Problematik. In der Erwägung, daß das gemeinsame Denken vieler bessere Resultate ergibt, als das Denken eines Einzelnen, unterstellen sich zahlreiche Einzelne den Anleitungen und Geboten der Partei, von der es heißt, daß sie in äußerster Konzentration die Erfahrungen, Überlegungen und Ansprüche der Arbeiterklasse vertritt. Allzu deutlich jedoch zeichnen sich vor unserm kritischen Blick die Mängel des Parteiinstruments ab, als daß wir uns noch auf die Disziplin berufen könnten, die von uns die loyale Befolgung der ausgegebenen Richtlinien verlangt. Treten wir dennoch der Partei bei, weil wir in ihr die Grundlage zur notwendigen Massenorganisation sehn, so müssen wir damit eine Umwertung des Disziplinbegriffs verbinden, das heißt, wir haben die Forderung an die Partei zu stellen, daß sie einer erneuerten Auffassung von Wahrheit entspricht. In Anbetracht der im Konflikt mit der ČSSR gezeigten Gewaltsamkeit und Gespensterfurcht, der Verständnislosigkeit und Härte gegenüber der italienischen Manifesto-Gruppe, der Verunglimpfung des Maiaufstands in Paris, der antisemitischen Tendenzen, der Verfolgung nonkonformistischer Autoren und Künstler, der undemokratischen Produktionsverhältnisse, scheint die Sowjetunion die Möglichkeit zu zeitgemäßen Veränderungen verloren zu haben. Setzen die Kommunistischen Parteien, trotz ihrer Bemühung um Selbständigkeit, auch die Intaktheit des sowjetischen Staats voraus für eine Entwicklung zum Sozialismus in den westeuropäischen Ländern, so haben sie sich doch mit der anwachsenden Meinung zu konfrontieren, daß es gerade die bürokratische Erstarrtheit der Sowjetunion ist, die eine sozialistische Entfaltung verhindert. Die gesamte Terminologie, die mit den Zielsetzungen der Partei verbunden ist, ist fadenscheinig geworden. Niemand mehr kann die ehemals mit Visionen von Freiheit,

Gleichheit und Brüderlichkeit verbundenen Worte mit gutem Gewissen für sich in Anspruch nehmen. Und doch zeichnet sich, bei dem immensen Druck, dem die Lohnarbeiter in den kapitalistischen Ländern ausgesetzt sind, keine andre Perspektive ab, als diese eine, sich weiterhin für die Verwirklichung eines Sozialismus einzusetzen, in dem die Produktionsmittel tatsächlich in die Hände der Produzierenden überführt werden, weiterhin den bürgerlichen Antisowjetismus zu bekämpfen, die regressiven Erscheinungen in der Sowjetunion zu kritisieren und sich um das Zusammengehn von Arbeitern und Intellektuellen auf der Basis der Partei zu bemühen. Noch ist diese einzige Perspektive auch die paradoxalste, denn von Seiten der Partei ist keine Regung eines Entgegenkommens zu bemerken, und der Widerstand der Jugend wächst vor dem altertümlichen Parteiapparat nur noch an. Unser Karren steckt zu tief im Dreck, als daß sich die widersprüchlichen Auffassungen mit gutem Willen, mit Idealen und Streben nach Gerechtigkeit überwinden ließen. Vielleicht können wir hier und da Mut und Ausdauer finden beim Blick auf den Kampf der revolutionären Länder, ein für uns gültiges Modell läßt sich dadurch jedoch nicht erreichen. Europa ist ein einziger Friedhof von betrogenen, verratenen und abgemordeten Hoffnungen. Von der Strangulierung des Spanischen Bürgerkriegs, der Auflösung der Widerstandsbewegung des Zweiten Weltkriegs, der Verschacherung der westeuropäischen Arbeiter an den Marshallplan, und später an die EWG bis zur Gutheißung der faschistischen Junta in Griechenland durch Ost wie West, diesem Triumph des Zynismus und der Amoral, ist unsre Bewegungsfreiheit mehr und mehr herabgeschraubt worden. Nach 25 Jahren des Antikommunismus in Europa und den Vereinigten Staaten, nach den betrügerischen Reformen unter der Obhut sozialdemokratischer Gewerkschaften, nach der langen und erzwungenen Abschirmung und Isolierung der sozialistischen Länder, nach der allgemeinen Verbreitung von Korruption, Falschspiel und Schiebung durch unsre Massenmedien, haben alle unsre Versuche zu gesellschaftlichen Veränderungen am Nullpunkt einzusetzen. Immer wieder fragen wir uns, ob überhaupt noch etwas zu erreichen, zu retten sei, ob überhaupt noch etwas neues entstehen könne, da diejenigen, die noch die Kraft zur Gegenwehr, zur Klarlegung der tatsächlichen Verhältnisse, zur Zerbrechung der Lügengebilde und Dogmen aufbringen, in Kürze von den tiefgehenden Reaktionen der Blindheit in allen politischen Lagern unschädlich gemacht werden. Der Zwang, sich aus taktischen Gründen zu vereinfachen, sein Wahrheitsbedürfnis einzuschränken, sich mit halben Wahrheiten, mit Fälschungen zu begnügen, sich aus traditionellen Gründen Parteidirektiven anzupassen und seine eigene Meinung zu zensurieren, tritt ständig an uns heran. Unaufhörlich haben wir unser Privilegium zu verteidigen, unser Privilegium des persönlichen Reagierens, unser Privilegium der Selbstbehauptung gegenüber den großen Institutionen von Parteien und Staaten. Diese mechanischen Machtapparate treffen für uns undurchschaubare Entscheidungen, halten an unmenschlichen Thesen fest, verlangen unsre Nivellierung, unsre Unterwerfung, obgleich sie behaupten, daß sie für uns da sind, in unserm Namen und zu unserm besten handeln. Staaten und Parteien haben die Fähigkeit, das Falsche für das Richtige auszugeben, und dieses mit ihrer irrsinnigen Gigantomanie auf der diplomatischen Arena zu verfechten. Gegenüber dieser Auftürmung von Waffen, von Brutalität und Terror haben wir uns bis zum letzten auf das unerhörte Recht unsrer eigenen Reaktion zu besinnen, und zur Unterstreichung dieses Rechts müssen wir es auch bis zum letzten wahrnehmen, und lieber falsch reagieren, als garnicht reagieren und schweigen.

Natürlich mußte es der Regisseur, der Spielleiter wissen, wenn er sagte, daß man dem Laertes fünf Mal nach dem Leben getrachtet, er, als einziger, übersah das Ganze, er verkörperte das Bewußtsein, was in den zerfledderten Textbüchern stand, war nicht so genau zu nehmen. Das erste Mal im Wald der bösen Märchen, im sumpfigen Dickicht draußen im Bremer Vorort Horn, am Ende der Marcus-Allee, dort wo sie am Bach endet, und ein schmaler Steg ins Dunkel des Rickmersparks führt, wo unser rosafarbenes Haus neben der Villa des Finanzpräsidenten lag, dessen Sohn, Friederle, mich bewachte. Damals beklopften und behorchten mich bärtige Professoren, und ihrer eigentümlich schwebenden Diagnose war zu entnehmen, daß ich nicht nur von Malaria, sondern auch von einer Gehirnkrankheit angegriffen sei, unter deren Folgen ich der Umnachtung anheimfallen würde. Das zweite Mal mag um die Zeit gewesen sein, da ich nun doch noch das zwölfte oder dreizehnte Jahr erreicht hatte, wenn auch mit solchen Absonderlichkeiten behaftet, daß man mich auf Anraten der Ärzte zu einer sogenannten Luftveränderung schickte, wohl eher im Bedürfnis, sich einige Monate lang von meiner plagsamen Gegenwart zu befreien, als in der Hoffnung, daß ich in der neuen Umgebung gesunden könnte. Die Schwester meiner Mutter, die in Tübingen mit einem Gerichtsrat verheiratet war, nahm mich auf, in ihrem Haus, das am Neckarufer unmittelbar neben dem Turm lag, in dem Hölderlin beim Schreinermeister Zimmer vier Jahrzehnte lang bis an sein Lebensende dahindämmerte. Ich wußte damals nichts andres über den Dichter, als daß er ein Geisteskranker gewesen, doch in dieser Eigenschaft übte er eine gewisse Anziehungskraft auf mich aus, als ich, zusammen mit einem Nachbarskind, hoch oben in einem Baum des Gartens sitzend, zum halbrunden Vorbau des Zimmerschen Hauses hinüberspähte, und mir vorstellte, der Irre würde ans Fenster treten und uns, unter schrecklichen Grimassen, entdecken. Daß mein Onkel, Gerichtsrat Autenrieth, der gleichen Familie entstammte, die auch in Hölderlins Leben eine Rolle gespielt hatte, wußte ich nicht, erst viel später erfuhr ich, daß ein Christian Friedrich Autenrieth mit Hölderlin am Theologischen Stift studiert, und ein Professor Ferdinand Autenrieth das Klinikum geleitet hatte, in das Hölderlin eingeliefert und in Zwangsjacke und eine vom Professor konstruierte lederne Gesichtsmaske gesteckt worden war. Die »strenge

Observanz«, die der Medizin-Professor über den erkrankten Dichter verhängte, kam auch mir nun unter dem Regiment seines Nachfahren zu, wodurch sich meine Schwäche, meine Benommenheit und periodische Verwirrung vertiefte. Am gegenüberliegenden Ufer des Flusses, drüben auf der Platanenallee, auf dem Weg zur Schule, oder zum Schwimmunterricht in der Badeanstalt, krümmte ich mich in Magenkrämpfen zusammen, erbrach, sank in die Knie, wurde aufgehoben und hinweggetragen. Oberhalb des Hauses lag das Stift und die Burg, dort gab es den Einblick in ein Verlies, in dessen Tiefe Gefangene dem Verhungern preisgegeben waren, und eine steile Straße führte von der Anhöhe hinab, auf dieser stürzte ich vom sausenden Roller, überschlug mich, zerfetzte mir das Knie. Erst als ich mich, Ende März dieses Jahres, mit den Vorarbeiten zu einem neuen Stück, einem Stück über Hölderlin, beschäftigte, kam mir diese Zeit in den Sinn, und es wurde mir bewußt, daß ich seit jener Periode, um 1928, als ich unter der Obhut des Gerichtsrats Autenrieth merkwürdigen Zwängen und Überwachungen ausgesetzt und auf undurchsichtige Weise beschuldigt worden war, Diebstähle begangen zu haben, in einer Beziehung zu Hölderlin stand, den seine Übermänner zum Wahnsinnigen erklärten. Ich habe Tübingen seitdem nicht wiedergesehn. Der Gerichtsrat nahm sich einige Jahre später das Leben, es handelte sich dabei um eine düstere finanzielle Angelegenheit, über die bei uns zuhause nicht gesprochen wurde, ich erfuhr nur, daß er zwei Schüsse abgab, was lange meine Phantasie beschäftigte, ich sah ihn, nach dem ersten Schuß, auf dem Teppich vor dem Schreibtisch liegen, wahrscheinlich in einer Blutlache, in diesem Zimmer, dessen Wände die beweglichen Blätterschatten und Sonnenreflexe aus dem Garten trugen, und er war noch bei Bewußtsein und brachte, ehe meine Tante zu ihm hineingeeilt war, die unvorstellbare Kraft auf, den Revolver zum zweiten Mal an die Schläfe zu legen und abzudrücken.

11. September 1970

Während des Gesprächs gestern Abend mit ein paar vietnamesischen Genossen der Nationalen Befreiungsfront wurde die Situation, mit ihren nach allen Richtungen hin verlaufenden Konsequenzen, wieder deutlich. Während alle wahren, scheinheiligen oder notgedrungenen Verbündeten der vietnamesischen Partisanen ihre Energien gegeneinander richten und im wüsten Familienzwist verbrauchen, wird der Kampf gegen die ungeheuerliche Überlegenheit des Imperialismus in Indochina geführt, seit einem Vierteljahrhundert schon, und vordem, jahrzehntelang, wurde die Befreiung vorbereitet im Widerstand gegen die französischen Kolonisatoren. Bei der Erwägung dieses langandauernden Volkskriegs, der Generationen zur täglichen Notwendigkeit geworden ist, schiebt sich in unser Bewußtsein die merkwürdige Stumpfheit, die dieser zähen Revolution von Seiten des europäischen Sozialismus entgegengebracht wird. Der Bevölkerung Viet Nams war die unaufhörliche Bereitschaft zur Verteidigung, das Opfern von Menschenleben – in einem Ausmaß, das erst in der Zukunft auf Ehrentafeln verkündet werden wird –, die Verwüstung alles Erbauten und alles Wachstums, zur Normalität geworden, jahraus, jahrein trug sie den bewaffneten Kampf aus, dort wo die Welt am ärmsten, am ausgeplündertsten ist, und sie stritt unter dem Zeichen des Proletarischen Internationalismus, während die Millionenmassen der Arbeiter in den verschonten Ländern um Lohnerhöhungen, um Verbesserung der Arbeitsverhältnisse, um erweitertes Mitspracherecht, um Hebung des Lebensstandards kämpfen, und deren politische und gewerkschaftliche Führung ihre Hauptaufmerksamkeit der Erhaltung des Friedens und der Eliminierung aller Ansätze widmet, die eine krisenhafte Verschärfung der Lage herbeiführen könnten. Im Gegensatz zum indochinesischen Kampf, dessen Ziel die Befreiung von neokolonialistischer, kapitalistischer Unterdrückung ist, geht es in den hochindustrialisierten Ländern darum, den Lohnarbeitern jene Erleichterungen zu verschaffen, die zur Beibehaltung des bürgerlichen Gesellschaftssystems notwendig sind. Durch die Unerträglichkeit der Zustände ließ sich in Viet Nam jene Gemeinsamkeit herstellen, die die Unterlage des revolutionären Volkskrieges ist. Unter der von den Massenmedien und den herrschenden Parteien verbreiteten Illusion erträglicher Zustände wurde den europäischen Lohnarbeitern der Begriff des Klassenkampfs entkräftet, und die Einheit konnte nicht erreicht werden, da viele sich, vor allem in der gewerkschaftlichen Führung, von den Arbeitskäufern manipulieren und in die geltenden Produktionsverhältnisse einordnen ließen. Die Sprecher der Gewerkschaftsorganisationen, im Einvernehmen mit den Unternehmern handelnd, und somit auch mit der Polizei- und Armeegewalt des Staats, erklärten jeden Streik, der die Gefahr enthielt, daß ökonomische Forderungen zu politischen Forderungen gemacht werden könnten, als ungesetzlich, und mit ihren Argumenten unterbauten sie die Auffassung, daß die gegenwärtige Situation keine vorrevolutionären Impulse enthalte. Die Revolution, die in Südostasien ausgekämpft wird, wirkt unendlich weit von den Interessen der europäischen Lohnarbeiter entfernt, und es hat den Anschein, daß die Münzen, die sie für Viet Nam abzugeben bereit sind, nichts mit Solidarität zu tun haben, sondern nur ein Almosen darstellen. So konnte auch die Ansicht aufkommen, daß die Arbeiter in der spätkapitalistischen Gesellschaft demoralisiert seien, und daß die Opposition vor allem von der antiautoritären Jugend ausgehe. Immer wieder werden Anzeichen so ausgedeutet, daß die Arbeiter den neuen Protest nicht verstehn, sie zeigen Empörung darüber, daß diese Jugend, die sich auch in ihrer Kleidung, ihrer Haartracht, ihren Sitten provozierend gibt, Zeit hat für Aktionen, in denen sie ihre Persönlichkeit ausdrückt, während sie, die Arbeiter, gezwungen sind, einförmiger und zermürbender Tätigkeit nachzugehn. Die Arbeiter stehen voller Mißtrauen den Rebellierenden gegenüber, sie meinen, daß diese sich in einigen Jahren, kraft ihrer Privilegien, allen Vorteilen des Bestehenden angepaßt haben, während sich an ihren eigenen Arbeitsverhältnissen nichts geändert hat. Wenn sie handgreiflich gegen die jungen Revolteure vorgehn, sieht es aus, als verteidigen sie die Ordnung gegenüber denen, die die Ordnung stürzen wollen, doch verteidigen sie zunächst nur ihr Auskommen und die Erhaltung des Wenigen, das sie im langwierigen Kampf um Reformen erreicht haben, gegenüber denen, die in ihren Augen von der Gesellschaft, das heißt, von denjenigen die am härtesten arbeiten, ernährt werden. Der Kampf, den die Arbeiter gegen die etablierte Ordnung führen, ist gänzlich anders, weniger spektakulär, doch konkret in Einzelheiten, als der Kampf der aufständischen Jugend. Und doch stehen sie potentiell, selbst wenn es vom Überbau verwischt wird, den revolutionären Befreiungskriegen näher, als die Jugendlichen, die die Solidarität mit der Dritten Welt im Mund führen. Uneinheitlich als Klasse, nach oben zu sich mit Beamten und Kleinunternehmern vermengend, doch basiert auf den großen Massen niedrigster Lohnbezieher, die zu Doppelarbeit gezwungen sind, die von Arbeitslosigkeit, physischer Schwächung, Verarmung betroffen werden, die im Wohlfahrtsstaat Sozialhilfe entgegennehmen müssen, um die Mieten zahlen zu können, die mit 60 ausgestoßen sind aus dem Arbeitsmarkt und unter unwürdigsten Verhältnissen ihren Tod erwarten, beraubt eines gemeinsamen militanten Bewußtseins, kämpfen sie auf ihre Art gegen die totale Ausbeutung. Für sie ist es das Nächstliegende, und es fordert ihre ganze Kraft, um eine Verbesserung ihrer materiellen Lage und gegen die unmenschlichen Produktionsprozesse zu kämpfen. Daß die internationale Perspektive dieses Kampfes unterbrochen und die proletarische Solidarität ausgelöscht wurde, ist nicht ihr Fehler. Eine Wiederherstellung des Internationalismus auf politischem Weg würde ihrer Aktivität auch wieder neue Proportionen geben. Auf höherer ökonomischer Ebene, und noch ohne Erwägung von Gewaltmaßnahmen und Bewaffnung, führen die Arbeiter der industrialisierten Länder den prinzipiell gleichen Kampf, der auf den zurückgebliebenen Erdteilen ausgetragen wird. Es ist Sache der Aufklärung, das von der bürgerlichen Propaganda erstickte Wissen zu aktualisieren, daß die Klassentrennung quer durch jede Gesellschaft verläuft, daß die europäischen Lohnarbeiter, in ihrem alltäglichen Verschleiß, sich auf der Front befinden, die sich von Viet Nam bis Cuba erstreckt, und daß nur von dieser gemeinsamen Front aus, in einheitlicher Anstrengung, das Prinzip der Unterdrückung überwunden werden kann. Die Jugend, die das Bündnis mit den Arbeitern sucht, kann diesen nicht ihre Opposition erklären gegen den materiellen Überfluß, gegen das Diktat der unablässig erzeugten Verbrauchsgüter. Sie sind noch nicht dem Zwang des Broterwerbs für ihre Familie, dem Zwang zum restlosen Verkauf ihrer Arbeitskraft unterworfen, sie kennen die Lebensbedingungen der Arbeiter nicht. Diese, vom Überfluß ausgeschlossen, müssen in dem Protest der Jugendlichen selbst einen Ausdruck von Luxus sehn. Wenn sie um Herabschraubung der gewaltsam rationalisierten Effektivität kämpfen, geht es ihnen nicht um einen grundsätzlichen Verzicht auf erhöhte Arbeitsleistung, sondern um die Errichtung erträglicher Verhältnisse, die Warenerzeugung ist die Grundlage ihrer Existenz. Die Jungen wollen in ihrer Ungeduld den Kampf der

Arbeiter schon in eine vorrevolutionäre Phase übertragen, sie vergessen, daß die seit fast 4 Jahrzehnten an der Regierung sitzenden Sozialdemokraten alles getan haben, um den Begriff von Arbeiterkontrolle, den Gedanken an eine Vergesellschaftung der Produktionsmittel auszulöschen, und daß zunächst einmal die Absurdität von Marginalverbesserungen innerhalb eines unveränderlichen kapitalistischen Rahmens angegriffen werden muß. Die Arbeiter sagen, ihr solltet einmal, wie wir, in den Fabriken arbeiten, die meisten Jugendlichen aber, in den Wohlstandsländern, wenden sich gegen den Zwang des mechanisierten Arbeitens, dies verstärkt die Schwierigkeit eines Zusammengehns zwischen ihnen und denen, die der Effektivität unterworfen sind, sondert sie ab von den Lohnarbeitern und läßt sie, denen gegenüber, als verwöhnte Bürgerkinder erscheinen. So bleibt gegenwärtig der Kampf einerseits gegen die Vorherrschaft des Warenfetischismus, andrerseits um das Erreichen menschenwürdiger Arbeitsverhältnisse, noch unvereinbar, obgleich dabei das selbe gesellschaftliche System angegriffen wird. Wir kamen auf die Geschlossenheit zu sprechen, die sich in der vietnamesischen Bevölkerung, durch den Druck der historischen Situation, hergestellt hatte, und die Frage wurde aufgeworfen, ob die Zeit nicht gekommen sei, da Indochina von seinen reichen Bruderländern mehr zu verlangen hätte als Phrasen über unverbrüchliche Zusammengehörigkeit, mehr als Waffen, Munition und medizinische Ausrüstung, um damit dem Imperialismus standzuhalten und ihn in einer unendlichen Materialvergeudung zu binden. Doch stets bewahren die vietnamesischen Freunde ihre selbstverständliche Beherrschtheit, ihren Stolz, stets verschonen sie uns vor der Erkenntnis, daß wir sie verbluten lassen. Und indem sie hinweisen auf die Dienste, die wir ihnen leisten, entschuldigen sie uns großzügig dafür, daß wir nicht genug tun, und sie unterstreichen, daß ihr Kampf ihre eigene Sache sei, daß er unterm Zeichen der Unabhängigkeit stehen müsse, wenn er auch gleichzeitig der Stärkung des proletarischen Internationalismus diene. Und wir verstehen, daß es ihnen bei dieser Erinnerung an eine schemenhafte internationale Solidarität weder um eine Bindung an die Sowjetunion, noch an China geht, daß sie vielmehr diesen beiden Führungsmächten gegenüber in immer stärkerem Maß ihre Selbständigkeit verfechten. Die beunruhigende Frage liegt in der Luft, mit welchen Mitteln die Einflußnahme der beiden sozialistischen Konkurrenten auf Indochina fortgesetzt würde, wenn es dort einmal, vielleicht durch den Druck und die Erpressung eben dieser Mächte, zum Frieden käme. Beim Gedanken an den unaufhörlichen Angriff, den Viet Nam seit einem halben Jahrhundert zu ertragen hatte, ist es gespenstisch zu sehn, wie die Arbeiterparteien Schwedens dieses asiatische Land wieder für sich ausnutzen und es jetzt im Wahlkampf für sich werben lassen. Das zerschundene Gesicht eines Partisanen starrt uns auf Plakaten aus dem Dschungellaub an, und es ist ein schreiender Hohn, daß der Bauernsoldat, mit seinem kärglichen Reisbeutel, den skandinavischen Arbeiter zu stärken hat. Die Gewalt des Verrats, der an den Völkern Indochinas begangen wird, schlägt jedesmal über uns zusammen, wenn wir einen Abgesandten der Kämpfenden umarmen, und sein Gleichmut, seine immerwährende zuversichtliche Haltung, seine Gewißheit, daß nach Jahren und weiteren Jahren der Sieg einmal erreicht wird, macht uns noch schwächlicher und feiger als wir es, nach langer Übung, bereits geworden sind. Im Zusammensein mit den vietnamesischen Genossen zeigt sich die ungeheure Selbstsucht, die sich in den Fraktionskämpfen, den fanatischen ideologischen Hetzkampagnen, den bösartigen Verleumdungen in den eigenen Reihen äußert. Einzigartig treten aus diesen Scheingefechten, diesem Kräfteverbrauch, einzelne Handlungen hervor, wie die des Che Guevara, der, entgegen den Ansichten aller Etablierten, das einzig Richtige, das einzig Notwendige tat, um das apathische, erschlaffte Bewußtsein zur Teilnahme heranzuziehn an den zentralen Ereignissen unsrer Zeit. Daß er zugrunde ging, daß die Kommunistischen Parteien ihm nicht zur Hilfe kamen, um zu zeigen, daß ihre Linie die richtige und seine die falsche sei, daß man ihn erniedrigen wollte, indem man ihn zu einer Christus-Figur ernannte, zu einem Weltfremden, hebt nur desto stärker den visionären Mut hervor dieses Isolierten und seiner wenigen Gefährten. Die Herabsetzung seiner Tat und seines Todes trifft nicht ihn, sondern jene, die ihn verurteilten. Er wird in der Geschichte der Revolution hervorragen als einer derjenigen, die an die Notwendigkeit der moralischen Entscheidung erinnerten, zu einer Zeit, als immer nur vom Praktischen die Rede war, und der Zug der Wenigen in die Berge Boliviens wird nicht dastehn als etwas Irrationales, sondern als Monument der Überlegenheit individueller Entschlußkraft gegenüber dem Ungeheuer anonymer Trägheit.

13. September 1970

Wie aber sollen die Arbeiter in den Industrieländern ihre Zusammengehörigkeit verstehn mit dem Proletariat und der Guerilla Lateinamerikas, der schwarzen Bevölkerung in den Gettos der USA, den Befreiungsfronten Afrikas und Indochinas, wie sollen sie die gemeinsamen politischen Richtlinien erkennen, da sie von allen Instanzen, die Macht auf sie ausüben, zur Ablehnung des bewaffneten Aufstands und in das Vorurteil getrieben werden, daß sich die fernen Revolten und Revolutionen *gegen* sie, *gegen* ihren schwererrungenen Ansatz von Sicherheit richten. Wie sollen sie, dem alltäglichen Kampf ums Überleben, dem Zwang und den Wahngebilden der Standarderhöhung unterworfen, zwischen all den semantischen Deformierungen der gesellschaftlichen Begriffe, zwischen all den lügnerischen Slogans die ständig auf sie einhämmern, zu einem selbständigen Urteil und Überblick gelangen können. Unter dem zermürbenden Arbeitstag haben sie die soziologische Kennzeichnung ihrer Stellung zumeist den Gewerkschaften, den Parteiorganisationen überlassen, die sie manchmal, wenn es propagandistisch angebracht ist, zu einer Scheingemeinschaft mit den Völkern der Dritten Welt führen, die im übrigen aber nur ihre Skala von reformistischen Worten, von systemintegrierten Bewegungen gelten lassen. Durch die Zersplitterung der Lohnarbeiter in höhere und mittlere Erwerbsstufen, und durch die Schaffung eines in Europa umherwandernden Subproletariats, das die niedrigsten und schmutzigsten Arbeiten leistet, sind die antagonistischen Verhältnisse zwischen den Produzierenden und den Eigentümern der Produktionsmittel, ist das klassenmäßige Denken weitgehend unter Nebelbildungen verborgen worden. Und doch beginnt hier und da der Firnis aufzuplatzen, unter dem der Arbeiter sich als Tarifpartner, als Arbeitnehmer anbietet, plötzlich sieht er sich als Verkäufer seiner Arbeitskraft dem Arbeitskäufer gegenüber, die berühmte Konvergenztheorie kann die Unausgeglichenheit nicht mehr wegerklären, kraß zeigt sich die Unvereinbarkeit von Interessen, und der ungesetzliche und wilde Streik wird zum Kampfmittel, in dem die fundamentale Unzufriedenheit mit den bürgerlichen Institutionen zum Ausdruck kommt. Ungesetzlich, wild, wird dieser Streik von den Industriebesitzern und den gewerkschaftlichen Arbeitsvermittlern genannt, für die Lohnarbeiter ist er indessen legale Waffe, Zeichen ihrer Selbständigkeit. Was sich in den Gruben Nordschwedens im vergangen

Winter ereignete, und was von der Gewerkschaftsführung und der sozialdemokratischen Regierung im Einvernehmen mit den Unternehmern niedergeschlagen wurde, war erster Ausschlag eines wiederentstehenden Klassenbewußtseins. Die Streikenden wählten Sprecher aus ihren eigenen Reihen, ihr Vertrauen zur Gewerkschaft war gebrochen, ihr Komitee stand im Widerspruch zur fachlichen Führung. Sie forderten, selbst mit der Industrieleitung zu verhandeln. Daß es sich dabei um einen halb verstaatlichten Betrieb handelte, verschärfte noch den Konflikt, da dieser sich nun gegen die gemeinsame kapitalistische und sozialdemokratische Bevormundung im Wirtschaftsapparat richtete. Es handelte sich nicht nur um Lohnfragen, das gesamte Abhängigkeitsverhältnis wurde angegriffen. Die Streikenden verlangten eine Aufhebung des Akkordsystems, eine Verkürzung der Arbeitszeit und hygienische Verbesserungen. Es ging um die Herstellung menschenwürdiger Verhältnisse. Nach 4 Jahrzehnten sozialdemokratischer Regierungsdominanz wurde die Notwendigkeit eines Einblicks in die Produktionsleitung, einer Mitbestimmung von Seiten der Arbeiter zur Sprache gebracht. Im Winter 1969/70 wurde dieser Ansatz zu einem Arbeiterrat zerschlagen, von den etablierten Organisationen der Arbeiterklasse, vom Unternehmertum, vom Staatskapitalismus. Der Streik, gegen die Gewerkschaftshierarchie, gegen die Regierung, gegen die Monopolgesellschaft, zerbrach, weil die spontane Auflehnung noch nicht zur folgerichtigen, allgemein gestützten politischen Aktion werden konnte. Auch die Repräsentanten der Kommunisten im Streikkomitee setzten sich für eine Wiederaufnahme der Arbeit ein. Aus Vorsicht, im Jahr vor den Wahlen ihre ohnedies schwache Stellung zu gefährden, enthielten sie sich jeder Agitation, und trugen somit zur Entpolitisierung des brennbaren Stoffes bei. Die Kraft zur Handlung, der Wille zur Veränderung, war einzig und allein von den Arbeitern ausgegangen, keine Organisation war ihren Bestrebungen gewachsen und befähigt, ihnen beizustehn. Einen geringen Teil ihrer Forderungen konnten die Streikenden durchsetzen. Sie hatten begonnen, etwas von ihrer Stärke zu verstehn. Diese Lehre war nicht mehr von ihnen zu nehmen, wenn auch das meiste noch bevorstand. Seit diesem entscheidenden Streik flammen ähnliche Vorhaben immer wieder auf, in den Häfen und Werften, bei den Waldarbeitern und andern Berufsgruppen, und die fieberhaft einsetzende Tätigkeit der Gewerkschaftsführung, die Kampfhandlungen abzuwehren und die zum Vorteil der Arbeitgeber errichteten Verträge zu verteidigen, vermag die Unruhe nicht mehr ganz zu eliminieren. Jetzt wird die Partei benötigt, die es versteht, klarzumachen, daß die Auseinandersetzungen, die in entfernten Erdstrichen stattfinden, übergreifen können auf das eigene Land, daß der Gedanke des Internationalismus noch nicht ganz abgeschrieben ist.

14. September 1970

Der Abstumpfung, der Dehumanisierung, den Rückschlägen in Erstarrung, die zuweilen als Folgeerscheinungen eines langen revolutionären Kampfs auftreten, wird in Viet Nam begegnet mit einem ständigen Appell an ethische, moralische, kulturelle Qualitäten. Auch die chinesische Kulturrevolution beseitigte die Ansätze zu bürokratischen, hierarchischen und autoritären Strukturen – ohne jedoch den Personenkult, die gleichschaltende Bindung an das maoistische Lesebuch zu eliminieren. In Cuba wurde, zur Zeit unsres Besuchs, 1967, eine intensive Arbeit zur Niederhaltung des Bürokratismus betrieben, überall hieß es, daß die Revolution ein ständig fortlaufender Prozeß sein müsse, daß keine enge Doktrin den freien Ausdruck, die Initiative zur Erneuerung auf allen gesellschaftlichen Gebieten behindern dürfe. Doch auf der Lauer liegt stets das Gespenst, dem ein Trotzki, ein Ben Bella, ein Che Guevara zum Opfer fiel, das Gespenst der Ermüdung, der Selbstgenügsamkeit, der aufgezwungenen Gewaltsprache, der inneren Machtkämpfe, der plötzlich erlöschenden revolutionären Phantasie, das eine neue Schicht von Organisatoren aufsteigen und die ursprünglichen Ziele in Vergessenheit geraten läßt. Am konkretesten hat sich uns die ausdauernde Aktivität, nicht zu verrohen, nicht die menschlichen Werte zu vergessen, nicht der Regression zu verfallen, in Viet Nam gezeigt, sowohl in der über das ganze Land verbreiteten kulturellen Tätigkeit, in der Ermunterung künstlerischer Leistungen auf den Gebieten der Poesie, des volkstümlichen Theaters, in der Organisation von Studiengruppen, als auch in der Beurteilung des militärischen und politischen Gegners. Immer wieder ist es der Bevölkerung verdeutlicht worden, daß diese abgeschossnen und gefangenen Leute, diese Vertreter einer Nation, deren Anliegen es ist, Tod und Vernichtung zu verbreiten, als einzelne nur Opfer ihrer deformierten Gesellschaftsordnung sind, daß sie nicht unverbesserlich, sondern zu verändern sind. Bei unsrer Begegnung mit amerikanischen Piloten, die nicht wußten, warum sie ihre Bomben auf ein ihnen unbekanntes Land abgeworfen hatten, trat deutlich der Gegensatz hervor zwischen den Vertretern einer totalen menschlichen Entfremdung und denen, die bewußt und überzeugt für jede ihrer Handlungen eintreten konnten. Hierin zeigte sich vor allem die unverwüstliche Überlegenheit eines Landes, dessen Städte und Dörfer Trümmerhaufen sind, dessen Bevölkerung aber im Besitz einheitlicher kultureller Fähigkeiten ist, gegenüber einem Land, das mit seinen ungeheuren Reichtümern nichts andres anzufangen weiß, als die Destruktivität zum leitenden Prinzip zu erheben.

19. September 1970

Im Herbstlaub, im Morgennebel am Tag vor den Wahlen, zer-
knickt, zerbeult, abgerissen, von Feuchtigkeit aufgetrieben und
zerfleddert, die Plakate der Parteien um die Brücke zum Tiergarten, die Werbesprüche von einer stärkeren Gesellschaft, einer
offeneren, freundlicheren, friedlicheren, menschlicheren Gesellschaft, einer gerechteren, erfolgreicheren, gedeihlicheren Demokratie, einer Nahdemokratie, einer Demokratie des Wohlbefin-
dens, schon verbraucht, schon Abfall, schon wartend auf die
Müllwagen, die all die Pappe, all die Papierfetzen, die stupiden
Gesichter der sich darbietenden Manager – der Staatsminister in
jugendlicher Siegesgewißheit, der Finanzminister, in prächtige
Lösungen der verfahrenen Ökonomie verbissen, Holmberg, on-
dulierter Hübschling der Rechten, unter geölter Glätte notdürftig
das Ausbrechen eines bösartigen Kläffens zurückhaltend, Helén,
der ewig Grinsende, Vertreter der Liberalen, Hedlund, der geris-
sene Schutzpatron über das Privateigentum an Wald und Boden –,
all diese versammelte konservierende Macht, all diese Falschheit
und Verlogenheit zu den Kehrichthalden der Stadt rollen werden,
und dazwischen der vietnamesische Guerillero, und die kleine
zusammengeballte Gruppe der Kämpfer der Dritten Welt, unter
der roten Fahne, den Hinweis illustrierend auf versprochene Hilfeleistungen, Hilfeleistungen, die ein Schlag ins Gesicht der Armen sind, ein Hohn aus den überfüllten Vorratskammern, Hilfeleistungen, die erbärmliche Erpressungen sind, die ein winziges
Scherflein darstellen im Überschuß des Raubguts aus den fernen
Kontinenten. In der großen Wahldebatte gestern abend, im Fernsehn, Hermansson als einziger sachlich, klar, überlegen, nichts
von Müdigkeit war ihm anzumerken, als marxistischer Wissen-
schaftler sich mit jedem Wort abhebend von den Phrasendre-
schern, dem losen Geschwätz, der leeren Propaganda der übrigen
Parteiführer, der schrill überspitzten Demagogie des Staatsministers, der seiner Stellung nicht gewachsen ist, der seinen bohren-
den Blick in einem Schnellkurs für Hypnose erlernt zu haben
scheint, neben ihm Gejer, der Gewerkschaftsboß, der mehr für
den freien Markt der Unternehmer, mehr für das Großkapital
plädiert, als für die Stärkung der Arbeitermacht. Niemand ging
ein auf Hermanssons Warnung vor einer Annäherung an die
Europäische Wirtschaftsgemeinschaft, auf seine Forderung, diplomatische Beziehungen mit der Provisorischen Revolutionären

Regierung Süd Viet Nams herzustellen, die DDR, die Volksrepublik Korea anzuerkennen, den afrikanischen Befreiungsfronten verstärkte Hilfe zu leisten und die betrügerisch aufgehaltne Unterstützung der DRV inkraft treten zu lassen. Alle versuchten sie, den kommunistischen Sprecher zu ignorieren, alle gingen sie davon aus, daß mit der Teilnahme seiner Partei am neuen Einkammerreichstag nicht zu rechnen wäre. Noch ein Tag lang Hoffnung, daß trotz der Zerwürfnisse in der Kommunistischen Partei, trotz des hämischen Kampfs, den der marxistisch-leninistische Verband gegen diesen seinen erwählten Hauptgegner führt, die Kommunisten doch noch die Vier-Prozent-Sperre überschreiten werden. Wenn dies nicht gelingt, dann hat die schwedische Bevölkerung mit ihrer Wahl bewiesen, daß sie in ihrer Mehrzahl im Seichten und Bequemen verbleiben will, eine Entscheidung, die nicht, wie die Marxisten-Leninisten erhoffen, zu einer Verschärfung der gesellschaftlichen Widersprüche und damit zu einer revolutionären Situation führen, sondern die Entwicklung im Land auf Jahre hinaus hemmen und zurückwerfen wird. In Anbetracht der heftigen Streikbewegungen der letzten Zeit war eine solche Wendung an diesem Abend unwahrscheinlich, kann aber morgen, auf Grund der Splitterungskampagne der Ultralinken zur Wirklichkeit werden. Und dies, während die Vereinigten Staaten ihre Flottengeschwader im Mittelmeer auffahren, ihre Truppen in Griechenland, der Türkei und in Westdeutschland in Alarmbereitschaft versetzen, um, wie es wieder einmal heißt, amerikanische Interessen zu schützen, diesmal in Jordanien. Vor zwei Jahren die Wahlen im Zeichen der tschechoslowakischen Krise, in diesem Jahr Wahlen während des Kampfs in West-Asien, bei dem es um das Leben der palästinensischen Guerilla geht, und bei dem Napalm und Phosphor schon etwas näher fallen, so nah, daß wir Viet Nam fast vergessen können, aber immer noch weit genug von uns entfernt, daß wir in Ruhe unsre Spaziergänge fortsetzen können, noch eine Weile, am Gewässer entlang, in das die Enten ihre Köpfe tauchen.

21. September 1970

Die Vier-Prozent-Klausel wurde überwunden, die Partei erhielt 4,9 Prozent der Stimmen, und wird zahlreicher als je, mit 17 Mandaten, im Reichstag vertreten sein. Die Sozialdemokraten verloren 3,7 Prozent ihrer Wähler, die Kommunisten wuchsen mit 1,9 Prozent an. 0,4 Prozent der Stimmen gingen an den Verband der Marxisten-Leninisten, der viele Studenten von sich zu überzeugen vermochte, während dessen Einfluß auf die Arbeiterklasse ohne Bedeutung blieb. Besitzt die Kommunistische Partei auch kaum 5 Prozent der Wahlstimmen, so hat sie doch den katastrophalen Niedergang von 1968, da sie viele ihrer Stimmen zugunsten der Sozialdemokratie verlor, aufgewogen, und ist auf dem Weg, die zerworfenen Verhältnisse zu verbessern, vorausgesetzt, es gelingt ihr, auf der Grundlage des heutigen Erfolgs, den Nachwuchs in die eigenen Reihen zu holen. Daß es sich, in Anbetracht des großen Potentials gesellschaftskritischer Kräfte im Land, immer noch um eine winzige Minoritätspartei handelt, ist unabweisbar, und es wird viel analytische und agitatorische Tätigkeit notwendig sein, um beim nächsten Wahlgang, in drei Jahren, eine stärkere sozialistische Front aufweisen zu können. Zum Verlust der Sozialdemokraten trug die allgemeine europäische Tendenz der Rechtswendung bei, aber auch die Dürftigkeit in der Argumentation des Staatsministers und die Unzufriedenheit breiter Gruppen mit der Gewerkschaftsführung. Kläglich war es in der Wahlnacht anzusehn, wie Palme seine Selbstsicherheit, seinen beschwörerischen Blick verlor, wie er auseinanderbröckelte und mit lächerlichen Ausflüchten die Niederlage wegzuerklären versuchte. Peinlich war es für ihn, der sich vor einigen Tagen noch zur schlimmsten Kommunistenhetze verstiegen hatte, daß er sich, um überhaupt weiterregieren zu können, nun mit der Tatsache abfinden mußte, daß die 17 kommunistischen Mandate neben ihm auf der Wagschale lagen und den Bürgerlichen gegenüber die Vorherrschaft der Arbeiterparteien sicherten. Plötzlich ist die Vier-Prozent-Klausel, von der man sich den Untergang der KP erhofft hatte, zu einer entscheidenden Begünstigung der Kommunisten geworden, und schon fluchen die Rechten, daß die Anwesenheit dieser undemokratischen diktatorischen Partei im Parlament unheilvoll auf die Außenpolitik einwirken würde. Für uns bedeutet die Wahl, selbst wenn wir wissen, daß die eigentliche Arbeit, die Überwindung der Ansichtsverschiedenheiten, die Errichtung einer ge-

meinsamen Basis, noch bevorsteht, ein Aufatmen, und die Gewißheit, daß fortan Abgeordnete in der Öffentlichkeit die Interessen
des Sozialismus zur Sprache bringen, die warnen, fordern, provozieren können, und die es den Sozialdemokraten nicht in jedem
Fall leicht machen, mit den Bürgerlichen zu paktieren und sich,
vor allem in internationalen Fragen, den Reaktionären anzupassen. Vorläufig wird sich der Bruch zwischen der Partei und den
linken Abfälligen noch verschärfen, der marxistisch-leninistische
Verband wird damit fortfahren, die KP einen Schwanz der Sozialdemokratie zu nennen und, in die Enge getrieben, seinen Fanatismus auf die Spitze zu treiben – ohne indessen an die Lohnarbeiter
heranzukommen. Offen bleibt die Frage, inwieweit die internationale Situation sich auf die Parteiarbeit auswirken wird, ob,
Moskau gegenüber, eine eigene, den nationalen Besonderheiten
angepaßte Linie beibehalten werden kann, und ob sich die Jungen,
bei der Kluft zwischen der Sowjetunion und China, der Kluft
zwischen den etablierten Parteien und den revolutionären Bewegungen der Dritten Welt, heranziehen lassen. Und, gleichzeitig
mit diesem Aufschwung der Initiativen auf dem politischen Feld,
auf dem begrenzten Gebiet meiner eigenen, persönlichen Arbeit,
das Wiedereinsetzen einer Aktivität, seit ein paar Wochen schon,
ich habe mir mein Drama wieder vorgenommen, bin wieder beim
Ausformen der Hölderlin-Figur, suche nach dem adäquaten Ton,
dem mit dem Thema übereinstimmenden Rhythmus, zeichne die
Linien auf, die lange unterbrochen gewesen waren, die plötzlich
Spuren zeigen von neuen Erfahrungen, Erfahrungen, zunächst aus
den Nächten kommend, allmählich sich mit dem Bewußtsein des
Tages vermengend. Scheint es mir auch manchmal, ich wäre wieder zu weit abgeraten von den Regionen, von denen ich zu Beginn
dieser Journalführung ausging, so meine ich doch, daß sie ständig
in greifbarer Nähe liegen, daß sie sich abspiegeln in dem, was ich
jetzt zu einem Stück zusammenfüge, daß sie dem Thema, das ich
mir vorgenommen habe, die Anklänge geben, die ich jahrelang, in
meiner Anstrengung, nur Dokumentarist zu sein, unterdrückte.

22. September 1970

Die sozialdemokratische Regierung beginnt ihre neue Amtsperiode mit der kategorischen Erklärung, daß keinerlei Zusammenarbeit mit den Kommunisten infrage kommen könne. Nachdem der Staatsminister im Wahlkampf die Partei der Rechten und die Kommunistische Partei mit Pest und Kolera verglichen hatte, versucht er, sich vor allem der Bauernpartei Hedlunds anzupassen, die diesmal die größte Stimmenanzahl gewann, vor allem aus den Schichten des Mittelstands, die ihr Geld in Gefahr sehn. Palme, der ein Mandat weniger als die drei bürgerlichen Parteien zusammen besitzt, hat sich all denen anzupreisen, die jegliche Veränderung in Richtung auf sozialistische Tendenzen fürchten. Eindeutig dagegen spricht Hermansson aus, daß er in keinem Fall eine bürgerliche Regierung zulassen würde, dies sei nicht als ein Bekenntnis zur Zusammenarbeit mit den Sozialdemokraten aufzufassen, wohl aber als eine Erklärung der Zusammengehörigkeit mit den Lohnarbeitern, die in den sozialdemokratischen Gewerkschaften organisiert sind. Die Kommunisten werden sich jeder weiteren Rechtsschwenkung der Sozialdemokraten widersetzen, sich gegen die Preiserhöhungen wenden, mit allem Nachdruck den EWG-Beitritt ablehnen und die Interessen der niedrigen Lohngruppen in den Gewerkschaften wahrnehmen. Eine schwierige Stellung, da ihr Kampf gegen die bürgerliche Beeinflussung der Arbeiterklasse nur mit 17 Vertretern gegenüber den 167 sozialdemokratischen Sprechern geführt werden kann. Hinzu kommt die Zwitterstellung, die der zahlenmäßig schwachen Partei aufgezwungen wird, indem sie einerseits als Arbeiterpartei neben jenen sozialdemokratischen Arbeiterrepräsentanten steht, zu deren Hauptmerkmalen der Antikommunismus gehört, und andrerseits, von links her, die Bezichtigung aufnehmen muß, mit den Arbeiterverrätern gemeinsame Sache zu machen.

24. September 1970

In der Nacht geriet ich in das abgelegene Vorstadtviertel, zwischen Ziegelsteinbauten, Eisenbahndämmen, Fabrikanlagen, in ein Gewirr von Höfen, in Torgängen, Treppen hinauf und hinab, wieder auf der Wohnungssuche, wie in Prag, wie anfangs in Stockholm, auch tauchten Gebäude auf, die Anklänge hatten an das Bremen meiner Kindheit, das im Schutt verendete, und dessen ich nur in diesen nächtlichen Stunden noch habhaft werde. Es war die Suche nach einer Möglichkeit, irgendwo versteckt, anonym, unerkannt hausen zu können, doch beim Betreten der Zimmer, die angeboten wurden – das eine Zimmer hatte eine steinerne Balustrade, einen großen offenen Kamin, eine hölzerne Terrasse, von der aus eine schwarze Katze, Vorbote des Unheils, Einlaß begehrte, in dem andern Zimmer, durch dessen Fenster die rötlich angestrahlten Fabriken und der Bahndamm mit Güterzügen zu sehen waren, schien sich bereits ein andrer Mieter eingerichtet zu haben –, stellte sich sogleich die Frage, ob sich hier tatsächlich ein Refugium finden ließe, hier, dicht neben Hausbewohnern, die Forderungen an mich stellen, mich mit ihren Anliegen ins Gespräch ziehen, mich mit ihren Gästen, mit Schreibmaschinengeknatter, Klavierspiel stören würden. Morgens dachte ich noch lange über diesen Ausflug nach. Etwas von meinem Dilemma zeigte sich darin. Es bestand ein Wunsch zur Flucht aus jeder Verpflichtung und Verantwortung, ein Wunsch, planlos, ohne Aufgaben, ohne jegliche Bindung zu leben, unerreichbar zu sein, offen nur dem Zufälligen, dem Nutzlosen, den irrationalen Begegnungen, doch schon die Äußerung dieses Wunsches, oder bloß dessen beginnende Ahnung, ruft auch die Abwehr dagegen hervor, und in der Abwehr ist das Wissen enthalten, daß dieser Wunsch sich nie mehr verwirklichen läßt, oder, wenn er sich je verwirklichte, nur auf Kosten der Vernunft, nur in einer völligen Auslieferung an die Nacht.

1. Oktober 1970

Maschinengewehrgeknatter, das Orgeln von Bomben und Raketen, nicht halluzinierte Vorstädte, die Eindrücke enthalten, welche
sich vor einem halben Jahrhundert in mir aufspeicherten, sondern
zerberstende Mauern gegenwärtiger Wohnplätze, nicht Einsiede-
leien für Meditationen, sondern Straßen im Mörtelstaub, im bei-
ßenden Qualm der Brände, Straßen überhäuft mit Toten, Verblu-
tenden, Verstümmelten, Schreienden, dies ist der Hintergrund
meiner versponnenen Überlegungen, und so tobt es weiter, während ich mich an meiner Arbeit festhalte. Sieben Millionen Menschen in Kairo jammern, rufen in unaufhörlichen Sprechchören
das Paradies an, daß es sich Gamal Nasser öffne, die Ansager in
den Rundfunkstationen werden immer wieder vom Schluchzen
übermannt, und die, die sie ablösen, bringen ein paar stammelnde
Worte hervor, um ihrerseits ins Weinen einzustimmen, auf dem
Fernsehschirm sind die Massen zu sehn, stampfend, brüllend, die
Arme emporwerfend, die Gesichter von Tränen überflossen, Nasser ist nicht tot, Nasser ist nicht tot. Nasser lebt in uns. Ungeheure, mythologische Trauer, gigantischer Schmerz, ein ganzes
Volk schüttelnd. Ein paar erstarrte Augenblicke dazwischen, der
Handschlag zwischen Yasser Arafat und Hussein, in ihrer Mitte
der noch breit lächelnde Abdel Gamal, die weißen Zähne zeigend,
Sekunden vor seinem Zusammenbruch, und ein andres Bild, Kos-
sygin Hand in Hand mit den arabischen Generälen, eine schnelle
Folge von Bildern, der Präsident der Vereinigten Staaten in Bel-
grad, aufgereihte Zuschauer, jubelnd, Viva Nixon, Viva Nixon,
die Sechste Amerikanische Flotte, mit 55 Fahrzeugen bedrohlich
vor der arabischen Küste, sowjetische U-Boote vor Cuba, fallende
Guerillakämpfer in Beirut, Sekunden, in denen uns ein paar Funken der Kräfte treffen, die uns in ihren Zusammenhängen und
Aufspeicherungen verborgen bleiben, die sich kaum von den wenigen Eingeweihten überblicken und steuern lassen, einige Sekunden, in denen ein winziger Reflex aufblinkt von dem was über
unsre Köpfe hinweg von Mächten, die uns nicht erreichbar sind,
in die Wege geleitet wird, und während ich über meinen Papieren
sitze, feiern Millionen in Peking den Jahrestag der Gründung der
Volksrepublik, und von der Arbeit an meinem Hölderlin-Stück,
vom Park der Familie Gontard, vom Adlerflychtschen Hof, Jahr
1798, begebe ich mich zur chinesischen Botschaft, zum Jubi-
läums-Empfang, stehe im Gedränge zwischen vietnamesischen

Freunden, zwischen Repräsentanten der sozialistischen Länder, zwischen der schwedischen Diplomatie, und es ist mir, als sei mir etwas wichtiges entfallen, ich versuche herauszufinden, um was es sich handelt, die Kraft reicht aber nicht mehr aus.

4. Oktober 1970

Gert, im Unterhemd, an seinem Schreibtisch, der aus zwei aufeinandergestellten Koffern besteht, einem großen Kabinenkoffer und darüber einem kleineren, beide mit Zetteln beklebt, vor seinen Papieren ein verhängtes Gebilde, vielleicht eine Statuette Strindbergs darunter, auch auf dem Fußboden eine Skulptur dieses von ihm verehrten Dichters. Gert in tiefes Nachdenken versunken, er beachtet mich nicht. Ich ließ ihn allein, hatte noch einen schwierigen Weg vor mir, einen Abstieg von einer hohen Brücke, eine steile Felskante entlang, geklammert an den glatten Stein ließ ich mich hinuntergleiten, tief unter mir das Wasser, hing manchmal nur so da, waghalsig, todesmutig, die Finger in den Stein gekrampft, die Füße hin und her schaukelnd, einen Fall von 50 Metern erwartend, gelangte dann aber doch hinab, wenn sich auch der Verlauf in seiner Unmöglichkeit mir nicht zeigte. Jedenfalls kam ich wieder in mein Theater, in dieses Grotten-Theater, dieses Urwelt-Theater, in dem ich Regisseur und Schauspieler war, und ich hatte die Vorstellung jetzt zu erläutern, es war ein exotisches Stück, ich agierte zwischen großen Puppen, aus zusammengeflochtenen Tuchfetzen, mit Halmköpfen, behängt mit Blech und Drähten, mit Beuteln voll rasselnder Hülsenfrüchte, einige dieser Beutel zerdrückte ich in der Hand, knisternd barst der Inhalt hervor, und die Frage war, ob dies alles eine politische Bedeutung habe, ob es sozial sinnvoll sei, oder nur etwas Animalisches, Emotionales darstellte. Später, bei Tag, in unserm Landhaus, in feuchter Witterung, Laub harkend, Kleinholz schlagend für den Küchenofen, hin und wieder in Hölderlins Briefen lesend, versuchte ich, etwas von dem festzuhalten, was mir in der Nacht erschienen war, versuchte, die Fragen zu beantworten, die sich mir dort, mit ihren Hieroglyphen, ihren magischen Formeln, gestellt hatten. Da war das Hängen über dem Absturz, es war im Grunde weder tollkühn noch mutig, sondern Voraussetzung für meine Lebens- und Arbeitsweise, die in jedem Augenblick abgebrochen und zerschmettert werden kann. Waghalsig erscheint diese Situation nur in dem Augenblick, in dem uns die ständige Möglichkeit des plötzlichen Endes bewußt wird. Hängend, gleitend, rutschend, so gerate ich irgendwo hin, und dies ist nun wieder ein Theater, weil ich, trotz aller Abschreckungen, nicht davon lassen kann und weil ich mit meinen afrikanischen Puppen etwas heraufbeschwören will, etwas Unheimliches, Raschelndes, Knackendes, Unförmliches, Gespensterhaftes, eben jene Materie, die ihren Wohnsitz auf der Bühne hat, und die dort wirksam ist, als mythologisches Sinnbild des wirklichen Lebens in der Außenwelt. So abseitig wie ich, hockt auch Gert, der alte Kumpane, an seinem Tisch aus Reisekoffern, auch er versucht, Dramen zu schreiben, Strindberg nachzueifern, doch ist es ihm noch nicht gelungen, durch die Theaterkanzleien bis an die Rampe vorzudringen, er hockt, ich weiß nicht wo, in seinem grauen zerschlissenen Unterhemd, vor seinen Totembildern. Die Konfrontation mit dem Tod ist wieder zu etwas Verborgenem geworden, und mit Mut war dieses Ereignis nicht verbunden gewesen, zu Mut war gar keine Zeit, es konnte nur als unmittelbar Bevorstehendes hingenommen werden, als eine Notwendigkeit. Doch jetzt, da mich das scheinbar Normale wieder umgibt, ist dieser Augenblick von einem Versteckspielen umgeben, ich weiß nicht mehr, ob ich den Gedanken an den Grenzpunkt gleichmütig hinnehme, ob ich mich damit abfinde, wie mit einer selbstverständlichen Tatsache, oder ob ich mich wehre, wieder dorthin zu geraten. Ich weiß nicht mehr, ob es ein Trost ist, daß die Furcht vorm Sterben vergeht, wenn der Tod schon spürbar ist, weiß nicht, ob ich das Grauen vorm Verschwinden doch wieder tragen muß, solange ich im Lebendigen steh, und ob der Gedanke an den Verlust all dessen was ich in den Händen halte nur noch quälender wird, da ich weiß, wie schnell und unerwartet der entscheidende Schlag einsetzen kann. Und solche Erwägungen können immer nur zu der Einsicht führen, daß die Stunden und Tage, die noch bevorstehn, so sinnvoll wie möglich genützt werden müssen, daß sie nichts enthalten dürfen, für das du nicht eintreten kannst, vorausgesetzt du besitzt einen solchen zielbewußten Charakter, und Stunden und Tage entgleiten dir nicht einfach, ohne daß du weißt, was du mit ihnen angefangen hast. Und jetzt fiel mir ein, daß G hoch oben auf der Brücke stand, während ich hinunterkletterte, und da glaubte ich, den Schrecken in der Nacht zu verstehn, wir verloren einander allzuleicht aus dem Blick, wir entfernten uns voneinander, indem wir unsern erfundenen Aufgaben nachgingen, wir vergaßen uns selber, in all diesen sozialen, politischen, künstlerischen Aktivitäten, und, in blitzhafter Erkenntnis über dem Abgrund hängend, wußte ich, daß entweder sie, oder ich, einmal die definitive Abwesenheit des andern zu tragen haben würde, daß einmal sie, oder ich, diesem Alleinsein ausgesetzt wäre, und gegen alles was uns widerfuhr, konnte etwas getan werden, es könnte verändert, verbessert werden, aber gegen das absolute Verschwinden des einen, des andern, war nichts zu tun. Ich fragte mich nach der Notwendigkeit des Stücks, mit dem ich mich beschäftigte. War es Geisterbeschwörung, war es ein Versuch, die Zeit zu überwinden. Die Arbeit selbst sollte diese Frage beantworten. Ich wollte etwas schildern von dem Konflikt der in einem entsteht, der bis zum Wahnsinn an den Ungerechtigkeiten, den Erniedrigungen in seiner Umwelt leidet, der ganz und gar für die revolutionären Umwälzungen eintritt, und doch nicht die Praxis findet, mit der dem Elend abzuhelfen ist, der zerrieben wird zwischen seiner poetischen Vision und einer Wirklichkeit von Klassentrennung, Staatsmacht, Militärgewalt, der eine neue universale Sprache erfindet, um mit dieser gegen die Begrenzungen anzukämpfen, und doch nur gegen Mauern stößt, die immer höher aufragen. Er geht nicht zugrunde, weil er sich in ein geschlossenes privates Reservat zurückziehn will, sondern weil er versucht, seinen Traum mit der äußeren Realität zu verbinden, er geht zugrunde, weil eine solche Einheit noch nicht möglich ist, jedenfalls nicht zu seinen Lebzeiten, und vielleicht zu meinen auch nicht.

13. Oktober 1970

Zur Zeit des Todes meiner Eltern, vor etwa 12 Jahren, war der Gedanke an den eigenen Tod noch kaum vorhanden. Ich konnte wohl die Beendigung des Lebens, in der Form des Selbstmords, erwägen, doch ich geriet nie in die Nähe der Vorbereitungen zu einer solchen Handlung, vielmehr gehörten diese Phantasien in den Bereich einer allgemeinen Morbidität, Ausweglosigkeit und Passivität, in eine Welt voll Schwäche, Überdruß und Wirklichkeitsverlust, die von der Emigration, dem Exil, der Unzugehörigkeit hervorgerufen wurde. Der ausgedehnte neurotische, zeitweise psychotische Zustand, den ich von London, Prag, und den Kriegsjahren in Stockholm her kannte, würde sich verflüchtigen in dem Augenblick, in dem meine Arbeit sich einmal als sinnvoll erweisen würde, in dem es gelänge, eine Räsonnanz, eine Perspektive herzustellen. Während der Jahre, in denen meine Arbeit immer nur in einer Sackgasse enden mußte, da jeder Ansatz zur Weiterführung durch äußere Umstände vernichtet wurde, da eine verständnislose, verächtliche Kritik meine Malereien und literarischen Versuche bei jedem Hervortreten in der Öffentlichkeit auf den Schutthaufen warf, da die Kunstgalerien, die Verlage sich dem »fremden Vogel«, wie man mich in Schweden nannte, verschlossen, da an deutschsprachige Veröffentlichungen noch nicht einmal zu denken war, nahm die ganze Existenz etwas von einem langsamen Sterben an, von einer Art Verwesung, einer Auslöschung, und darin verlor der tatsächliche Schlußpunkt seine Greifbarkeit. Als ich, nach dem Tod meiner Eltern, mit dem kontinuierlichen Schreiben begann, waren die Resultate aus einem Vierteljahrhundert künstlerischer Arbeit bereits vorhanden, Bilder, Zeichnungen, Manuskripte, Filme, doch indem sie kaum jemandem mehr als mir selbst bekannt waren, verblieben sie wie ein aufgespeichertes Material von Träumen, Halluzinationen, inneren Monologen, sie hatten nie Konkretion annehmen können, ich hatte mich in ihnen nie zeigen, manifestieren können, und so blieben sie, mit wenigen Ausnahmen eigentlich bis heute, in Mappen, Kästen, Schränken verschlossen. Zwei kleinere Bände Prosagedichte waren, in einem Versuch, zur schwedischen Sprache überzugehn, im Bonniers-Verlag erschienen, mein erstes Stück, Der Turm, war auf einer Studiobühne gespielt und von der Kritik in einer Weise verrissen worden, wie es im schwedischen Theaterleben sonst kaum vorkam, Der Vogelfreie, 1948 geschrieben, wurde weder von deutschen, noch, in seiner Übersetzung, von schwedischen Verlegern angenommen, ich gab es 1949 im eigenen Verlag, in einer Auflage von 350 Exemplaren, unter dem Titel Dokument I heraus, 1952 traten der Kutscher und die Versicherung ihre Reise von Verlag zu Verlag an, das vorher auf schwedisch geschriebene Buch Duellen ließ ich 1953 wieder auf eigene Kosten drucken, da sich kein Verleger dafür fand. Von den 500 Exemplaren der Auflage wurden 100 verkauft. Diese Jahre, die mit dem hypothetischen Optimismus begannen, mit dem ich mein späteres Buch Fluchtpunkt abschloß, und die zu dem ungewissen Ansatz eines schriftstellerischen Berufs führten, würden das Thema für eine Selbstbiographie ausmachen – wenn ich die Kraft aufbrächte, sie zu schreiben. Als der Kutscher 1960 erschien, und ein Jahr darauf Abschied von den Eltern, hatte ich noch keinen festen Boden unter mir gewonnen, eigentlich wurde erst nach der Uraufführung des Marat, April 1964, das Schreiben zu einer einigermaßen stabilen Tätigkeit, die mir, zum ersten Mal in meinem Leben, ein Einkommen sichern konnte, das nicht nur von einem Tag zum nächsten ausreichte. Und da war ich bald 48 Jahre alt. Das Jahrzehnt, über das sich meine kontinuierliche Bücherproduktion erstreckt, würde für andre, die in jüngeren Jahren mit dem Schreiben beginnen, die an Tod und Abbruch noch nicht denken, nur eine Unterlage ausmachen, auf der die eigentlichen Arbeiten heranreifen können, ich bin in einem Jahr Mitte Fünfzig, einem Alter, in dem viele Berufstätige bereits die Unruhe spüren, ob sie den Anstrengungen, der harten Konkurrenz auf dem Verbrauchsmarkt gewachsen sind, ob andre sie nicht bald verdrängen werden und ob sie, einmal erkrankt, einmal geschwächt, ihre Position halten können. Für mich liegt die Vorbereitung zum Schreiben in einer fünfundzwanzigjährigen unsteten Suche, in einer Unsicherheit, die so umfassend war, daß ich mich manchmal frage, wie sie sich überhaupt durchleben ließ. Und auch später, beim leisesten Zweifel, konnte das dünne Gewebe des Geschriebenen zerreißen. Nach der ersten mißglückten Fassung des Fluchtpunkt, die ich mir zur Umarbeitung vom Verlag abholte, geriet ich in den Zustand tiefster Funktionslosigkeit, das war vor kaum 10 Jahren, im Frühjahr 1962. Ich fand mich in einem Hotelzimmer, zu Fall gebracht von der Kritik des Lektors, und auch einstimmend in seine Kritik, denn ich sah, wie unzulänglich meine Ausdrucksmittel waren, gegenüber dem riesigen gestaltlosen Stoff. Mit dem Manuskript im Koffer hatte ich eine Reise angetreten, nach Süden, nach Montagnola, um Hesse zu besuchen, den ich seit den Vorkriegsjahren nicht gesehen hatte, und dies war nicht nur eine Reise zurück in eine Urzeit von Erinnerungen, es war eine Reise, die unter dem Zeichen einer elementaren Machtlosigkeit und Unzugehörigkeit stand, einer Unfähigkeit, sich auch nur einen Ansatz von Zukunft zu errichten. Im Hotelzimmer in Zürich wachte ich auf von der Wahrnehmung, daß das Licht brannte. Ich versuchte, ein plötzlich aufsteigendes Grauen zu überwinden. Mußte im Schlaf selbst auf den Lichtknopf neben dem Bett geschlagen haben. Da nahm das, was ich eben geträumt hatte, noch einmal Wirklichkeit an, und ich sah meine Mutter neben mir im Bett liegen, ich hatte nie Abschied genommen von ihr, sie lebte noch, sie lag rechts von mir, seitwärts ausgestreckt, sie hatte das Gesicht in die Hand gestützt und SAH MICH AN. Noch als das Bild in der Helligkeit verging, suchte ich nach ihr, so leibhaft war sie gewesen, daß ich die Bewegung, mit der ich sie umarmen wollte, wiederholte. Ihre Nähe, so wie ich sie als Kind in ihrem Bett erfahren hatte, begleitete mich auf der Zugfahrt nach Lugano, immer wieder tauchte ihr Gesicht, ihr Körper beim Blick in die rotierenden Landschaften auf. Und die gegenwärtige Reise vermengte sich mit Abbildern aus den Reisen vor einem Vierteljahrhundert, als ich am Zürcher See, am Vierwaldstätter See entlanggewandert war, mit den Jugendfreunden Robert Jungk und Herrmann Levin-Goldschmidt, da lag die Herberge südlich von Brunnen, in der wir beim blendenden Licht des Vollmonds übernachtet hatten, da standen wir noch, schallend lachend, am Ufer, da glitt die Brücke bei Altdorf vorbei, von der aus ich das steinerne Getürm abgezeichnet hatte, neben mir, verständnisvoll zuschauend, ein Pater im schwarzen Rock, und jetzt die steilen Felswände, die Wasserfälle, die wir passiert hatten, beim Weg hinauf nach Andermatt, und weiter, Hannibals Spuren folgend, und dann, aus dem Tunnel kommend, Bellinzona durchfahrend, unser Hotel, undeutlich, schon wieder verschwindend, das Hotel, in dem ich mit Margrete gewohnt und an unserm letzten Morgen über den Fluß geblickt hatte, über das Rot der Geranien hin, noch war der Eindruck da der überlebensgroßen Gestalt, die drüben am Ufer in Zeitlupensprüngen entlanggelaufen war, jeder Augenblick war jetzt überlastet mit Vergangenheit, mit einem Starren hinein in Unwiederbringbares, in Nostalgie, in eine Welt, die, je mehr ich mich Lugano näherte, Hesses Welt war, die ich in meiner Jugend aufgesogen hatte, diese Welt des Untergehns, in der zu erlöschen ich bereit gewesen war, und schon glitt ich vom Bahnhof mit der Seilbahn durch die Stadt hinab, ließ meinen Koffer in einem Hotel, ging gleich zur Uferpromenade, mit den gestutzten Bäumen, den Tessiner Booten, dem See im Nebel. Erst am Morgen zeigten sich hinter dem Fenster Wasser und Berge, immer noch grau verhangen, doch mit Konturen, die tief gesunkenen Erinnerungen entsprachen. Der Einundzwanzigjährige in mir wurde gegenwärtig, der seine verspätete Pubertät aus dem dunklen Prager Barock in den Süden der Hesseschen Novellen getragen hatte, um dort einen neuen Ausblick oder einen Trost zu finden. Ich ging den Weg nach Montagnola zu Fuß hinauf, doch auf diesem Weg, den ich oft gegangen war, erkannte ich nur die Gipfelketten drüben hinter Talmulde und See wieder. Überall in den ehemals bewaldeten Geländen lagen neue Häuser, Klingsors Felder und Weinberge waren verschwunden. Nur im Hintergrund Montagnolas, zwischen unbekannten Fassaden versteckt, fand ich, nachdem ich einige Male im Kreis gegangen war, die Casa Camuzzi wieder, unverändert, in sich versunken, mit ihren Jagdemblemen, ihrem Torgang zum steil abfallenden tropischen Garten, ihren runden Fenstern, ihrem helmgekrönten Türmchen mit rostiger Wetterfahne. Da es noch zu früh war zum vereinbarten Besuch bei Hesse, stieg ich zu den Hügeln hinauf, um nach meinen alten Jagdgründen zu suchen, doch das Kastaniendickicht, der versteckte Turm, in dem die schöne, stumme Dorfirre hauste, die schmalen Pfade, die Farnbüsche, die Scheunen, die Weingrottos waren kultivierten Gärten gewichen, in denen moderne Villen herumstanden. Unterhalb von Hesses Haus ging ich noch eine Weile auf und ab, erschreckt vom Schild BITTE KEINE BESUCHE, hier aber war der Garten am Weinhang unverändert, verwildert, voll von welkem Laub, und in der Tiefe drüben lag unter Regenwolken die schwarze Seebucht, mit der weißen Stadt Lugano, dem Monte Bré, den Schneespitzen der italienischen Alpen. Auch am Fenster neben der Eingangstür zu Hesses Haus stand ein frommer Spruch, in dem der Alte bat, man möge ihn von Besuchen verschonen. Als Eindringling vor der Tür stehend, erwog ich, ob ich nicht umkehren und Hesse die wohlverdiente Ruhe gönnen sollte, dann läutete ich doch, erfüllt von Zweifeln, in denen die Enttäuschtheit und Mattigkeit nach dem Fehlschlagen meiner letzten

Arbeit, und der Überdruß vor diesem Wiederbelebungsversuch von etwas längst Verbrauchtem mitklangen, und eine junge Hausangestellte ließ mich ein, führte mich in die Bibliothek, wo Frau Ninon mich begrüßte, und wo nach einer Weile Hesse zu uns durch die holzgetäfelte Seitentür eintrat, klein und mager, in einem Anzug, der ihm zu weit geworden war, doch jugendlich in seiner Haltung, seinem Gang, seinen Gesten. Ich stand noch unter dem Eindruck der Verfahrenheit, des Mißglücktseins dieser Reise, und ich wußte nicht, warum ich mich hierher versetzt hatte, in diesen Raum, in dem die Zeit stillzustehn schien, in dem ich vor mehr als 20 Jahren als Anfänger dem Meister gegenüber getreten war, und eine Weile war ich wieder der befangene Schüler, dem noch nichts gelungen war, und ich wußte, ich würde noch einmal von vorn beginnen müssen, doch über dies alles konnte nicht gesprochen werden, Frau Ninon hielt während der Mahlzeit alles Beunruhigende von uns ab, sie wachte über den Alten, dessen rotentzündete Augen so viele Gestalten, Landschaften und Ereignisse geschaut, dessen knotige Hände diese Visionen Seite auf Seite niedergeschrieben hatten, und immer wieder fragte ich mich, warum ich denn hier sei, was ich denn sagen wollte, und dann war die Besuchszeit schon vorüber, seine Frau sorgte dafür, daß er zur Ruhe ging, und ich hatte ihm nichts sagen können von dem was ich sagen wollte, schon hatte ich Abschied genommen, schon war er wieder, mit dem Lächeln eines Zauberkünstlers, nach seinem kurzen Auftritt, hinter der holzgetäfelten Tür verschwunden, und Frau Ninon wollte mich mit dem Wagen zur Stadt bringen, und mich noch vorbeifahren an Carabbietta, wo ich einmal gewohnt hatte. An der verbauten Uferstraße stieg ich aus und ging hinauf zum Dorfplatz und da lag rechts die Fassade des Hauses, mit der Reihe leicht gewölbter Fenster, hinter denen ich mich an der Staffelei stehen sah, und links, am Gemäuer überm Steilhang, das Haus, immer noch rosafarben, in dem Margrete mich bei sich aufnahm, abends, ihr Haar fiel über die Stirn, die breite Narbe verdeckend. Die grünen Fensterläden waren geschlossen, niemand trat aus den Toren und Ställen, der Regen rieselte, alles war schwer, unlösbar, untragbar, wie vor zwei Jahrzehnten. Vor der Abfahrt des Zuges verbrachte ich eine Stunde zwischen den Zedern, Palmen und Schlangenbäumen der Parkanlage, in der Friedrich Klein, der Asoziale, der Ausgestoßene, der Tänzerin Teresina begegnet war. Wieder lag Nebeldunst über dem See, die Uferpromenade streckte sich verlassen mit ihren Reihen gestutzter schwarzglänzender kahler Platanen, und ich hielt den Atem an vor der Reglosigkeit des Wassers und des Himmels. Es war eine dieser Abschiedsstunden, die angefüllt sind mit Begriffen, die ebenso kompromittiert, kaum mehr auszusprechen sind wie jene, Laertes, die einmal zur ursprünglichen Vitalität gehörten, es sind die Gegenstücke der zerbrochenen Freude, anrüchig in ihrem Schmerz, ihrer schwärenden Verlorenheit, es gelang mir nicht, sie wegzuschieben, ihr Gewicht war so groß, daß sie mir Tränen aus den Augen trieben. Weinend aus lauter Vergangenheit, vor dem schrecklich schönen Seepanorama, bekannte ich mich zu den Gegensätzen in mir, diese sentimentale Reise stellte etwas wie eine innere Einheit her, sie war ein Bekenntnis zur Tradition, zur Zusammengehörigkeit mit Emotionen, die sich, trotz aller literarischer und intellektueller Entscheidungen, trotz des immer wieder hervorgehobenen beispielhaften sozialen und politischen Wegs, nicht verleugnen ließen, ebensowenig wie mein Ursprung sich verleugnen ließ, und es war etwas dabei vom Einverständnis mit meinen eigenen Verirrungen, mit weltfremden romantischen Vorbildern, denen ich entwachsen war, und die meiner Entwicklung doch angehörten, es war etwas dabei vom instinktiven Festhalten bestimmter Töne und Bilder, die in die Härte heutiger Entschlüsse nicht paßten, und die doch tief auf mich eingewirkt hatten und unveränderlich als Grundmuster unter meinen Gedanken lagen. So wie ich nie meine frühen Schreib- und Malversuche vor mir selbst verheimlichen würde, so nahm auch Hesse seinen bestimmten Platz in meinem Werdegang ein, sein Werk ist untrennbar mit meiner eigenen Produktivität verbunden, es steht für mich außerhalb der objektiven Beurteilung, weil es tief durchsetzt ist mit eigenen Träumen, Erwägungen und Plänen. Seine Romane, Erzählungen und Gedichte sind Spiegel, in denen eine süchtige Identifizierung gebannt ist. In depressiven Stadien und Krisen, in einem Hang zum Irrationalen, im Fliehen aus der äußeren Realität hatte ich zu dieser Lektüre gegriffen, und so grundlegend verändern wir uns nicht, daß uns das, was einmal der Inbegriff einer geistigen Bestätigung gewesen war, ganz fremd werden könnte. Und von Hesse, dem einmal bewunderten und inspirierenden Magiker, der mir die Gebundenheiten und das qualvolle Auseinanderbrechen in meiner bürgerlichen Welt aufgezeigt, und der seinen zweideutigen Ruhm in mir nie verloren hatte, glitten die Gedanken zu meinen Erzeugern, deren Asche in zwei Urnen bewahrt ist, zwei Klafter tief nebeneinander in der Erde des Friedhofs zu Alingsås, und verfingen sich dann plötzlich in einer Szene, aus Bremen, an der Ecke der Schleifmühle, gleich neben der Eisenbahnbrücke, wo ich in einem Kindergarten untergebracht war und, beim Weggehn nachmittags, auf der Treppe stehend, von der Pflegerin gefragt wurde, wie mein Vater denn meine Mutter nenne, und ich darauf antwortete, Schatzi nennt er sie, Schatzilein, Lieberle, und dieses bedenkend ging ich um den Tiergartensee, an dessen Ufer das gelbe Laub jetzt dicht liegt und die Krähen in den Bäumen zetern, und Gunnar Wennerberg steil aufgerichtet auf seinem Sockel steht und unser Jahrhundert nicht mehr sieht, weil die Möwen, auf seinem kühnen Haupt landend, ihm das Gesicht über und über beschissen haben.

15. Oktober 1970

Unsre Arbeit wird überschattet von Meldungen der Morgenzeitung, in denen uns die beiden Supermächte drohend an unsre Abhängigkeit erinnern. Zunächst die Verhaftung der Angela Davis, der amerikanischen Revolutionärin, wir sehn sie, in afro-amerikanischer Perücke, mit riesiger Hornbrille, in Handschellen, der FBI-Agent hält sie am Arm gepackt, wir lesen von den tausenden vorm Gerichtsgebäude im unteren Manhattan, die rufen, Free Angela, free our sister, und die Polizei triumphiert, wieder hat sie einen führenden Militanten erwischt, einen Staatsfeind, und in Washington, vorm Capitolium, spricht der Chef des Bruderordens der Polizei, Harrington, und ihm jubeln, pfeifen, heulen tausende von Polizeisoldaten zu, da er den Schwarzen Panthern den Kampf ansagt, da er verspricht, sie auszurotten. Wir leben in einer Revolution, schreit er, der Krieg findet hier statt, hier in unsern Städten, auf unsern Straßen, die schlappen Richter werden nicht damit fertig, und wenn die Regierung die Guerilla-Aktivisten nicht aufhalten kann, sind wir verloren. Gebrüll. Die wollen unsre Gesellschaft umstürzen. Gebrüll. Wenn da oben nichts geschieht, dann sind wir gezwungen, zu andern Methoden zu greifen, dann werden wir die Sache selbst in die Hände nehmen. Das sind die Töne, die echt faschistischen Töne. Und daneben, dazugehörig, ein andres Bild, eine andre Spiegelung aus dem amerikanischen Kessel. Da stellen sie jetzt in Texas einen schwarzen Unterleutnant vor Gericht, David Mitchell, um ihn verantwortlich zu machen für die Schlächterei in Song My. Über ihm, auf der nächsten Stufe der Befehlshierarchie, steht ein Leutnant Calley, und über ihm ein Hauptmann Medina, und über diesen die Generäle Koster und Young, und das Pentagon schießt sich nun auf diese peinliche Angelegenheit ein, die leider allzuviel Aufsehn in der Sensationspresse weckte, Westmoreland selbst, der zu den Antreibern des Vernichtungsfeldzugs gehört, empfiehlt, um von seiner eigenen Schuld abzulenken, die Degradierung der beiden Generäle, zu direkten Sündenböcken aber werden die unteren Befehlsempfänger und Befehlsgeber erklärt, und da kommt es der Mordzentrale gerade recht, einen Schwarzen an die Rampe zu stellen, das entlastet einerseits die weißen Offiziere, dient andrerseits dazu, der Opposition im eignen Land einen Schlag zu versetzen, seht, ein Schwarzer war es, der die Vietnamesen ermordete, seht, so einer ist es, der sich über unschuldige asiatische

Frauen und Kinder hermacht. Und die großen Nachrichtenagenturen, die die bürgerliche Welt mit ihren Nebelbildungen versorgen, verbreiten es, die Zeitungen schreiben es ab, und es wird lange dauern, bis die Frage durchdringt, ob denn dieses Song My tatsächlich eine solche Ausnahme darstellt, ob die Schlächterei nicht täglich, stündlich stattfindet, legalisiert von den deformierten Gehirnen der Kriegsführer, ob nicht jeder Söldner, der sich nach Viet Nam verfrachten läßt, mit jeder Bombe, die er in seinem Flugzeug mit einem Druck auf den Knopf auslöst, mit jeder Maschinengewehrkugel, die er abfeuert, unaufhörlich an dem riesigen, vom Oberkommando geplanten Massaker beteiligt ist. Das herausgegriffene Geschehnis von Song My macht nur eine Einzelheit aus in der umfassenden Aktion KILL AND DESTROY, und niedergeschossene Zivilisten werden jeden Tag der Rechnung hinzugeführt, um die vom Armeestab gewünschte Quote beim BODY COUNT zu erreichen. Der kleine schwarze Amerikaner, dem man Uniform, Waffe und Schießbefehl gab, der brutalisiert wurde vom Mordapparat, von der Killersprache, starrt verständnislos und stur vor sich hin. Wie er da an der Gerichtsschranke steht, hat er die gesamte Administration der Vereinigten Staaten zu tarnen. Wir kennen diesen Mechanismus bis zur Bewußtlosigkeit. Die amerikanischen Erben der nazistischen Schreibtischmörder gehen frei, und es gilt als Beweis für die Offenheit, die demokratische Funktionstauglichkeit der amerikanischen Gesellschaft, als Beweis für ihren Gegensatz zum totalitären Staat, daß sie den farbigen Unterleutnant Mitchell anklagt, im Dorf Song My einen Massenmord begangen zu haben, als wäre er nicht bewußt zu diesem Massenmord erzogen worden, als würde dieser Massenmord nicht bei Tag und Nacht in ganz Indochina von den Streitkräften der USA begangen. Jedes Dorf in Viet Nam könnte seinen Namen als Symbol stellen über die Niedermetzelung einer wehrlosen Bevölkerung, jetzt verdichtet sich ein ungeheuerliches jahrelang andauerndes Verbrechen beim Blick auf das zufällig bekannt gewordene Song My. Die Toten dieses Dorfes sollen die hunderttausende von Toten verdecken, die seit dem Frühjahr 1965 von der offiziellen amerikanischen Buchführung in Süd Viet Nam gezählt wurden, 300 000 zivile Tote, so heißt es in dem eben erschienenen, von der Presse jedoch nicht beachteten Rapport der Untersuchungskommission, davon 35 000 während des letzten Jahres, hinzugerechnet 60 000 zivile Verwundete, die seit Juni

1969 in die Hospitäler eingeliefert wurden. Dies die offiziell zugegebenen Ziffern, zu groß, als daß sie vor der Öffentlichkeit ausgebreitet werden könnten, zu einem Zeitpunkt, da der Präsident der Vereinigten Staaten wieder einmal versucht, die Weltopinion mit seinen »Friedensplänen« einzuschläfern, und doch viel zu niedrig im Vergleich mit der tatsächlichen Anzahl von Opfern. Hinzu kommen 6 Millionen Flüchtlinge in Süd Viet Nam, zusammengepfercht in Lagern des Hungers und der Seuchen, eine Million Flüchtlinge aus Cambodja, der Genocid am Meo-Volk in Laos, bei dem unter dem amerikanischen Terror-Bombardement 200 000 Menschen umkamen, und die Unzähligen, die seit Beginn des Angriffs auf Nord Viet Nam dort ermordet und verstümmelt wurden. Doch David Mitchell kommt nicht auf den Gedanken, daß an seiner Stelle der Präsident, der Vicepräsident, die gekauften Senatoren und Parteifunktionäre, die Generäle, Juristen und Wirtschaftsmagnaten der USA sitzen müßten. Der verleitete Afro-Amerikaner Mitchell wird als schnell vergessener Sündenbock vorgeführt, einige Dutzende von ihm Getötete sind dem Publikum faßbar, stellvertretend für die Zerstörer riesiger bewohnter Areale steht er vor seinem Haufen zerfetzter Leichen, das hat ein einzelner getan, und das ist andern einzelnen verständlich, die großen Planer aber, mit ihren viereinhalb Millionen Tonnen abgeworfener Bomben bleiben im Unkenntlichen, noch ist der Gerichtshof nicht da, vor dem sie zur Rechenschaft gezogen werden, der Gerichtshof, der das in Nürnberg ausgesprochene Versprechen befolgt, daß Verbrechen gegen die Menschlichkeit, begangen von den damals siegreichen Mächten, bestraft werden müßten nach dem gleichen Urteil, wie es über die Besiegten verhängt wurde. Und dann, von diesen Konfrontationen mit der imperialistischen Todeswelt, zur andern Welt, in der das Erbe von Marx und Lenin verwaltet werden soll, die Nachrichtenspalten liegen unmittelbar aneinander, neben dem Foto des Unterleutnant Mitchell ist Solschenizyn zu sehn, der Empfänger des Nobelpreises für Literatur. Als der Preis vor einigen Jahren an Šolochow gelangte, bedeutete dies eine Ehrung der großen Traditionen russischer Literatur, jetzt aber verhöhnt der gleiche Preis diese Traditionen, seine Verleihung an einen sowjetischen Autor ist eine schändliche, antisozialistische Handlung. Die Schwedische Akademie, aus deren Händen Šolochow den Preis entgegennahm, ist jetzt ein dubiöses Komitee, das im Dienst der Bourgeoisie steht.

Die Aufgabe dieses Komitees ist es, den Sowjetstaat und dessen Kultur zu verleumden. Nachdem von der Prawda, der Isvestija und der Literaturnaja Gazeta ausgesprochen wurde, was vom diesjährigen Nobelpreis für Literatur zu halten ist, wird auch der Kommentar im Neuen Deutschland zu erwarten sein, wo den Lesern bisher vorenthalten wurde, welchem Ketzer dieser Preis zugute kam. So beginnt die Arbeit, nach Überwindung des alltäglichen Brechreizes.

17. Oktober 1970

Für die Freigabe der Angela Davis verlangt der Staat eine Bürgschaft von 250000 Dollar, für die Freigabe ihres Mitgefangenen Poindexter 100000 Dollar. Unbehelligt, und unter dem Vorzeichen der Legalität, übt die Administration der USA Erpressung aus, mit der Festnahme von Geiseln, der Forderung von Lösegeldern. In diesem Fall handelt es sich um den terroristischen Kampf des Großkapitals gegen die Verarmten. Die Zentrale für die Gewaltmaßnahmen, der Oberste Gerichtshof, ständig seine Forderungen erhöhend, die von den Betroffenen mit unsäglichen Mühen zusammengekratzt werden, hat auf diese Weise bereits Milliarden in die Bankkonten der herrschenden Klasse gezogen. Derartige Räubereien, die von den Institutionen der Vereinigten Staaten an militanten Vertretern der Bevölkerung begangen werden, rufen nicht einmal den Funken einer Aufregung in der Presse hervor, sie werden als Selbstverständlichkeiten hingenommen. Welch ein Geschrei dagegen, wenn die Ausgebeuteten ihrerseits zu gewaltsamen Mitteln greifen, um sich ihrer Haut zu wehren. Ehe Repräsentanten der staatlichen Macht entführt und mit Hinrichtung bedroht wurden, hatte das etablierte Unterdrückungssystem diejenigen, die sich jetzt empören, mit äußerster Brutalität in die Enge getrieben, durch ihre Gefängnisse geschleift, gefoltert, viele von ihnen hingerichtet, ehe ein weißer Richter von seinem Amtssessel gerissen und in einer Schießerei getötet wurde, waren unzählige unbewaffnete schwarze Amerikaner von Polizeitruppen auf der Straße oder in ihren Wohnungen niedergeschlagen, abgeschleppt oder abgeknallt worden, ehe die Zeit reif war für besinnungslose Gegenschläge, hatte die Justiz der Reichen ihre Opfer unendlich lange geknebelt und in Ketten gebunden. Im Bild des gefesselten Bobby Seale vor der weißen Jury stellen sich die geltenden Kräfteverhältnisse in den Vereinigten Staaten dar. Fast jeder, der als Anführer in den schwarzen Gettos hervorgetreten war, lag im Kerker, viele von ihnen warteten auf die Hinrichtung im elektrischen Stuhl oder in der Gaskammer. Die mörderischen Gesetze, von den Herrschenden zum Schutz ihrer Privilegien geschaffen, diese Rechte, die keiner wagte, in Frage zu stellen, diese Rechte werden plötzlich gegen ihre Statthalter gekehrt, in Lateinamerika, von den palästinensischen Commandos, jetzt auch von den Separatisten in Quebec. Wer auch immer die Festnahme und Erschießung von Geiseln, die Entführung von Flugzeugen, den gewaltsamen Einbruch in eine Institution der Gesellschaft verurteilt, hat zu bedenken, daß diese Taten des individuellen Terrors hervorgerufen werden von einer Zwangsordnung, einer totalen Ungerechtigkeit, die nichts andres mehr zuläßt als den Kampf aufs Messer. Solange uns selbst noch Bewegungsfreiheit vergönnt ist, können wir es uns leisten, für friedliche Lösungsversuche einzutreten und jeden Übergriff auf das Leben Unschuldiger zu verdammen. Der Mehrzahl unsrer Zeitgenossen aber sind diese Überlegungen verwehrt, von Verhandlungsmöglichkeiten ausgeschlossen, stehen sie vor der Notwendigkeit, zur Waffe zu greifen. Die Entführung des Richters zu San Rafael, für die Angela Davis, Kommunistin, Mitglied des Che-Lumumba-Clubs, verantwortlich gemacht wird – nur um einen Grund zu haben, sie aus dem Weg zu räumen –, brach unter einer Schießerei zusammen. Noch ist es den Aufständischen in den USA nicht geglückt, einen Repräsentanten des Imperial-Faschismus, einen Spiro Agnews, einen George Wallace, Nelson Rockefeller, Edgar Hoover, oder Ronald Reagan, in Gewahrsam zu nehmen, um die Freigabe widerrechtlich Gefangener zu erzwingen, doch wird die Verschärfung der Klassengegensätze die nordamerikanische Stadtguerilla zu solchen Aktionen drängen, da sich auf demokratischem Weg in ihrem Polizei- und Militärstaat keine Rechte mehr erkämpfen lassen. Unsre Vorstellungen von konstruktiven Lösungen nützen uns wenig angesichts dieser unüberbrückbaren Situation. Die Auflagerung einer Not, in einem Land, in dem die rassische Diskriminierung, die weitgehende politische Abstumpfung der weißen Arbeiterschaft, keine Klassensolidarität aufkommen läßt, kann nur zu verzweifelten Ausbrüchen führen, selbst bei der schrecklichen Perspektive, daß diese vom überlegenen Verteidigungsapparat total zerrieben werden.

18. Oktober 1970

Der Präsident Canadas sah genau so skandalös scheinheilig, so charmant geölt und geglättet, genau so begabt mitleidig aus, wie es einem millionenschweren gealterten Playboy zukommt, als er heute den Tod des Arbeitsministers Laporte bekannt gab. Er, der seine Philosophie als erster Sprecher der Nation in den Worten zusammenfaßt, daß ideologische Systeme immer Erbfeind menschlicher Freiheit seien, der auf Grund »magnetischer Macht« über seine Wähler in das Führungsamt berufen worden war, nannte die Befreiungsfront Quebecs eine feige niedrige Mörderbande, und wieder einmal hatte dieser liberale erfolgreiche Staatschef das Recht auf seiner Seite, und auf seiner Seite die Empörung der Weltopinion, und wieder einmal gab es nichts, was zur Verteidigung der Mordtat an einem unschuldigen Menschen anzuführen war. Wieder einmal wußte dieser wohlgetrimmte Vertreter des Establishments, daß auch seine politischen Gegner, durch moralische Stellungnahme, ihm zustimmen mußten, daß jeder, der bewußt und organisiert auf eine Veränderung der Gesellschaft hinarbeitet, die Gefangenhaltung und Hinrichtung von Geiseln nur ablehnen konnte, daß das Gewissen eines jeden betroffen war von der Vorstellung, welchen Qualen die beiden Gefangenen Laporte und Cross ausgesetzt worden waren. Und wieder einmal wurde, durch die desperate Tat, die Befreiungsbewegung selbst geschädigt, und mit ihr jede radikale außerparlamentarische Opposition, die Kader der FLQ hatten nichts andres erreicht, als ihre eigene Auswegslosigkeit darzustellen. Wieder einmal kann der Starke, der Machthabende sich im Vollbesitz seines Rechts ausstrecken, wieder einmal kann er mit seiner Überlegenheit das Anliegen des politischen Widerstands wegwischen, niemand würde es jetzt wagen, der Befreiungsfront Quebecs integre Interessen zuzusprechen, darauf aufmerksam zu machen, daß diese kleine Gruppe, als einzige in der französisch-nationalistischen Bewegung, das Prinzip des Klassenkampfs vertrat. Unter der allgemeinen Verurteilung der Terroristen lassen sich die gesellschaftlichen Mißverhältnisse, die Anlässe der Gewalthandlungen verbergen. Der verhängte Ausnahmezustand, in einem Land, dessen Industrie und Finanzwirtschaft in den Händen anglo-canadischer Monopole liegen, richtet sich vor allem gegen die französischsprechenden Arbeiter, deren Löhne 40 Prozent niedriger sind als die der englischen Arbeiter, und die in weit höherem Maß als die anglo-canadische Bevölkerung der Arbeitslosigkeit ausgesetzt sind. Der Ausnahmezustand und der propagandistische Sturm gegen die Extremisten versucht, die soziale Krise zu unterdrücken, er ermöglicht die Einsperrung von Gewerkschaftsführern, er gibt der Regierung die Vollmacht, alle Streiks zu verbieten und lenkt in willkommener Weise davon ab, wie verheerend die Verarmung, die Wohnverhältnisse, die Gesundheitsfürsorge und das Bildungswesen in Quebec sind. Wieder einmal läßt sich die Frage auf die Spitze treiben, für wen bist du, für die FLQ, für die Black Panther, die Tupamaros, für die Revolutionäre, die vor den gewaltsamen Gegenschlägen nicht zurückschrecken, oder für die Reformpolitik, die Evolution, die friedliche Koexistenz, und die Antwort kann nur im Bewußtsein der Ambivalenz gegeben werden. Vernunftmäßig muß ich mich auf die Seite der sorgfältig planenden Parteitätigkeit stellen, und in der Errichtung der Massenbasis, in der Herstellung einer großen Aktionseinheit die Hauptaufgabe sehn, ich muß die Spontaneität von Gewalthandlungen, die nicht von der Mehrzahl der Bevölkerung unterstützt werden, ablehnen – gleichzeitig aber zeigt sich die kapitalistische Herrschaftsstruktur so vom eigenen Terror getragen und geschützt, daß sie sich von keinen friedlichen Initiativen verändern läßt, und auch die Kommunistischen Parteien scheinen nicht der Aufgabe gewachsen, die Gesamtheit der revolutionären Kräfte aufzufangen und so entschlossen zu reagieren wie es angesichts der feindlichen Taktik geboten ist. Für den Mord in Quebec, wie für andere politische Morde von Seiten des Gegenterrors in den kapitalistischen Ländern, sind die reaktionären Regierungen ebenso schuldig wie die Repräsentanten der städtischen Guerilla, denn diese Regierungen haben nie etwas andres getan, als ihre politischen Gegner mit äußerster Brutalität niederzuhalten. Die extremen Widerstandsgruppen verwenden die gleichen Kampfmittel, die von der Gesellschaft ständig gegen sie verwendet worden waren. Der Unterschied beim Vorgehn zu einer bewaffneten Gefangenenbefreiung, beim Festnehmen oder der Erschießung einer Geisel, liegt nur darin, daß die Staatsgewalt ihre Taten als legal erklären kann, während die gleichen Handlungen einer Befreiungs-Organisation als illegal und verbrecherisch verschrien werden. Bei aller Ablehnung des individuellen Terrors muß sich ein Verständnis einstellen für die Minderheiten, die einem übermächtigen Gegner Widerstand bieten, die, entgegen allen Geboten der Vorsicht, der Vernunft und der Geduld, in der imperialistischen City kämpfen, weil ihnen nichts andres übrig bleibt, weil sie nur ein einziges Leben haben und nicht länger warten können, weil sie sehn, wie die Verelendung, die Erniedrigung ihrer Nächsten mit jedem Tag zunimmt. Es genügt, zu wissen, wie die Afro-Amerikaner willkürlich, ohne Beweise, von jedem Polizisten der USA als Freiwild gejagt und festgenommen werden können, wie sie monatelang, ohne daß ihr Fall untersucht wird, ohne Rechtshilfe zu erhalten, gefangen bleiben, und wie die weiße Arbeiterklasse ihres Landes in Mehrzahl diesen Zustand duldet, um die Reaktion zu verstehn, in der nichts andres mehr übrig bleibt, als rasende Wut. Und es genügt, die Leitartikel der bürgerlichen Zeitungen in diesen Tagen zu lesen, in denen nur die Rede ist von der abscheulichen ungeheuerlichen Tat der Bestien der FLQ, es genügt, die tränenerstickten Stimmen der führenden Staatsmänner Canadas im Fernsehschirm zu hören, die nicht von ihren profitablen Geschäften, nicht von der Einschränkung der Pressefreiheit, nicht von der Verhaftungswelle im Land sprechen, sondern nur von der verlogenen Sorge um die Nation, um den Amoklauf zu verstehn, in den die Aufständischen von Quebec getrieben wurden.

19. Oktober 1970

Ohne geringste Schwierigkeit sinke ich von der Ebene, auf der solche Entscheidungen, solche Wahlsituationen stündlich auftauchen, weg in meine nächtlichen Quartiere. Ich ging durch ein Zimmer, dessen Wände und Decke dick übertüncht waren, was mich vermuten ließ, daß darunter alte Verzierungen, Malereien und Stukkaturen lagen, vielleicht obszöner Art. Der hier wohnte war ein Abseitiger, schwer zu durchschauen, die Räumlichkeiten in denen er arbeitete, lagen in einem tieferen Geschoß, unter der Erde, er zeigte durch ein Fenster hinab auf Gewölbe, die seine Werkstätten, sein Atelier, sein Laboratorium, oder seine geheimen vermietbaren Kammern überdeckten. Draußen, von einem Geländer aus, konnte ich in ein Zimmer blicken, in dem meine Gefährtin von früher ihrer körperlichen Tätigkeit nachging, sie hatte wieder einen Kunden bei sich, oder ihren Zuhälter, auf sie wartend legte ich meine Jacke ab, sowie ein Bündel das ich bei mir getragen hatte, sie hatte mir schon zugewinkt, aus dem Zimmer war Gelächter zu hören, es war ein kleines schäbiges Hotel, der Nachtportier kannte mich, grüßte mich auch, und dann war ich schon bei ihr, in ihrem Zimmer, ihrem Bett, sie stand über mir, hatte ihren Rock, ihr Hemd gehoben, ich strich über ihre Brüste, ihren Bauch, hielt die Hand zwischen ihre Schenkel, dabei erfuhr ich, unverbesserlicher Intellektueller, daß sie keine gewöhnliche Prostituierte war, sondern eigentlich Studentin der Soziologie, wir lagen ineinander verschlungen, aber so reich diese Augenblicke auch waren, an Impulsen, an Emotionen, sie führen doch zu nichts, wenn ich nicht der Forderung nachgebe, die sie an mich stellen, der Forderung, ganz nach ihnen zu leben, alles andre fahren zu lassen, und so wird diese abgewendete Gegend, diese Kehrseite der Tageswirklichkeit auch wieder zu einer Ebene, auf der wichtige Entschlüsse gefaßt werden müssen, auf der ich gezwungen werde, Farbe zu bekennen.

21. Oktober 1970

Wie weit aber ist dem Schreibenden Offenheit, Ehrlichkeit gegenüber sich selbst, möglich. Bis zu welcher Stufe hinab wagt er zu gehn, um die Ursprünge seines Denkens und Handelns aufzuzeigen, vorausgesetzt, er will dies bei vollem Bewußtsein tun, und nicht nur automatisches Brodeln zur Sprache bringen. Ist es, von einer bestimmten Grenze an, überhaupt noch möglich, das Gewirr der Impulse, der elementaren Ängste, der selbstzerstörerischen Regungen, der Rücksichtslosigkeiten gegen andre Menschen, gegen alle Ordnungen und Gesetze, in eine lesbare Schrift zu übertragen. Ist das völlige Mitsichselbst-Alleinsein in einen Einklang zu bringen mit der Tätigkeit des Schreibens, die ihrem Wesen nach eine Tätigkeit des Sich-Mitteilens ist. Muß nicht bei jedem Versuch, in sich selbst hineinzublicken, der Versuch hinzugerechnet werden, sich nach außen hin darzustellen. Untrennbar von der Schilderung des Intimsten deines Eigenlebens ist der Gedanke, daß du dich in dieser Situation einem fremden Betrachter aussetzt, und darauf muß die Frage folgen, ob ein solcher Exhibitionismus gerechtfertigt sei, ob er beitragen könne zur Erweiterung unsres Wirklichkeitsbildes, ob er anderen bei der Beschäftigung mit eigenen Konflikten behilflich sei, oder ob er sich letzten Endes selbst entwerte, da er doch nur einen Trichter ausmacht, in dem alle Aktivität nach innen rinnt, in dem alle Kräfte, die nur im Äußeren nutzbar gemacht werden können, sich im Dunkeln verbrauchen. Als Kafka Max Brod befahl, alle seine Manuskripte, Notizbücher und Briefe, alles was abgeschlossen oder was skizzenhaft war, zu verbrennen, so war dies von der Bewußtseinsspaltung bedingt, daß einerseits alles von ihm Niedergeschriebene in solchem Maß Selbstbekenntnis war, daß die Konfrontation damit eine unerträgliche Indiskretion darstellte, während ihm andrerseits, in seiner äußerst hochgeschraubten schriftstellerischen Ambition, alles als ungenügend, als formal gebrechlich, als inhaltlich nicht aufschlußreich genug erschien. Indem Brod der Forderung seines Freundes nicht nachkam, zeigte er sich als ein Kenner der künstlerischen Realität, er wußte, daß es das Vollendete nicht geben konnte, daß der Konflikt zwischen dem Drang nach ungehemmtester persönlicher Wahrheit und dem Drang, mit seinem Werk zwischen andern Lebenden zu existieren, zu den Voraussetzungen der Arbeit eines Schreibenden gehörte. Selbst kannst du dieser Zweigeteiltheit zum Opfer fallen, in einem stellvertretenden Selbstmord, du kannst, in einem Anfall von Selbstverleugnung, von Umnachtung, dem Befehl Folge leisten, der Gefahr, der du nicht länger in die Augen zu blicken vermagst, schnell ein Ende bereiten, und sie, mit einer heftigen Geste, ins Feuer befördern. Die Gefahr selbst wird dadurch nicht beseitigt. Der Angriff geht immer nur von einem Hülsen-Ich aus, von einem Ich, das du dir vorgespiegelt hast, das im Außen steht, im Außen wirksam und angepaßt ist, und dem das andre, untergründige, nicht festgelegte Ich plötzlich peinlich wurde. Zumeist wird dieser kleine Mord, diese Abwürgung, in der harten Realität der Beschreibung von Papieren, kaum merkbar begangen, vom vorherrschenden Außen-Ich, noch ehe sich aus der anarchischen Gedankenmasse die Mechanik des Schreibens entwickelt hat, und nur ein geringer Abklang dessen, was gesagt werden sollte, kommt zum Ausdruck. In den nächtlichen Erlebnissen ist noch etwas spürbar vom Anstoß, aus dem sich die Bewegungen ergeben wollen, die dann, bei der prüfenden Tätigkeit, wieder in Verschwiegenheit geraten. Meine ich auch, daß ich die Seiten dieses Journals, dieses Versuchs einer Selbsttherapie, fast widerstandslos, nach dem Diktat eines inneren Monologs schreibe, lasse ich auch alles stehn, wie es sich ergibt, ohne viel daran zu schleifen, mit seinen Unförmlichkeiten, Wucherungen, Wiederholungen, Paradoxen, so weiß ich doch, daß jedes Wort, scheint es mir auch tastend, suchend, unsicher, flüchtig, fließend, bereits vielfach gefiltert, abgewogen und durch Zensurinstanzen geschleust wurde, daß alles was den Anschein von Unmittelbarkeit hat, doch längst darauf geprüft wurde, ob es mir selbst nicht schaden, ob es Menschen, die mir nahstehn, nicht verletzen könnte. Den Selbstmord, den Kafka nicht an sich zu begehen wagte, und den er indirekt durch seine Krankheit vollstrecken ließ, wollte er sich in der Vernichtung seines Nachlasses noch einmal sichern, aber vielleicht hegte er dabei doch die geheime Hoffnung jedes Lebensmüden, im letzten Augenblick gerettet zu werden, und Brod erfüllte diese Hoffnung, indem er das Geschriebene bestehen ließ. Der Entschluß Brods, den Auftrag nicht auszuführen, ist der einzig richtige Entschluß in dieser Lage. Die Zerstörung von Tagebüchern und Briefen durch einen nahen Freund oder Angehörigen mag verständlich sein, wenn der Vollstrecker selbst der Adressat der Mitteilungen ist, oder wenn er in der krisenhaften Situation nach dem Tod des Schreibers, oder nach der Trennung von ihm, die Schilderung der Niedergänge eines Lebens, mit dem er intim verknüpft war, und die Hinweise auf die Rolle, die er vielleicht in diesem Leben spielte, nicht ertragen kann – einen objektiven Grund zur Scheu vor der Selbstentblößung eines anderen gibt es jedoch nicht. Auch die abwegigsten, verzweifeltsten Erwägungen und Handlungen sind uns verständlich, und sie müssen uns desto verständlicher werden, je fragwürdiger uns die Erscheinungen der sogenannten Normalität geworden sind. Psychologie und Psychiatrie führten uns die Randgebiete des Bewußtseins nah, zeigten uns, daß das »Pathologische« oft nichts andres ist als Reaktion des Gesunden, des Lebenstriebs, der sich von den Wahngebilden, dem Irrsinn der gesellschaftlichen Gesetze nicht erdrücken lassen will. Authentische Zeugnisse aus diesen Gebieten sind selten, in Krankenjournalen sind sie enthalten, der Surrealismus hat sie verwendet, nur wenige Selbstbiographen wagten, der Stimme des SECRET LIFE Ausdruck zu geben. Zwischen den Zetteln, Heften, Notizbüchern und Manuskriptseiten, die ich hinterlassen würde, wäre nur wenig aufzufinden, was den Abdruck tiefster Verworrenheit, gänzlich verfahrener Unternehmen, gröbster Verstiegenheiten oder selbstquälerischer Intimitäten trägt. Auch mein schwarzes Tagebuch aus Kopenhagen, 1960, das verloren gegangen ist, hätte nur eine schwache, immer noch bearbeitete, geglättete Vorstellung vermittelt von Regungen, Zuständen, halb somnambulen Handlungen, deren wirkliche Beschreibung noch aussteht. Viel Angefangenes, Abgebrochenes, Mißglücktes gibt es, Berge von Vorstudien, von Entwürfen zu Prosaarbeiten oder Stücken, aus denen nichts wurde, die beiseite gelegt wurden, weil ihr Stoff entweder zu unergiebig war oder zu umfassend, wie das Divina Commedia Drama, dessen halbes Dutzend Versionen keinen gangbaren Weg herstellen konnten, und das sich vielleicht einmal schreiben läßt, wenn es mir gelingt, vom Danteschen Vorbild wegzukommen. Dann die alten Manuskripte, aus den ersten Emigrationsjahren, in England geschrieben, in meiner Stube oben in der Villa Deep Dene, in Chislehurst, mit dem Blick über den Garten, die Golffelder, in Prag, im Atelier an der Strossmayerova, beim Spatzengezirp vom Hof, oder in Alingsås, während der Stunden nach dem Arbeitstag in der Fabrik, doch auch in diesem Fragmentarischen, in diesen zerknitterten Zeugnissen einer krankhaften Einsamkeit, kann ich nicht unbrauchbaren Abfall sehn, nur wert, in den Verbrennungsofen zu fallen, sondern Ansatzpunkte, die in die Gesamtheit gehören, die später

Ausgeführtem zugrunde liegen. Nichts von all diesem Begonnenen läßt sich beseitigen, wegerklären, widerrufen, es ist immer Bestandteil von andrem, was festere Formen fand. Sehe ich meine Arbeit auch als ein Ganzes, in dem neben den Büchern und Stükken Filme enthalten sind, Zeichnungen, Bilder, und gibt es auch keine Einzelheit darin, die ich verleugnen würde, so fehlen doch noch Aspekte, eben jene, die in die Gebiete weisen, die vom Bewußtsein so gern ausgemerzt werden, es fehlt das Geschriebene, in dem nichts verborgen werden soll, in dem es kein schlechtes Gewissen gibt, keine Anfälle von Reue, keine Furcht davor, daß es von jemandem mißverstanden werden, daß jemand sich davon verwunden lassen könnte, in dem es kein Schielen gibt auf das Idealbild, das ich mir von mir zurechtgelegt habe, keine Rücksicht auf die ungeheuerlichen und falsch verstandenen Forderungen auf soziale und politische Verantwortung, in dem alles nur der Erweiterung des Fassungsvermögens gilt, in dem mit keinem andern Maßstab, keinem andern Wert gerechnet wird, als mit der Wahrheit, die in dir selbst lebt.

25. Oktober 1970

Jede Aktion, die den Angriffskrieg der USA in Südost-Asien denunziert, kann als eine Stärkung der Befreiungsfronten bewertet werden, und jeder Pressebericht darüber kann zu einer Beeinflussung der Meinungsbildung beitragen. Doch ist der Einwand berechtigt, daß diese Äußerungen nur selten von deutlicher antiimperialistischer Haltung geprägt sind und für den revolutionären Kampf eintreten. Zumeist ist der Protest mit politischen Interessen verbunden, die mit dem Anliegen der FNL und der Demokratischen Republik Viet Nam wenig zu tun haben. Ein Versuch, volle Solidarität herzustellen, wurde während der beiden Tribunalsitzungen, im Mai und November 1967, unternommen. In den Schlußerklärungen wurden die Streitkräfte der USA, und deren Führung in Washington, der geplanten und durchgeführten Verbrechen des Völkermords beschuldigt. Es wurde kein Zweifel daran gelassen, daß die Untersuchungskommissionen des Tribunals das gesellschaftliche System der Vereinigten Staaten direkt dafür verantwortlich machten, den Genocid als Mittel im Kampf gegen den Sozialismus zu verwenden. Weil das Beweismaterial, das während der Sitzungen vorgelegt wurde, und die Analyse der Ereignisse, so überzeugend waren, und mit solcher Schärfe behandelt wurden, schreckte die Öffentlichkeit, sowohl in der westlichen als auch in der sozialistischen Welt, vor dieser Manifestation zurück. Es wurde dem Tribunal vorgeworfen, daß es sich nur aus einzelnen Persönlichkeiten zusammensetzte, daß nicht größere Organisationen, vor allem nicht der Arbeiterbewegung, hinter ihm standen. Dabei wird vergessen, daß zu dem Zeitpunkt, als Bertrand Russell die Initiative zur Bildung des Tribunals ergriff, weder eine Partei, noch eine Gewerkschaft, und auch keine breite Strömung in der Bevölkerung, zur Unterstützung eines solchen Vorhabens bereit war. De Gaulle verbot die Zusammenkunft in Frankreich, und als wir die Stockholmer Sitzung vorbereiteten, richtete der damalige Staatsminister Erlander eine scharfe Verwarnung an die Gruppe der Organisatoren. Wir hatten uns um das Mitwirken gewerkschaftlicher Verbände bemüht, und die Gewerkschaft der Holzindustrie hatte bereits ihren Beistand zugesichert, als ihr Chef, Yngve Persson, am Vorabend der Eröffnung, auf Geheiß der sozialdemokratischen Partei, aus dem Komitee austrat und sich von dem Tribunal distanzierte. Nach der Pionierarbeit der beiden Sessionen, bei der nur mit Geldern der Russell-

Stiftung, mit privaten Einsammlungen und mit Hilfe jugendlicher FNL-Aktivisten gerechnet werden konnte, haben sich nun Parteien, Gewerkschaften und andre Massenorganisationen gefunden, um, zu einem internationalen Komitee zusammengeschlossen, in diesen Tagen in Stockholm die Kriegsverbrechen der Vereinigten Staaten zu untersuchen. Vorbereitende Sitzungen des Komitees waren von der radikalen FNL-Bewegung heftig kritisiert worden, da die üblichen Mängel der politischen Farblosigkeit, der ungenügend definierten Richtlinien hervortraten. Doch war es die Absicht des Komitees, einen breiten und vielseitigen Zusammenschluß zu etablieren, um dadurch Druck auf die schwedische Regierung ausüben zu können. Dieser realistischen Strategie hatte sich auch die Kommunistische Partei angeschlossen. Mit der Teilnahme der Landesorganisation der Gewerkschaften, der Sozialdemokraten und Kommunisten, einzelner liberaler und religiöser Verbände, sowie der Sowjetunion und andrer sozialistischer Staaten, schien die Unterlage für eine Volksfront geschaffen zu sein, und es lag im Interesse Viet Nams, diese Initiative zu begrüßen. Vielleicht ließ sich die schwedische Regierung tatsächlich aus ihrer Unentschlossenheit und Feigheit, ihrem Spiel von Versprechungen und Rückzügen zu konsequenteren Handlungen herauszwingen, vielleicht auch konnte auf diese Weise der Kampf Indochinas den Massen der europäischen Arbeiter nähergebracht werden. Die meisten Kommunistischen Parteien hatten sich bis etwa 1967 gegenüber der Viet Nam-Frage passiv verhalten, und in den Reihen der Sozialdemokraten begann es sich im Hinblick auf Viet Nam erst seit einem Jahr zu regen, nun konnten sowohl Repräsentanten Kommunistischer Parteien als auch der Sozialdemokratie zeigen, daß sie der Aktivität der Jugendlichen nicht nachstanden, und die Sowjetunion fand Gelegenheit, ihren Anspruch auf Führung im Beistand für Viet Nam geltend zu machen. Indem die Sowjetunion sich hinter eine gemeinsame Front von linientreuen Kommunisten (es waren Vertreter der KP der USA und der lateinamerikanischen Parteien zugegen), Sozialdemokraten, gemäßigten Sozialisten und Liberalen stellte, konnte sowohl die notwendige Politik der friedlichen Koexistenz, als auch die Abweisung der außerparlamentarischen Opposition, der Befürworter des revolutionären Sozialismus und der Anhänger der chinesischen Auffassung unterstrichen werden. Dies alles ließ sich als ein richtiger und gangbarer, den Verhältnissen in den kapitalistischen Industrieländern angepaßter Weg akzeptieren, und doch entstand bald der Eindruck von Beklemmung, hervorgerufen durch den wachsenden Zwiespalt zwischen den Verhandelnden und ihrem Thema. Auf der einen Seite ein entlegener Komplex, der Not, Kampf, Leiden und Tod enthielt, und auf der andern Seite die Verschonten, die es nicht vermochten, ihrer Anteilnahme Wirklichkeit zu geben. Auch zeigte es sich, daß die ideologische Verschwommenheit in der Zusammensetzung des Gremiums, die Bemühung, alle militanten Tongänge zu vermeiden und keine entscheidenden Enthüllungen über die Hintergründe des amerikanischen Angriffskrieges aufkommen zu lassen, nur zu einer geglätteten und unverbindlichen Terminologie in den Resolutionen führen konnte. Heute, drei Jahre nach den Sitzungen des Tribunals und dem dort ausgesprochenen, von Sartre formulierten Schlußurteil, hätte eine ähnliche Kommission von der bereits etablierten Grundlage auszugehn. Was seit den Tagungen des Tribunals bekannt geworden war, hatte in jeder Weise die Wahrheit des Aufgezeigten bestätigt. Jedes Zurücktreten hinter die klar umrissene Position konnte nur eine Schwächung der Stellungnahme für den Befreiungskampf Indochinas darstellen. Das Treffen des Stockholmer Komitees fand jedoch statt, als habe es die Arbeit des Tribunals nie gegeben, oder als habe es sich damals um eine gänzlich unwichtige Zusammenkunft gehandelt, wie in der Eröffnungsansprache des sozialdemokratischen Advokaten Franck insinuiert wurde, als er nebenbei ein »sogenanntes Russell Tribunal« erwähnte. Es wurde in verdünnter, improvisierter Form nachgeholt, was im Tribunal bereits wissenschaftlich behandelt und protokolliert worden war, und auch die besten Absichten vieler Konferenzteilnehmer konnten nicht die Beleidigung verwischen, die den herbeigereisten Genossen aus Indochina zuteil wurde. Das Bild der Aufspaltung in die Konflikte der Reichen Welt und die Problematik des revolutionären Kampfs in den zurückgebliebenen Ländern, wurde noch verstärkt durch die Tatsache des gleichzeitig stattfindenden Diners des schwedischen Staatsministers Palme bei Präsident Nixon im Weißen Haus, und durch das Fernsehinterview, das Palme in Washington gab, in dem er den letzten verlogenen Friedensplan des amerikanischen Präsidenten als einen wichtigen Schritt zur Verständigung mit der FNL bezeichnete. Während ein paar Stunden nur überwog die Wahrheit und Überzeugungskraft der andern Seite, und die ganze Phraseologie, Seichtheit und Halbherzigkeit, von der die Atmosphäre geprägt war, wurde weggespült von den Aussagen einiger vietnamesischer Zeugen, einer Landarbeiterin, einem Reisbauern, der 12 Jahre auf der Insel Poulo Condore, davon 6 Jahre in den »Tigerkäfigen« zugebracht hatte, einem sechzehnjährigen Jungen und einem zwölfjährigen Mädchen, alle mit einfachen, klaren, genauen Worten, beherrscht und eindringlich die Verhältnisse in Süd Viet Nam schildernd. Mai Thi Buom, die junge Arbeiterin, berichtete, wie die 8000 Bewohner ihrer Gemeinde um die Hälfte dezimiert wurden, sie berichtete mit dieser festen und gleichzeitig singenden vietnamesischen Stimme, wie am 11. November 1969 südkoreanische Söldner und amerikanische Ratgeber mit Hubschraubern abgesetzt wurden und die Operation SEA TIGER begann, unterstützt von der Flotte und den B-52 Geschwadern. Einzelne Bilder immer wieder aus dem gleichmäßig fließenden gedämpften Bericht hervortretend, die angezündeten Hütten, die zusammengetriebenen Bewohner, eine schwangere Frau erschlagen, die Soldaten auf ihren Bauch springend, das Embryo herausquetschend und zerhackend, Gefangene, denen die Köpfe abgeschlagen und auf Pfähle gesteckt wurden, 75 Personen zusammengebunden und erschossen, darunter ihre Eltern, ihre vier Schwestern, hunderte von Fliehenden die versuchen, über den Fluß zu schwimmen und die ertrinken. Die Erzählung der Zwölfjährigen, Tran Thi Da, die einer Exekution von 71 Menschen entkam, da sie unter den Berg von Leichen geriet, über ihr die tote Mutter und eine verwundete jüngere Schwester, nach Einbruch der Dunkelheit, die kleine Schwester auf dem Rücken tragend, flüchtete sie in die Berge, da war ihre Schwester verblutet. Diese Berichte, wie auch der des Bauern Tran Thant, über den Block I auf Poulo Condore, wo die Gefangenen zu 250 Mann in einer Zelle liegen, seitwärts ausgestreckt, Leib an Leib, viele an Dysenterie leidend, mit Kot besudelt, die Kleider voller Würmer, andre von einer Krankheit befallen, die an den Zehen beginnt, Waden und Schenkel anschwellen läßt, schließlich die Beine schwarz färbt und nach ein paar Wochen zum Tod führt, das Schreien der Sterbenden in den Nachbarzellen, das Einflößen von Wasser, das mit Seife und Pfeffer gemischt ist, und all die andern Folterungen, dieser unendliche qualvolle Gesang, vom Block I, und dann vom Block II, von wo es zur Strafarbeit in die Steinbrüche geht, wo keine Ruhepausen gelten, wo die tägliche Reisration verfault ist, wo man getreten, gepeitscht wird bis zur Bewußtlosigkeit, und dann vom Block V, hinter dem die Käfige liegen, in zwei Reihen, mit je 60 kleinen überfüllten Zellen, diese zusammengedrängte Ungeheuerlichkeit, diese Unendlichkeit, aus knappen Worten hervorbrechend, diese Fortsetzung der Gesänge aus Treblinka, Maidanek, Auschwitz, der Gesänge von den Blöcken, den Todeszellen, den Erschießungswänden, aus den Jahren der nazistischen Gewalt, und jetzt aus der mehr als ein Jahrzehnt andauernden amerikanischen Kolonialherrschaft, dieser endlose erstickte Gesang menschlicher Pein, unaufhörlich weitergehend unter der Aufsicht amerikanischer Tortur- und Mordspezialisten, befohlen von der Administration in Washington, einer Pein, von der uns nur winzige Bruchstücke bekannt werden, und die doch schon länger währt als das System der Lager und Verbrennungsöfen der deutschen Vorgänger. Einige Augenblicke lang wäre jetzt nur eine Deklaration denkbar gewesen, die der Arbeiterklasse, der internationalen Solidarität würdig war; eine Deklaration, die den restlosen Beistand zusicherte, die in ultimativer Form die unmittelbare Einstellung des Mordens forderte, die den Generalstreik androhte gegenüber den imperialistischen Gewalten, doch schon sprach alles wieder von Rückzug, von Vorsicht, von Mäßigung, kein Gedanke mehr daran, daß der Nürnberger Urteilsspruch auf die Administratoren der USA angewendet werden, der Hohe Rat der Vereinten Nationen in die Verbrechen eingreifen könnte, kein Gedanke mehr daran, daß man die schwedische Regierung zwingen müsse, die auf Eis gelegten 225 Millionen Kronen zum Wiederaufbau Nord Viet Nams herauszugeben, alles versickerte in bewußtlosem Schweigen, der Krieg würde noch lange dauern, und es war ohnedies sinnlos, etwas aufzubauen, da die Ankündigungen neuer Bombenangriffe auf den Norden zunehmen, man beließ es bei humanitärer Hilfe, die durch das Rote Kreuz übermittelt wurde, man verkroch sich hinter der Neutralität und ließ alle Rechte Viet Nams weiter verhöhnen. Und da das abschließende Dokument nicht dominiert wurde von einer Verdammung des Völkermords, so konnte sich fortan die schwedische Regierung auch darauf berufen, daß sich einige amerikanische Aktionen wohl als Kriegsverbrechen bezeichnen ließen, daß jedoch kein Beweis des geplanten und vollzogenen Genocids erbracht werden könnte. Die Stockholmer Tribunalsitzung 1967 war zu einer leidenschaftlichen Kundgebung der Zusammengehörigkeit geworden, es war ausgesagt worden, was einzelne Personen vor der

Übermacht des Feindes aussagen konnten, doch diesmal, als hunderttausende in ihren Organisationen hinter der Zusammenkunft standen, gab es keine Umarmungen und Tränen. An der Sachlage hatte sich nichts verändert durch die Sitzung des internationalen Komitees. Kein entscheidender Schritt zur Stärkung der europäischen und nordamerikanischen Kriegsopposition war getan worden. Es gab keinen Aufruf zur Anerkennung der Revolutionären Regierung Süd Viet Nams, keinen Appell für den revolutionären Kampf der Völker Asiens, Afrikas und Lateinamerikas. In der Ergebnislosigkeit und Leere sahen wir jetzt Gromyko neben Nixon im Weißen Haus sitzen, auf vergoldeten Stühlen, und einige Augenblicke lang waren sich die Gesichter der beiden Staatsmänner zum Verwechseln ähnlich. Die Delegation der Nationalen Front Cambodjas verließ die Tagung unter verhaltenem Protest, auf höheres Anraten war das brennbare cambodjanische Problem nicht berührt worden, die Sowjetunion unterhielt weiter ihre diplomatische Verbindung mit der konterrevolutionären Lon Nol-Regierung, und auch auf die Situation in Laos wurde nicht näher eingegangen, Vertreter der Volksrepublik China, die an der Konferenz nicht teilnahmen, brachten die cambodjanischen und laotischen Abgesandten zum Flugplatz. Die vietnamesischen Delegierten, die jede Gelegenheit ergreifen müssen zur Tätigkeit auf der Front der Diplomatie, zur Einflußnahme auf die Regionen der Massenmedien, kehren in ihr Land zurück mit dem Bewußtsein der Abtrennung von den Massen der europäischen Arbeiter, und ihnen, die freundlich, bescheiden und dankbar die Initiative des Komitees entgegennahmen, stehen jetzt die Tränen der Enttäuschung, des unterdrückten Zorns in den Augen. Wie mußten sie es aufgenommen haben, fragten wir uns, daß die Vertreter einiger sozialistischer Länder, auf deren Unterstützung sie immer wieder angewiesen sind, die Kugel- und Splitterbomben, deren Verwendung von dem französischen Spezialisten Vigier während der ersten Tribunalsitzung ausführlich beschrieben wurde, als überraschende Neuigkeit entgegennahmen. Der schale Geschmack, den die vietnamesischen Freunde bei ihrer Abreise empfinden mußten, teilte sich auch uns mit, die wir, weil wir mehr forderten als das Stockholmer Komitee, von der Mitarbeit ausgeschlossen worden waren, und die Herablassung, die denjenigen zugekommen war, die uns seit dem Tribunal und unserm Besuch in Viet Nam nahstehn, lag schwer auf uns, als wir Abschied von ihnen nahmen, und wir wußten, daß gegenwärtig nichts zur Veränderung der Situation geschah, und daß die Herrschenden der USA ungestört ihr Zerstörungswerk fortsetzen konnten.

1. November 1970

Wir leben in der eigentümlichen dialektischen Situation, in der das Richtige das Falsche genannt wird, und das Falsche sich zum Richtigen ernennen lassen muß. Der Proletarische Internationalismus wird zwar noch im Mund geführt, erweist sich jedoch in der Praxis als hoffnungslos veralteter Traum. Der Begriff der Weltrevolution wurde umgestülpt in Revolutionsromantik, und die Utopisten, die den Gedanken an einen revolutionären Sozialismus wachhalten wollen, werden unter den Lektionen der pragmatischen Realität zur Ordnung gerufen. Die politischen Strategien, die auf dem Prinzip der friedlichen Koexistenz zwischen unterschiedlichen Gesellschaftssystemen errichtet sind, fordern, daß täglich tausende von Menschen geopfert und den Gefängnissen und Torturkammern der Machtelite ausgeliefert werden. Diese Opfer sind der Preis für die Abwendung des Risikos, noch größere Opfer heraufzubeschwören, und unterm Zeichen solch vernunftbedingter Übereinkunft setzen die Streitkräfte der USA ihre Abschlachtungen und Landverwüstungen in Indochina fort, werden die Kompradoren Lateinamerikas von kapitalistischen und sozialistischen Staaten mit Waffen und Wirtschaftsgütern versorgt, blockiert die US-Flotte weiterhin die cubanische Insel, belegen die portugiesischen Kolonialtruppen die befreiten Gebiete Guineas mit Napalm, blüht der internationale Handel mit Südafrika und Rhodesien, senden Schiffe der Länder des Warschauer Pakts Kohlen an Franco, um dem Streik der spanischen Grubenarbeiter zu begegnen, erhält die griechische Junta sowjetische Unterstützung auf wissenschaftlichem und technischem Gebiet, oder wirbt China um die Militärregierung Pakistans und das feudale Äthiopien. Doch mit dem Versuch, den globalen Zusammenstoß zu vermeiden, mit der Taktik des Aufschiebens, des Wegerklärens, der Abweisung eines revolutionären Standpunkts, der Desavouierung und Verleumdung der oppositionellen Intelligenz aller Länder, wird der illusionäre Charakter des friedlichen Zusammenlebens nur hervorgehoben, denn es ist gerade das Ausbleiben der definitiven Stellungnahme, des nachdrücklichen Einspruchs, es sind gerade die fortwährenden Zugeständnisse und Absprachen zwischen den Großmächten, die den aufgelagerten Sprengstoff immer explosiver werden lassen. Und mit dem Anwachsen der Unruhherde in den kapitalistischen und sozialistischen Ländern wächst auch der Mechanismus der Unterdrückung weiter an. Eingekeilt zwischen dem Imperialismus, der unmittelbar zuschlägt, wenn irgendwo Tendenzen zur Heranbildung einer Volksmacht gefunden werden, und den sozialistischen Führungsmächten, die keine Erhebung innerhalb ihres strategischen Rahmens, und keine Tendenz dulden, die nicht genau den ausgegebenen Direktiven entspricht, haben die Revolutionäre ihre Zerreibung zu gewärtigen. Der natürliche und richtige Impuls, sich mit Gewalt gegen eine Terrorherrschaft zur Wehr zu setzen, wird in die Bahnen der Korruption geleitet, oder hat zu lernen, daß er unzeitgemäße Absichten verfolgt. Der Prozeß dieser Umschulung, in einer Welt, in der sich die potentielle Kraft zu verzweifelten Entladungen steigert, ist von furchtbaren Niederlagen begleitet, auf die Jahre der Lethargie folgen. Die indochinesischen Kommunisten mußten sich, während China und die Sowjetunion tatenlos zusahn, zu hunderttausenden abschlachten lassen, um dem internationalen Kapital den Weg zu Suhartos Faschismus zu ebnen. Im Wettstreit zwischen China und der Sowjetunion um asiatische Einflußbereiche werden die Aufständischen in Ost-Pakistan und die Guerillabewegung Ceylons preisgegeben. Ansätze von Versuchen in sozialistischen Ländern, demokratische Rechte gegenüber der zentralisierten Staatsgewalt zu fordern, werden niedergeschlagen. Und so wie der Mai in Frankreich und der September in der Tschechoslowakei zur Katastrophe anstatt zur Erneuerung wurde, so zerfällt der Widerstand der schwarzen Amerikaner, aus Mangel an internationaler Zusammengehörigkeit, und nur Angela Davis wird aus der anonymen Masse ihrer Mitkämpfer hervorgehoben und kultisch verehrt, weil sie Mitglied der richtigen Partei ist, der KP der USA. Richtig genannt, und richtig auch, weil darin das einzig Mögliche und Praktikable in unsrer Lage zum Ausdruck kommt, wird die Entwicklung in Chile. Dort ist der Erweis erbracht worden, daß eine Umwälzung in sozialistischer Richtung ohne revolutionäre Gewalt erreicht werden kann, daß sich die Oligarchien besiegen lassen, wenn die progressiven Gruppierungen in einem Land zur Einheitsfront finden. Es ist zu früh, um beurteilen zu können, auf welche Weise die Vereinigten Staaten zum Gegenschlag ausholen werden, um ihre ökonomischen Interessen zu schützen, denn es würde bedeuten, daß man sich dem Glauben an übernatürliche Erscheinungen hingäbe, erwartete man, der USA-Imperialismus könnte die Entfaltung des Sozialismus in einem lateinamerikanischen Land gewähren lassen. Auch bleibt die Frage offen, ob die radikalen revolutionären Kräfte Chiles, die für die verarmte Landbevölkerung eintreten, ihre Erwartungen erfüllt sehn, und ob sie nicht früher oder später Stellung ergreifen müssen gegen die sozialistische Regierung die, wie viele andre ihrer Art, auf halbem Weg stehen bleibt. Steht die Arbeit Allendes auch unter Vorzeichen, die sich positiv unterscheiden von denen, die für die pseudosozialistischen Regierungen Ägyptens und Sudans gelten, ist Chile auch bereits weiter gelangt als Algerien, das über das Stadium des nationalen Befreiungskampfs nicht hinauskam und wieder religiöse und klassenmäßige Vorurteile und Vorrechte konservierte, so wird die Prüfung für Chile kommen, wenn die indianischen Landarbeiter die Latifundien der »Mumien« besetzen, um den Boden, den sie bebaut haben, in ihren eigenen kollektiven Besitz zu überführen. Dann wird es sich zeigen, wie weit das Richtige sich aufhalten und umwandeln läßt in Halbheit und Verzicht. Was die Parteizentren, die Großmächte auch immer als das Richtige bestimmen, und was damit auch nach außen hin als einzig Richtiges gilt, haben wir auf seinen Wahrheitsgehalt zu untersuchen. Selbst wenn es sinnlos scheint, selbst wenn wir gegenwärtig keine sichtbaren Veränderungen damit erreichen können, so steht es uns zu, hinter dem Kräftemessen der Führungsgewalten, für die Moral, Ethik, Ideologie nicht gilt, das hervorzuheben, was für uns annehmbar, und was zu verwerfen ist, Richtlinien zu folgen, die noch einem menschlichen Maßstab entsprechen, und die Ungerechtigkeiten, Entstellungen und Verbrechen überall aufzuzeigen wo wir sie finden, und vielleicht ist dieser Kampf um die Wahrheitsfindung der einzige revolutionäre Kampf, den wir noch führen können.

3. November 1970

Jetzt im leichten dünnen Schneefall, der Weg gefroren, glitzernd im rötlichen Widerschein des Himmels, die Bäume kahl, die Enten an der Bucht dunkle Klumpen, schlafend, eine schnatternd im Traum, das Wasser bald mit Eis bedeckt, und so weiter. Vor drei Monaten, um die gleiche Abendstunde, hier vom gleichen Wegstück aus, sah ich den vollen Augustmond über den südlichen Stadthöhen aufsteigen, und formulierte bei diesem Anblick poetische Sätze. Man steht abends auf einem Parkweg, mal ist der Himmel hell, mal ist er zur gleichen Stunde, im Fluß der Jahreszeiten, verdunkelt, man sinnt über verschiedene Möglichkeiten von Wortkombinationen nach, riesig rund der rote Mond, der volle Mond steigt riesig rot, oder so ähnlich, während Nixon eine seiner Reden über Gesetz und Ordnung verlauten läßt, während Spiro Agnew, fast ohne die Lippen zu bewegen, ruft, wir sind von schrecklichen Gefahren umringt, gebt uns die Macht über eure Freiheit, so werden wir euch schützen, während Angela Davis in den Hungerstreik getreten ist und die Milliardäre Rockefeller und Ted Kennedy sich als Repräsentanten des arbeitenden Volkes ausgeben, während die Arbeitenden im mächtigsten Industriestaat der Welt keine eigene Partei, keine eigenen Vertreter in der Regierung haben, während Reagan und Wallace umjubelt werden, während die riesigen Gettos verloren liegen, von keinem Mächtigen erwähnt, während das Schweigen einige Augenblicke lang so tief wird, daß das Flüstern der Verschwörer in spanischen und portugiesischen Kellern zu hören ist, und der Schritt des Partisanen im afrikanischen Elefantengras, während die Geräusche der Stadt wieder einsetzen, mit Sirenen, platzenden Gasbomben, rasselnden Panzern, und während die Enten schlafen. Die Schneewolken hängen rötlich über den Bäumen und Dächern. Die Nächte werden kälter. Und so weiter.

5. November 1970

Die Mörder schleichen durch die Wälder. Weit hinten knackt das
Gehölz unter ihren Füßen. Ich krieche durchs welke Laub. Ver-
grabe mich im Laub, um mich vor ihren Blicken zu schützen.
Doch sie kommen näher. Sie müssen mich finden, schon stochern
sie neben mir im Boden, schon ziehen sie mich hervor. Und wenn
ich ihnen diesmal entgehe, so stehe ich am Abhang dem Löwen
gegenüber, der hebt die Pranke, ich glaube, es geht schnell, ein
Schlag betäubt mich, dann hauen sich die Zähne in meine Hüfte,
zerreißen sie, nur noch eine Ahnung des Schmerzes. Wie lange
noch. Doch dieser Morgen ist hell, sonnig, der Schnee weggege-
schmolzen. Am Parkweg harken die Gärtner das Laub zusammen.
Futterkästen für die Vögel werden errichtet. Von der Stadt drüben
hinter dem See das Dröhnen des Verkehrs. Und was ist das für
eine Stadt. Sie ist aufgerissen, zersprengt. Seit meiner Ankunft
hier vor dreißig Jahren total verändert. Die Stadt, mit ihren cha-
rakteristischen Straßen und Bauwerken, ihren Höfen, Plätzen,
Torgängen und Läden, den Druckereien im Zeitungsviertel, dem
Bahnhofsplatz, den Parkanlagen, den Uferpromenaden, den alten
Häusern auf den Klippen vorm südlichen Stadtteil, die Stadt, mit
all dem, was von ihrer Herkunft sprach, was die Spuren vergan-
gener Generationen trug, mit all dem, was ihr Gesicht, ihre Eigenart ausmacht, und mit dem sie sich den Menschen eingeprägt
hatte, die hier lebten, diese Stadt ist verschwunden, eingestampft,
zu Staub zermahlen, unter Rammböcken, Ausschachtungsma-
schinen, Bulldozern zugrunde gegangen, doch nicht des Fortschritts wegen, nicht einer Entwicklung wegen, die das Dasein der
hier Ansässigen erträglicher macht, sondern eines Prozesses wegen, eingeleitet von Technokraten, von Finanzbeamten, von mechanisch funktionierenden Gehirnen, von Rechenmaschinen, der
den Menschen aus seinem gewohnten, natürlichen Milieu ver-
treibt, um Platz zu schaffen für die Monstren, die die Stadt auf-
gekauft haben, der den Menschen mit Gewalt verjagt in die An-
häufungen von Betonklötzen in den Vororten, in die ausgehöhlten
Betonbunker, in denen er sein Lager einzurichten hat, wo es nur
Vereinsamung, Trauer, Fremdheit, Ausweglosigkeit gibt, wo er
zugrunde gehen muß. Die Innenstadt, einmal atmend, voll von
Assoziationen, reich an Begegnungen und Ausblicken, ständig vi-
suellen Halt bietend, ist verschwunden, und aus den Kratern em-
porgewachsen sind Bankpaläste, gläsern, marmorschwer, treso-

renschwer, mit riesigen Hallen, unendlichen Schalterreihen, einander gleichend in ihrer polierten Härte, und doch im Wettstreit miteinander liegend, die eine glatte Fassade sich wichtiger tuend als die andre, die eine neben der andren protzend mit Breite, Höhe, einander übertrumpfend, ich bin noch stärker als du, meine internationalen Verzweigungen reichen noch weiter als die deinen, ich sammle das meiste Kapital, und ich speichre doch noch mehr auf, und alle, einander bekämpfend, stellen gleichzeitig wieder eine Gemeinsamkeit her, sie stellen die herrschende Macht dar, sie zeigen, in ihrer Zusammenscharung, wer hier regiert, wer dieses Land steuert, wer hoch über dieser sozialdemokratischen Regierung thront, und zu ihnen gehören die turmhohen, straßenbreiten, gleißenden, verchromten Festungen der Industrie, des Handels, mit ihren Kontoren, ihren Sitzungsräumen, mit ihren Sklaven, Stockwerk über Stockwerk gepackt, mit ihren tickenden, rasselnden, hämmernden Maschinen zum Rechnen des ansteigenden Profits, und sonst gibt es in dieser ehemals ergreifenden Stadt, in der du flanieren konntest, in der du einen Namen besaßt, nur noch die babylonischen Gehäuse für Automobile, in denen unaufhörlich ein Stinken und Donnern sich hinauf und hinabschraubt, denn es soll kein Zweifel daran bleiben, daß dies jetzt eine Stadt ist, die bewohnt wird von Automobilen, von toten kalten Apparaten und von ebenso metallischen Zweibeinern, mit programmierten Gehirnen, nur von fern noch an Menschen erinnernd. Grauenhaft wachsen aus den klaffenden Gruben, wo sich einmal der Brunkeberg erhob, und dem Zentrum seine Silhouette gab, Stahlbolzen auf, in die sich die Fundamente neuer Burgen für die Plutokraten ergießen, und bald ist das letzte Stück lebendiger Zusammenhänge niedergerissen, der letzte zerschundene Baum entwurzelt, die letzte Möglichkeit einer Begegnung mit dir selbst vergangen, und was einmal deine Stadt war, ist zum Abbild völliger Entfremdung geworden. Das ist das Stockholm, dort drüben hinterm schimmernden See, der noch so tut, als wisse er nicht, was da im Herzen der Stadt vor sich geht, im Licht, das mit den fortschreitenden Stunden das Tages diesiger, trüber, vergilbter, grauer wird, das Stockholm, von dessen ursprünglicher Schönheit nur jene noch etwas ahnen, die ein halbes Jahrhundert gelebt haben, und die heute, verwirrt, entsetzt, versuchen, sich zwischen den Trümmern und Kulissen zurechtzufinden, bis sie in einen der Abgründe stürzen, oder das Gedränge der Automobile sie zermalmt.

8. November 1970

Die Frage, die immer wieder Beantwortung fordert, weil sie nie erschöpfend behandelt werden kann, weil alle Formulierungen wieder von neuen Umständen ungültig erklärt werden, und weil die veränderte Sachlage stets neue Möglichkeiten oder Blockierungen aufwirft, die Frage stellt sich auch heute, wie kannst du den Gedanken der Entwicklungsfähigkeit des Sozialismus vertreten, da Stagnation, Unterdrückung, Inhumanität in seinem Namen stattfinden, was hast du zur Verteidigung deines sozialistischen Bildes anzuführen, da dessen Wächter sich mit ihrer ganzen Gewalt gegen dich stellen, dich unmündig erklären, dich aburteilen, dich verbannen. Oft drängt sich die pessimistische Erwägung auf, daß unter den gegenwärtigen Kräfteverhältnissen der Begriff von Offenheit, von Freiheit, den du mit dem Sozialismus verbindest, eine Fehleinschätzung ist, daß es darum geht, zu überwintern, das wenige was an Positivem entstehen kann, zu unterstützen, daß du dich einstellen mußt auf einen Prozeß, der sich noch über viele Jahre erstrecken und dir, zu deinen Lebzeiten, kein zufriedenstellendes Ergebnis zeigen wird, doch ist eine solche Sicht unvereinbar mit eben den Perspektiven, die dich zum Sozialisten machen, die dich zur ständigen Auseinandersetzung mit der politischen Wirklichkeit drängen und deine Kritik, deinen Willen zur Veränderung herausfordern. Obgleich du immer wieder siehst, wie die Alten in der Partei, die Moskautreuen, sich jedem neuen Impuls entgegenstemmen, wie sie, völlig erstarrt in ihrem hierarchischen Denken, junge Kommunisten wegekeln, abstoßen, und die Partei vor jeder Veränderungsmöglichkeit verrammeln, zeigen sich Bemühungen um die Gründung einer oppositionellen, radikalen, revolutionären Partei wenig sinnvoll, sie können nur die Situation der Zersplitterung unterstreichen, können die gegensätzlichen Auffassungen zum stärkeren Zusammenprall bringen, zu einer Lösung der Schwierigkeiten können sie nicht führen, die Partei, mit ihren tief verwurzelten Traditionen, ihrer ideologischen Bindung an die Oktoberrevolution, ist vorhanden, und alles was seitdem an Verrat an dieser Revolution begangen wurde, kann die Arbeiterklasse nicht dazu bewegen, sich einer Neuschöpfung der Leninschen Partei anzuschließen. Wenn eine Veränderung überhaupt möglich ist, so kann sie nur aus einer inneren Veränderung dieser Partei kommen, um dafür zu arbeiten benötigst du jedoch allen Optimismus, den der dialektische und historische

Materialismus aufbringen kann. Auf deiner Suche nach der richtigen Linie, sei es beim Blick auf die Befreiungsbewegungen Indochinas, Afrikas oder Lateinamerikas, auf die chinesische Kulturrevolution, auf die Länder des sowjetischen Blocks, auf die DKP, die in sich zerrissenen französischen und italienischen Parteien, auf die ungenügend gestärkte schwedische Partei, drängt sich dir eine solche Fülle von Abarten, Paradoxen, Widersprüchen auf, daß du nicht imstande bist, zu unterscheiden, wo es einem Fortschritt, und wo es neuen Repressionen entgegen geht. Du müßtest Zugang haben zu allen Geheimdokumenten, allen Protokollen von Verhandlungen, die ohne dein Wissen geführt werden, um auch nur die Ahnung einer Vorstellung zu gewinnen, zu welchen Verschiebungen die letzten Interessen und Strategien nun wieder geführt haben. Versuchst du, ausgeschlossen vom politischen Spiel, das keine Moral, keine Ideologie, keine Solidarität kennt, dir deine eigenen Bewertungen zurechtzulegen, so tappst du in einem Raum umher, dessen Dimensionen du nicht kennst, und aus dem dir Äußerungen in Chiffernsprache entgegenhallen, zu deren Verständnis du den Schlüssel nicht besitzt. Im Zeitalter der höchsten Aufklärung, der sublimsten Wissenschaft und Technologie, der rasend schnellen mondialen Verbindungen, herrscht atavistischste Irrationalität, Meinungsvergewaltigung, Gehirnwäsche, primitiver Zauber, und in dieser gleißend hellen und versumpften Doppelwelt hast du dir, nach bestem Gewissen, deine eigene Ansicht zu schaffen, hast jeden Tag, aus eigener Kraft, neu zu beginnen, denn jeden Tag stößt du, unvorbereitet, auf total veränderte Konstellationen früher beobachteter Einzelheiten. Auftauchend aus der Beurteilung aller begangenen Fehler, aller Ausartungen, Niedergänge, Verirrungen, Entstellungen, Schwächen und Verbrechen im Bereich des Sozialismus, auftauchend aus der Verfinsterung, greifst du, um dich zu stärken, zu den Büchern, du liest etwas von Marx, von Engels, Lenin, Trotzki, Rosa Luxemburg, Ho Chi Minh, Fanon, Malcolm X, Che Guevara, Sartre, etwas von Marat, Jacques Roux, Babeuf, Buonarotti, von Büchner, von Hölderlin, und deine Arbeitshypothese, daß die Grundprinzipien des Sozialismus in unveränderlicher Weise gültig sind, nimmt wieder Halt an. Doch dann, wenn du siehst, wie wenig erst erreicht wurde von den revolutionären Prognosen, wie unendlich schwierig es ist, die Vision ins handgreiflich Wirkliche zu übertragen, welch verheerende Widerstände sich solchen

Gewinnen auflegen, wie sie von Viet Nam, von Cuba erkämpft wurden, von welch maßlosen Denunzierungen China betroffen wird, in welche Enge revolutionäre europäische Sozialisten sich treiben lassen müssen, dann überkommt dich der Zorn über jene, die das kontroversielle Gespräch ablehnen, die gefangen sind in ihrem Trauma, die ihre Vorurteile vor sich aufbauen und jeden mit Unflätigkeiten überschütten, der sich der vorgeschriebenen Denklinie nicht unterstellen will, Zorn darüber, daß sich die Fragen, die dich beschäftigen, nicht dort austragen lassen, wo sie hingehören, in Ost-Berlin, in Moskau, und daß du gezwungen bist, den Disput einseitig zu führen. Schweigen aber kannst du nicht. Gerade das Stillschweigen, das Akzeptieren, der Verzicht auf das eigene Werturteil zugunsten der vorgehaltenen Richtschnur, die mißverstandene Parteidisziplin hat den Sozialismus deformiert und untergraben. Wenn wir sehn, wie sich die geistigen Einschränkungen, die Ignoranz, die Absperrung von Vergleichsmöglichkeiten, auf die Psychologie der Menschen in den Ländern des Sozialismus auswirken, und in welchem Grad dadurch die Massen potentiell Verbündeter in den westlichen Ländern zurückgestoßen werden, dann müssen wir das Streitgespräch aufnehmen, auch wenn es zu dem Preis geschieht, daß wir als Feinde des Sozialismus verschrien werden, und die Reaktionäre unsre Argumente ausschlachten. Die Gebrochenheit des Charakters, die Ich-Auflösung, die Zerteilung der Persönlichkeit, ist mir an Freunden in der DDR oder der Sowjetunion, immer wieder aufgefallen. Sie sind, privat, vor allem wenn sie die seltene Gelegenheit haben, sich im Ausland aufzuhalten, imstande, eine kritsche Sicht auf die Politik ihres Landes herzustellen, sie können die Meinung vertreten, daß es notwendig sei, die Vergangenheit analytisch zu behandeln, Schluß zu machen mit der verfälschten Geschichtsschreibung, mit der verhängten Schande über die bolschewistische Garde, der unwürdigen Haltung gegenüber China, sie sind, Augenblicke lang, wenn sie sich aus der Doktrin lösen, offen für internationale Perspektiven, sie sind empört über die Behandlung oppositioneller sowjetischer Autoren, über die Verfolgung jüdischer Bevölkerungsgruppen in der Sowjetunion und in Polen, über die Zerschlagung des tschechoslowakischen Experiments, sie bekennen, daß sie unter einem ständigen Druck leben, doch so bald sie wieder in ihren Alltag geraten, vergessen sie, daß es andre Auslegungen des Marxismus gibt, als die einzige, die ihnen vorgesetzt wird. Sie verwechseln ihre Manipulierbarkeit mit der Loyalität gegenüber der Partei, indem sie die offiziell ausgegebene Meinung befolgen, wenden sie sich von ihrem nächsten, in Ungnade gefallenen Freund ab, und finden kein Wort, keine Geste mehr zu seiner Verteidigung. Tiefstes Schweigen von Seiten meiner Kollegen an der Ostberliner Akademie umfing mich, da niemand wagte, meine Ernennung zum Klassenfeind zu überprüfen, und meine Briefe, in denen ich eine Diskussion verlangte, blieben ohne Anwort. Und so wie die Genossen ihren Freund verleugnen, so verleugnen sie sich selbst, sie werden zu Untertanen, zu Jasagern, und in ihrer einmütigen Menge verhindern sie – die für eine neue gerechte Gesellschaftsordnung eintreten sollten – jede Möglichkeit zur Herstellung einer sozialistischen Gemeinsamkeit.

11. November 1970

Es wird ein beträchtlicher Aufwand an Objektivität benötigt, um in dem höhnisch zur Schau getragenen Antikommunismus, der schrillen Demagogie des schwedischen Staatsministers nur den repräsentativen Ausdruck der historisch bedingten sozialdemokratischen Haltung zu sehn, und nicht das Bild des privaten Olof Palme, der mit abwechselnd giftigem und einschmeichelndem Gesicht, mit verzerrt bohrendem Blick versucht, in eine Rolle hineinzuwachsen, für die er zu klein ist. In der Fernsehdebatte der Parteiführer über Schwedens Verhältnis zur Europäischen Wirtschaftsgemeinschaft unterzog er die Erklärungen Hermanssons solch offensichtlichen Wortverdrehungen, daß er selbst in den Augen seiner eigenen Wähler den Eindruck eines in die Enge gedrängten Marktschreiers wecken mußte. Er, der bisher keinen klaren Standpunkt seiner Regierung zur Frage eines schwedischen Anschlusses an die EWG erbracht hatte, der unter der vorgeschobenen Notwendigkeit einer Neutralitätspolitik alle Wege offen ließ, um einen »nahen und dauerhaften« Kontakt mit den Ländern der EWG herzustellen, der auf Grund der wachsenden Opposition nicht für eine volle Mitgliedschaft werben konnte, seinen Sprecher in Brüssel jedoch für den freien Arbeitsmarkt, die Bewegungsfreiheit des Kapitals, das freie Etablierungsrecht eintreten ließ, bezichtigte Hermansson der Prinzipienlosigkeit, als dieser sich, im Namen der KP, jeder Art von Anschluß an die EWG widersetzte, Handelsabkommen mit den EWG-Ländern aber befürwortete. Sein spöttisches Grinsen wurde sichtbar, als Hermansson seine Richtlinien definierte, Handelsaustausch, Handelsabschlüsse mit den Ländern, die der EWG angehörten, doch auch mit den Ländern des sozialistischen Blocks, nicht nur eine Festigung der Beziehungen, unterm Tarnmantel der Neutralität, zu den Westmächten, sondern Etablierung ökonomischer Verbindungen mit Cuba, der Demokratischen Republik Viet Nam, sowie verstärkte Lieferungen an die Nationen, die vom kolonialistischen Denken als Entwicklungsländer bezeichnet wurden. Die Ablehnung Palmes, und der Vertreter der bürgerlichen Parteien, wurde total, als Hermansson auf die Konstruktion und die Hintergründe der EWG einging. Palme bemühte sich, mit den Dämpfen seines Redeflusses, darum, den Eindruck zu verwischen, daß die Reservationen Schwedens gegenüber der EWG auf Grund kommunistischen Drucks hervorgerufen wurden, und er mußte Hermanssons Äußerungen lächerlich machen, da diese sowohl auf die enge Verknüpfung der schwedischen Regierung mit dem Unternehmertum, als auch auf die Verdeckungstaktik der sozialdemokratischen Ideologie hinwies. Im Widerstand gegen die Versuche, ihn von der Diskussion abzuschneiden und als nicht vorhanden anzusehn, erläuterte Hermansson, auf welche Weise die EWG den Interessen der Monopole und der Hochfinanz diente, wie sie durch ihre Machtkonzentration den Abstand zu den zurückgebliebenen Kontinenten vertiefte, und diese in ihrem Fortschritt behinderte, wie sie den Rechten und Forderungen der Lohnarbeiter entgegenwirkte und den Industriebesitzern jeden Spielraum zusicherte, Kapital und Arbeitskräfte zu verschieben, Bodenschätze nach eigenem Gutdünken auszubeuten, Land und Produktionsstätten aufzukaufen und sich in Kartellen zu verflechten. Die Perspektive eines europäischen Arbeitsmarkts, auf dem die Verkäufer ihrer Arbeitskraft von den Arbeitskäufern je nach Verwendung aus ihrem Heimort gerissen, von ihren Familien getrennt, oft in fremde Sprachgebiete verfrachtet, in notdürftigen Baracken untergebracht wurden, entsprach dem Entstehen eines neuen Feudalismus, in dem die moderne Industriegesellschaft Reservearmeen halbversklavter Arbeitskräfte erzeugte. Die Zersplitterung der Arbeiterklasse, ihre weitere Entfremdung von den Produktionsmitteln, ihre Erniedrigung und Proletarisierung, ihre Ausschließung von jeder Mitbestimmung, die Schwächung und Untergrabung ihrer Organisationen, ihre zwangsmäßige Bindung an die multinationalen Gesellschaften, die ihnen nun ihre eigene Internationale entgegenstellte, von der alle Entscheidungsgewalt ausging, diese enorme Schiebung wird übertüncht von großen Worten, die aus dem Brüsseler Gigantenpalast dringen, von wohlklingenden Worten über europäische Vereinigung, über Abhilfe der Arbeitslosigkeit, Sicherung der Lebensverhältnisse und Erhöhung des Standards, über Währungsfestigung und friedensbewahrende Faktoren. Doch ein Blick nur auf die in Europa umherziehenden entwurzelten Arbeitermassen, die aus unrentablen Landstrichen herangeholt werden, um mit niedrig bezahlter, monotoner, schmutziger Tempoarbeit höher gestiegene Arbeiterschichten abzulösen und dem privaten Kapital die Profite zu steigern, ein Blick nur auf diese Umstrukturierungen, diese Lokalisierungspolitik, diese Eröffnung neuer Investitionsgrundlagen, läßt deutlich genug erkennen, welche Kräfte hier am Werk sind, um Europa noch stärker an die Bank- und Wirtschaftsmonopole, die nordamerikanischen Trusts, die Nato-Militaristen zu binden, und es wird offenbar, daß eine Partei, die diese Zusammenhänge verheimlicht, sich zum Handlanger der internationalen kapitalistischen Verflechtungen macht. In der Figur Palmes versinnbildlichte sich der schwedische Zwitterstaat, dessen seit fast vier Jahrzehnten regierende Arbeiterpartei abhängig ist von seinen Finanzfamilien, seinen Industriellen, seinem Dollar-Einfluß, und dessen Gewerkschaftsführung, in ihrem Flirt mit den Konzern-Magnaten, die sozialistische Denkungsart längst abgeschrieben hat. In der verkrampften und auseinanderfallenden Mimik des Staatsministers zeichnete sich der grundlegende Bruch zwischen der revolutionären und der reformistisch-konformistischen Linie innerhalb der Arbeiterbewegung ab, und naturgemäß mußte im Zusammentreffen mit dem Sprecher der Kommunisten jedes Mal die historische Entwicklung aufgerollt werden, zurück bis zum Zerfall der Zweiten Internationale, als die Arbeitermacht verkauft wurde an die Macht der Ausplünderer. In seiner Abkehrung von den ehemals gemeinsamen Interessen, nunmehr das Prinzip der Tarifpartnerschaft vertretend, die Realität des Klassenkampfs verleugnend, vermochte der sozialdemokratische Parteiführer dem Vorsitzenden der KP nur billigen Hohn zu zeigen, er als der Überlegene konnte nur verächtlich auf die kleine kommunistische Partei herabblicken, die in ihrer Uneinigkeit kein Vorbild abgab, deren Einfluß auf die schwedischen Lohnarbeiter nicht der Rede wert war, und ohne die seine Regierung sich doch, den Bürgerlichen gegenüber, nicht aufrecht erhalten ließ. Und wenn Hermansson sozialistische Gedankengänge wachrief, so konnte ihn nichts andres als ein Anfall von Despotismus, als ein Ausbruch von blindem Haß überkommen, in einer Diskussion über die EWG, deren Zweck es ist, Europa vorm Kommunismus zu bewahren, mußte er, einerseits in der Welt des Großbesitzers etabliert, andrerseits der Unzufriedenheit, der gärenden Unruhe großer Kreise der Arbeiterschaft ausgesetzt, in einen Balanceakt hineinrutschen, zu dessen Beherrschung seine Kniffe nicht ausreichten, und bei dem ihm weder propagandistische Tiraden, noch Versuche, seinen politischen Gegner zu desavouieren, weiterhalfen. Sein zur Grimasse verzogenes Gesicht drückte das ganze Dilemma der Sozialdemokratie aus.

12. November 1970

In diesen Tagen der Rückblicke auf entscheidende historische Ereignisse blitzen in der Hieroglyphenflut ein paar Signale auf,
Glückwünsche der Russen zum Jahrestag der chinesischen Revolution, feierliche Äußerungen aus Peking zum Gedenken der Großen Oktoberrevolution. Zeichen gegenseitiger Annäherung, Ausdruck der Hoffnung, daß sich die alten Konflikte überwinden, die
freundschaftlichen Verbindungen wieder herstellen ließen. Für
uns ist es jedoch ein hoffnungsloses Unterfangen, Schlüsse aus
dem Austausch dieser diplomatischen Noten zu ziehn. Suslow
grenzt in seiner Moskauer Rede die marxistisch-leninistische Position der Sowjetunion scharf von der Ideologie Mao Tsetungs ab.
Die außenpolitische Aktivität Chinas kann dem Ersten Arbeiterstaat nur verdächtig sein, die beiden sozialistischen Großmächte
kämpfen um den Einfluß auf Indochina, auf Indien, Pakistan, und
die Hinweise Chou En-lais, daß China eine Zeit des Friedens
wünsche, um seine Entwicklung nach der Kulturrevolution zu
vollenden, muß von der Sowjetunion als Ausdruck erwachender
Konkurrenzkraft aufgefaßt werden. Nach der Anerkennung Chinas durch Canada und Italien, und der Etablierung von Handels-
verbindungen mit einflußreichen westeuropäischen Staaten, kann
es nur noch auf den Eintritt in die Versammlung der Vereinten
Nationen zugehn, und die Sowjetunion hat mit der Problematik
einer zweiten Koexistenz fertig zu werden, diesmal mit der Koexistenz zwischen sozialistischen Giganten unterschiedlicher Ge-
sellschaftsformen. Neben dem Kampf mit dem Imperialismus der
Vereinigten Staaten um militärische Einflußbereiche, um den Zugang zu Rohwaren, um die Umgarnung reaktionärer Regierungen, geht es um den Wettstreit, die Befreiungsbewegungen Afrikas
und Lateinamerikas für sich zu gewinnen, und die kommunistischen Parteien Europas unter sowjetischer Obhut zu bewahren.
In dem offiziellen Blendwerk, dem wir täglich ausgesetzt sind,
zwischen den Krümeln vom Tisch der Diplomatie, die uns zuge-
worfen werden, haben wir nach ein paar Körnchen von Wahrheit
zu suchen, um mit der Kunst des Kombinierens, der Technik des
Dechiffrierens, und dem Sport des Rätselratens, unser bruch-
stückhaftes Wirklichkeitsbild aktuell zu halten. Ausgeschlossen
von den stattfindenden Verhandlungen, Geschäftsabschlüssen
und Erpressungen, mit denen jener Zustand aufrecht erhalten
wird, den die Mächtigen »Gleichgewicht« nennen, umgeben von

Gefahren, die sich aufladen, die wieder abflauen, wieder prall werden, deren Anlässe wir nie kennenlernen, deren Auswirkungen uns jedoch jäh überfallen, hilflos gegenüber den Drahtziehern, die sich in ihren Zentren, hinter versiegelten Türen, hinter schwerbewaffneten Wachmannschaften, vor uns verbergen, obliegt es uns, die Welt als eine verständliche Erscheinung zu schildern, obgleich wir nichts andres mit Bestimmtheit wissen, als daß sie jeden Augenblick unter unsern Füßen explodieren kann. Die schnell an uns vorbeisausenden Limousinen, umschwärmt von Polizeisoldaten, halb Leder, halb Motor, verdeutlichen uns in unverschämter Weise, wie wenig man uns eines Einblicks, eines Mitwirkens würdig befindet, und wie man es darauf anlegt, uns in einem Fatalismus, in einem Glauben an mystische Gewalten zu belassen. Begleitet von Trillerpfeifen, vom Geheul der Sirenen, rasen die Statthalter der Realität an uns vorbei, wir müssen zurücktreten, nur eine unvorsichtige Bewegung des Spähens, ein unbedachtes Zucken der Hand, und schon trifft uns der Knüppel, schon packen uns Detektive, schleppen uns an Armen und Beinen ab, werfen uns in irgendeinen Keller, als total Machtlose. Unaufhörlich sind wir denen ausgeliefert, die wir auf Grund unsrer Unkenntnis, unsres Mangels an Denkfähigkeit, in ihre Ämter aufsteigen ließen, mit maßlosem Erstaunen sehen wir diese Götzen, die wir selbst aufgepäppelt haben, an uns vorbeiflitzen, und dann schleudern die Massenmedien, von Satelliten aus, aus Lautsprechern, Fernsehapparaten, Rotationspressen, deren Abglanz noch einmal auf uns nieder, und lassen uns teilnehmen an ein paar gnädigen, unserm Analphabetismus angepaßten, außerordentlich vereinfachten, geglätteten und verlogenen Mitteilungen, die vorgeben, uns einen bestimmten Sachverhalt zu erklären, und uns dabei mit einer Woge von Dunkelheit überschütten. Die Impertinenz dieser berühmten Persönlichkeiten, die uns die Staaten, und uns selbst an der Nase führen, ist uns zwar immer wieder aufgefallen, hat auch von Zeit zu Zeit unsern Zorn geweckt, doch keiner unsrer Versuche hat uns je genützt, um uns aus dem unwürdigen Zustand des Ausgesetztseins zu heben, und uns das Recht zu sichern, Einblick in die Hintergründe zu gewinnen, in denen über unsre Existenz entschieden wird. Eine unmenschliche Bürde privater Forschungsanstrengungen legen wir uns auf, um von einem kleinen historischen Bereich den Schleier der offiziell verwobenen Deformierungen zu lüften, und zumeist ist das Ergebnis der Un-

tersuchungen für uns von geringem Nutzen, da es im Handumdrehn von denen, die uns nicht im Wirklichen, sondern im Dunst
der Mythologien vegetieren lassen wollen, zur Lüge erklärt werden kann. Wir besitzen keine Andeutung darüber, was Kosygin
vor ein paar Wochen mit Nixon in Washington besprach, vielleicht
werden Handlungsabläufe in Westasien, in Südostasien, demnächst etwas davon spiegeln. Nichts ist uns bekannt über die Ma-
nipulationen, die plötzlich dazu führten, daß wir Glückwunsch-
telegramme, ausgetauscht zwischen der Sowjetunion und China,
lesen durften, ebensowenig wie wir die Vorbereitungen kennen,
die demnächst wieder zu furchtbaren gegenseitigen Anprangerun-
gen ausschlagen werden. So bemühen wir uns, um nicht immer als
die Trottel dazustehn, die wir sein sollen – und wir kommen dabei
immer zu spät, die Geschichte ist immer schon im schattenhaften
Zug an uns vorbeigehuscht –, unsre Vorstellungskraft zu trimmen,
was ist da jetzt geschehen, fragen wir uns, wer hält jetzt wen in der
Hand, wer übt Druck auf wen aus, wer gibt wem nach, wer hat
wen auf wessen Kosten verraten, und wir versuchen, uns die winzigen Nachrichtenbrocken zurechtzulegen, Antworten müssen
gefunden werden, die morgen schon wieder zu revidieren sind.
Die Chinesen üben plötzlich heftige Kritik am linken Radikalis-
mus der europäischen Maoisten, das bedeutet, daß sie sich auch
gegen ihre eigenen Nachzügler der Kulturrevolution wenden werden. Sie etablieren enge Beziehungen zu Haile Selassie, das heißt,
sie lassen die Guerilla in Eritrea fallen. Sie verstärken ihr Bündnis
mit dem Militärregime Pakistans, das zeigt, daß sie nichts wissen
wollen von den ostbengalischen Rebellen. Die Sowjetunion stärkt
die Koalitionsregierung Ceylons, das besagt, daß die revolutionäre Opposition des Landes niedergeschlagen werden soll. Kein
sozialistisches Land spricht von den überlebenden indonesischen
Kommunisten, die zu hunderttausenden in den Gefangenenlagern
sitzen, dieses Schweigen drückt aus, daß sie einer neuen Ausrot-
tungsaktion preisgegeben sind. Washington meldet verstärkten
nordvietnamesischen Druck auf Laos und Süd Viet Nam, das ist
als Androhung wiedereinsetzender Bombenangriffe auf den Norden oder einer amerikanischen Invasion in Laos zu verstehn. Und
dann liegen wir mit unsern Erwägungen doch wieder im Sand.
Was vermögen wir andres gegenüber den Interessen der Großmachtpolitik, als angespannt zu lauschen, uns mit den Fingern,
den Fußspitzen noch etwas tiefer in die Erde hineinzubuddeln,

obgleich wir wissen, einen Schutz gibt uns das auch nicht. Im Streit der Großen ist der Volksbefreiungskrieg in Indochina, mit seinen Hekatomben von Toten, nur ein winziger Unruheherd, und die Frage läßt uns nicht los, was wohl einmal mit Viet Nam geschehen wird, wenn die Mächtigen mit ihrem Schachern an den Punkt gelangt sind, den sie Frieden nennen. Einmal bereits bemühten wir uns, mit unsern Kombinationsübungen, unsrer Methodik der Ausschließung, unsrer vergleichenden Lektüre, etwas in Erfahrung zu bringen über die Machenschaften der Genfer Verhandlungen 1954, als der Sieg der Viet Minh in eine Niederlage verwandelt wurde, unter Mitwirkung der Sowjetunion und Chinas – zu einer Zeit allerdings, da die atomare Überlegenheit der USA noch bedeutend war, da die Drohung eines Atombombenabwurfs auf Viet Nam und China in der Luft hing und da es im Namen der »Vernunft« erklärlich war, daß ein kleines Land zur Rettung des Weltfriedens geopfert werden mußte. Ist die Lage heute, da Viet Nam dem amerikanischen Angreifer mehr als ein Jahrzehnt stand gehalten hat, verändert, fragen wir uns, würden die amerikanischen Geschäftsunternehmen je ihre Investitionen in Südostasien fahren lassen, je das wichtige Wolfram aufgeben, das dort vorhanden ist, je auf die großen Ölfundorte an den Küstenstrecken Süd Viet Nams verzichten, stehen sich nicht immer unversöhnlicher chinesische und sowjetische Bestrebungen gegenüber in Cambodja, Laos, Indien, sind die Geduld, die Ausdauer, die Integrität, der Heroismus Viet Nams ernstzunehmende Kriterien, vertretbare Qualitäten gegenüber der höheren, emotionsfreien Objektivität, derer sich die Besitzer äußerster Gewalt bedienen. Was nützt uns die Hoffnung, daß Viet Nam, trotz der ungeheuerlichen Entbehrungen und Verwüstungen, den langen Kampf überstehen wird, wenn niemand nach unsern Ansichten, unsern Bewertungen fragt, und wenn wir uns, sollten die Bomben, nach denen das Pentagon verlangt, wieder auf Nord Viet Nam fallen, vielleicht nur vor einem tiefen, umfassenden Schweigen befinden.

24. November 1970

Die monströse Administration der USA, die nun mit unverhüllt faschistischem Sprachgebrauch die erneuten Terrorangriffe auf die Demokratische Republik Viet Nam als »begrenzte Strafaktion« oder »Vergeltungsaktion« bezeichnet, und sich dabei auf den Vorwand stützt, es handle sich um eine Gegenmaßnahme auf den Abschuß eines Aufklärungsflugzeugs im Luftraum über der DRV, wird routinemäßig von der Weltpresse hingenommen, weder das selbsterklärte Recht der Vereinigten Staaten, Nord Viet Nam überfliegen zu dürfen, noch die Androhung, weitere Bombardierungen zum Schutz amerikanischer Piloten vorzunehmen, weckt Erstaunen oder Proteste, die Verrohung ist so selbstverständlich und alltäglich geworden, daß der durchschnittliche Nachrichtenempfänger darüber hinwegliest. So setzt sich, neben der offiziellen Protestnote aus Moskau, die im Papierkorb des Pentagon landet, und neben dem westlichen Gleichmut, der grauenhafte Kampf zwischen Goliath und David fort. Die Ausgeplünderten, Blutiggeschlagenen, Hungernden kämpfen gegen den aufgeschwollenen Riesen auf Lehmfüßen an, mit unendlichem Mut, und sie hätten ihn längst besiegt, wenn die Übersättigten und Abgestumpften in unsern Ländern den Ansatz einer Vorstellungskraft entwickeln und sich zum Beistand aufraffen könnten. Ich schreibe unentwegt, von früh bis spät, um die Hintergründe der neuen Mordtat zu schildern, die Zeitung aber, die sonst zuweilen meine Arbeiten aufnimmt, Dagens Nyheter, weist den Artikel ab, er ist zu ausführlich, zu lang, und was er berichtet ist allzu bekannt, so heißt es, und weil nichts bekannt ist, weil nichts ausführlich genug beschrieben wurde, breitet sich das Schweigen weiter aus, man hockt auf seinen Reichtümern, schmatzt in seinen Vorratskammern, nickt blöde zu den nichtssagenden Telegrammen, man beläßt die Verheerungen und Leichenberge wo sie hingehören und gibt sich der Illusion der Geborgenheit hin. Wann wird uns endlich, durch die übermenschliche Anstrengung derer, die sich mit Gewalt ihre Rechte erkämpfen, der Boden unter den Füßen weggerissen.

25. November 1970

Manchmal überlassen wir es dem Schreiben, der künstlerischen Arbeit, das Ventil herzustellen, mit dem wir uns ein wenig Luft verschaffen können, in einer Umgebung, die immer erstickender wird, die ihren Überbau immer dichter, schwerer und höher um uns auftürmt. Wir wollen, aus Rücksicht auf die Vielen, die zu diesem Ventil keinen Zugang haben, die von ihrem Dasein so aufgerieben, so zerschlissen sind, daß Literatur und Kunst für sie nicht bestehen, unsrer Tätigkeit alle elitären Kennzeichen nehmen und sie in direkte Beziehung stellen zu agitatorischen, revolutionären Handlungen – doch dann kann uns die Einsicht überwältigen, wie verfilzt, verstopft, unsicher, unüberblickbar, wie verworren, zerrissen und antihuman die politischen Bemühungen sind, in die wir uns begeben, wie wenig sie zur Lösung der Situation beitragen, wie sehr sie uns, die wir uns für grundlegende Veränderungen einsetzen, betrügen und zur Unbeweglichkeit verdammen. Wir geben die politischen Absichten nie auf, wir halten an unsern Grundsätzen fest, daß es jetzt einzig und allein darum geht, gegen die Umzingelung der Zerstörungssucht anzukommen, wir stehen für unsre Ideologie, unsre Partei, unsre Farbe ein, selbst wenn wir immer wieder in Widerspruch geraten müssen zu historischen Bremsklötzen und Fallgruben, es geht uns nicht um individuelle Erleichterung, um ästhetische Begünstigungen, um Vorteile für eigene Rechnung, wenn wir zu den Mitteln greifen, die wir benötigen, um unser Gesichtsfeld etwas zu erweitern, und doch kann die Herstellung eines Bildes, eines Schriftstücks, einer Tonfolge, einer dramatischen Kontinuität plötzlich die Empfindung von Luft, den Eindruck von Helligkeit mitten im Qualm, in der Verdunklung, hervorrufen, und einen Augenblick lang scheint es uns, daß wir mit diesen anrüchigen Medien, die die Reaktionäre immer gegen unsre politischen Stellungnahmen ausspielen, tatsächlich mehr erreichen, als mit unsern Appellen, die im Dröhnen der Schlagworte ertrinken. Aus schlechtem Gewissen über unsre esoterischen Möglichkeiten, die uns davon abhalten, ausschließlich in der sozialen Praxis werksam zu sein, haben wir versucht, die Kunst aus den Händen ihrer Profiteure und Schmarotzer zu befreien und sie zum Allgemeingut zu erklären, doch ist uns dies nur mangelhaft, und indem wir die Kunst von ihren Sockeln wälzten, begleitete uns nur der geheime Wunsch, man möge uns unsre Subjektivität vergeben, mit der wir uns doch immer wieder in die

Regionen des Nutzlosen, des praktisch Nichtverwertbaren such-
ten. Wenn der Druck von außen unerträglich wird, wenn wir
sehn, wie das Gefüge in dem wir leben, sich täglich mehr verhär-
tet, wenn die Machthaber eben wieder eine ihrer hinterlistigsten
Gemeinheiten, eine ihrer schäbigsten Menschenschindereien vor
uns abrollen ließen, dann taucht der Trieb zum Rückzug in eines
dieser sublimen Medien auf, dieser Medien, die von den Betrügern
und Mördern nicht erlangt werden können, und wir kriechen in
ein Gedicht, in ein Gebilde aus Farben, Formen, Tönen, Worten
hinein, und solange wir es mit wachen Sinnen tun, begleitet uns
ein Unbehagen, wir meinen immer noch, daß wir uns unsrer Verantwortung entziehn, daß wir jetzt eigentlich auf einer Barrikade
stehen müßten, oder auf einer Kiste in einer Fabrik, und nur
nachts, wenn wir widerstandslos in die innere Bildwelt hineingleiten, sind wir unbelastet von unsern moralischen Trugschlüssen.
Denn so wie der Organismus im Schlaf nach dem Produzieren
von Träumen verlangt, vielleicht um sich am Leben zu erhalten, so
braucht das Bewußtsein bei Tage, in der übermäßigen Auflagerung von Feindlichkeiten ringsum, das Erfinden von Visionen, um
sich ein Gegengewicht zum Erstarrten und Verbrauchten, zum
pressend Geordneten, zum drohend Gesetzmäßigen zu schaffen.
Und jetzt überwiegt der Gedanke, daß der Arbeitende an der
Maschine uns nicht braucht, daß es nur eine Überheblichkeit von
uns ist, wollen wir uns in seine Beschlüsse einmischen, daß er
selbst am besten weiß, wie er auf seinem Feld gegen die Bedrängung anzukämpfen hat, und wir haben unser eigenes Handwerk,
das in Ermangelung neuer Bezeichnungen weiterhin Kunst genannt werden kann, und das darin besteht, anarchisch Gedachtes
und Vorgespiegeltes in autonome Konstruktionen einzubauen.
Und doch läßt uns die Empfindung nicht los, daß wir uns in eine
Besonderheit gestohlen haben, denn die Krankenhäuser unsrer
Städte sind überfüllt, die Menschen auf ihren Arbeitsplätzen, in
ihren Transportvehikeln, im Mahlstrom der Straßen, brechen zusammen, sie starren entgeistert, fassungslos aus Anflügen von
Umnachtung, sie schlagen unvermutet aufeinander ein, brüllen
einander an, stehen fasziniert vor Feuersbrünsten und Naturkatastrophen, lassen die universale Destruktion apathisch über sich
ergehn, weil sie selbst, mit ihren eignen Sinnen außer Kraft gesetzt
sind. Einblicke wohin auch immer, in jedes Kontor, jede Werkstatt, jedes Warenhaus, in jede Räumlichkeit, wo Menschen an

Schalthebeln, Schubladen, Theken, Regalen, Rädern und Fließbändern ausharren, in jedes vorbeischwankende Gesicht, zeigt die Belastung, die jeden natürlichen kreativen Ausdruck zerdrückt, die Abgeschnittenheit von jenem Reservat, in dem der Existenz die Illusion eines Sinns verliehen wird, und sekundenlang aktualisieren sich die Erinnerungen an alle Perioden des Eingesperrtseins, in denen ich unter den Hammer geraten wäre, hätte ich nicht meine Schleichwege gefunden. Wenn ich schreibe, gehe ich gegen den Alpdruck der Monotonie, der betonierten Labyrinthe an, mag es Flucht genannt werden von den Beamten der Bunkerwelt, von den Ingenieuren, deren Sprache Stein und Stahl ist, deren Gedanken auf Drähten, zwischen Stöpseln laufen, die nach Lochkartensystemen funktionieren und ihre Zukunft elektronisch berechnen können. Wenn ich schreibe, errichte ich mir eine Alternative zu dem draußen gültigen Bau, der mit schreierischer reißerischer Wut von allem Abstand nimmt, was im Bereich einer Besinnung liegt, in dem alles weggerissen, niedergewalzt wird, was nicht selbst brüllt, gröhlt, grellste Farbe von sich gibt und für die Herrschaft der Dummheit plädiert. Wenn ich schreibe, belästigt mich meine solipsistische Absonderung, die Tatsache, daß ich nicht an den nächsten Vorbereitungen eines Streiks, an den nächsten Lohnkämpfen teilnehme, wenn ich schreibe, will ich das Schreiben gleichzeitig fahren lassen um mich mit nichts andrem zu befassen, als mit dem Kampf gegen die geltenden Produktions- und Eigentumsverhältnisse, mit der Aufklärung über die stattfindenden sozialen Verbrechen und mit der Organisierung der Massenbewegung zum Umsturz der Gesellschaft. Ständig die eine Notwendigkeit der andern Notwendigkeit entgegensetzend, die eine These einwirken lassend auf die andre, schreibe ich, über das was sich außen zeigt, was von außen auf mich eindrängt, und über das was sich von innen gegen das Äußere stellt, Fragen kommen auf mich zu, ich antworte, ich stelle selbst Fragen, die Antworten bleiben zumeist aus, da müssen die Fragen wiederholt werden, und schon stürzt neues gegen mich an, ich muß reagieren. Unaufhörlich Beispiele, aus denen ersichtlich wird, wie gering geschätzt, wie verhöhnt, beiseite geworfen, zu welchem Dreck erklärt der einzelne ist, wie unmöglich es für ihn ist, sich mit dem was er selbst darstellt, durchzusetzen, wie er überall nachgeben, sich beugen, sich verstellen, verkrümeln, zu nichts verwandeln muß vor den anstürmenden, von Automaten gesteuerten Gewalten.

Die anonymen Instanzen hoch über uns, unerreichbar in ihren Hierarchien, scheinen sich jeder Verantwortung entzogen zu haben. Indem es ihnen gelungen ist, sich nicht aufspüren zu lassen, für deine Angelegenheiten nie zuständig zu sein, dich immer wieder zu irgendwelchen Schaltern, an denen man von dir nichts wissen will, abzuschieben, haben sie sich mit einem Schimmer von Magie und Dämonie umgeben. Du weißt, irgendwo werden Beschlüsse gefaßt, irgendwo stecken Funktionshaber ihre knisternden Köpfe zusammen, um irgendetwas auszubrüten, doch wenn sie dann ihre Apparaturen in Bewegung gesetzt haben, Apparaturen, so ungeheuerlich, daß selbst ein Geist wie Kafka, der ein Leben damit verbrachte, ihren Mechanismus zu ergründen, nicht weiter gelangte als bis zu den Torhütern, den Vorkammern, und ein Beckett von Anfang an jede Möglichkeit eines Fortkommens ausschloß, wenn die gewohnte Straße vor unsern Füßen aufkracht, wenn die Häuserfassaden zu unsern Seiten explodieren, wenn überall tiefe Löcher klaffen, tolle Gerüste in die Luft schießen, dann ist es nie einer gewesen, und kommt ein einzelner daher und fragt, was denn hier passiert sei, erfährt er höchstens, daß er sich mit vollendeten Tatsachen abzufinden hat. Hier werden hunderte aus ihrem Arbeitsplatz geworfen, um anderswo verwendet, oder, wie es heißt, freigestellt zu werden, die Veränderung wird ihnen erst im Augenblick ihrer Ingangsetzung mitgeteilt, dort haben hunderte ihre Wohnhäuser zu räumen, um in Vororten verstaut zu werden, was sie selbst davon halten ist bedeutungslos, sie alle laufen nicht mehr unter der Bezeichnung Menschen, sondern stellen Material dar, das kategorieweise, paketweise behandelt und verarbeitet wird, in einem Prozeß der Rationalisierung, der Rentabilitätsuntersuchung, der Effektivitätserhöhung, und wer in diesen Sanierungen und Umschleusungen Apparatfehler aufweist, das heißt Reste menschlicher Merkmale, der stellt ein Abfallprodukt dar und landet auf dem Müllhaufen. Die hochentwickelte Technik, mit ihren genialen Erfindungen, hat sich gegen die Lebewesen gewandt, deren Dasein sie einmal verbessern sollte, als Serien, als Ware, verdinglicht, wimmeln die Stadtbewohner in den Gebäuden, Laufgängen, Gruben, Kellern und Transportstreifen umher, gezogen, geschoben, gehoben, niedergedrückt von Forderungen, Geboten, Gesetzen, die von den Gejagten nicht mehr zu ergründen sind. Die gesamte Terminologie, die sie umgibt und über ihre Bewegungen bestimmt, kennzeichnet den Bau, in den sie sich schrittweise hineingleiten ließen, aus Übermüdung, aus Unkenntnis der Sachlage, aus lächerlicher Gutgläubigkeit, und in dem ihnen Stück für Stück die Bestandteile abhanden kamen, die noch mit dem eigenen Maßstab, den eigenen Bewertungen verbunden waren, bis sie sich überwuchert sahen von den fremdartigen Kräften, mit denen es keine Verständigung mehr gab. Diejenigen, die sich höher hinauf ins Gestrüpp geschlagen haben, treten, verstrickt in den Irrsinn um sich, versuchen, niedriger Stehende in den Dreck zu stampfen, und auch diese treten auf andre, die unter ihnen sind, sie ringen mit denen, die rings um sie hängen, du siehst, wie sie droben miteinander fechten, einander das Messer in den Leib rennen, einander abschießen, einander zerfleischen, aber du siehst es nur blitzhaft, im Dunst des aufgewirbelten Staubs, du bist allzusehr damit beschäftigt, deinen geringen Halt nicht zu verlieren, und was verhandelt, ausgerufen, befohlen wird, verstehst du nicht, im allgemeinen Dröhnen. Je höher dein Blick reicht, desto wirrer ist das Ränkeschmieden, desto gleißender ist die Sucht nach Vorteilen, nach Übervorteilungen, nach wahnsinnigem Herrschen. Ein Schreibender, der sich Klarheit darüber verschaffen wollte, hätte unaufhörlich, von früh bis spät, damit zu tun, das Gedränge aufzudecken, das in seiner nächsten Nähe stattfindet, und völlig erschöpft würde er nach kurzer Zeit zusammenbrechen, ließe er sich darauf ein, den Fäden im großen Netz der Machtvollkommenheit zu folgen. Es gibt kein einfaches Ereignis, kein Ereignis, das sich begründen läßt, das seiner Herkunft, seiner Wirkung nach beschrieben werden kann, es gibt nur dieses Ganze, dieses Ineinanderhängende, dieses Gesamtgebilde von Strangulierung und Aussaugung, und stößt du dich so lange an der Dichtigkeit dieser Phantasmagorie der Raubgier, daß dir nichts mehr bleibt als dein wildes gellendes Geschrei, dann fliegst du schon in eine der Zellen, die überall für Ausbrechende bereitstehn, und du liegst festgeschnallt in Riemen und Eisenringen. Denn diese Welt hält streng darauf, daß auch hier eine Moral gelte, tust du als einzelner das, was die Zerstörungsgewalten unaufhörlich betreiben, sprengst du ein Haus in die Luft, bringst du Transportmittel zum Entgleisen, gräbst du Dynamit in die Straßen, räuberst Geschäfte aus, knackst Geldschränke, sind dir gleich die Hunde der Wachmannschaften auf der Spur, du kommst nicht weit, kannst du dich nicht als offizieller, von irgendwoher beauftragter Mörder legitimieren, wirst du sofort abgeknallt oder aufgeknüpft. Du mußt verstehn, daß du unter der Diktatur von Maschinen lebst, die auf maximale Gewinnsteigerung getrimmt sind, du mußt verstehn, daß du dich mit deinen Argumenten dem Regime von Automaten und Robotern nicht widersetzen kannst, du mußt lernen, daß es das beste ist, zu schweigen, nicht aufzufallen, dich in deinem Minimum einzunisten, nicht mehr zu verlangen, als was dir von rasselnden Metallmäulern zugestanden wird, nicht aufzubegehren, wenn man dir das was du in den Händen hältst, entreißt, und nie etwas andres zu äußern als das, was man von dir erwartet. Du mußt dein Begehren unterdrücken, mit der Maschinenpistole um dich zu knallen, im nächsten Hausflur ein Feuer anzuzünden, das steht dir nicht zu, das tun andre für dich, und du kannst es dir im Kino und im Fernsehen vorspielen lassen. Der Anarchismus in der Profit-Welt ist nicht für dich da, du hast andre Mittel und Wege zu finden, um die Befestigungen der totalen Entfremdung zu durchbrechen. Aus diesen Anstrengungen fliehe ich zeitweise, wenn ich mich nicht in kleinen Kreisen aufhalte, um die Utopie des Umsturzes zu besprechen, in mein ausgestecktes eigensüchtiges Revier. Gibt es auch kurze Befriedigung, sich vorzustellen, was getan werden könnte, was möglich wäre, um den Schund, den Schutt, das Gerümpel wegzuräumen, und ist der Gedanke an die Umwälzung auch von solcher Einfachheit, so klar umrissen, so überzeugend, daß wir uns fragen, warum er nicht längst verwirklicht wurde, so macht sich die wüste Plackerei doch unmittelbar über dich her, wenn du aus deiner Verschwörung hervortrittst, und haut dich in die Knie, und das was so leicht erreicht werden könnte, was allen nützt, was zum besten aller erdacht ist, ist wieder vergessen, und du rollst dich zusammen, daß man dir nicht in den Bauch tritt, dir nicht das Genick bricht. Wenn ich schreibe, wenn ich mich in meinen Bunker zurückziehe, in der Tiefe der kapitalistischen Zwingburg, dann entweiche ich, aus Selbsterhaltungstrieb, dem antihumanen Schlaghammer, und wenn der Mechanismus des Schreibens, mit seiner Kette von winzigen Explosionen, in Gang gekommen ist, trägt mich ein Optimismus weiter, der besteht aus dem Wissen von den Bemühungen, die trotz allem noch vorhanden sind, auf allen Kontinenten, und wenn die anerkannten Ideologen, Philosophen und Literaten mich auch des Selbstbetrugs beschuldigen, wenn ich auch kein Schnellfeuergewehr, keine Bombe in der Hand trage, so bin ich doch verwoben mit dieser globalen Anspannung, dieser Hoffnung

auf Verbesserung, auf Genesung, ich bin, wenn auch von Krücken
gestützt, mit Notverbänden umwickelt, auf Seiten der heroischen
Saboteure, wir haben den Feind gemeinsam, und gemeinsam den
Haß gegen ihn, und indem ich das Schreiben fortsetze, haben wir
den Widerstand gemeinsam, und wir haben die gleichen Zielsetzungen, und die gleiche Kraft treibt uns weiter, und das ist schon
viel, in Anbetracht der maßlosen Tyrannei, die vor meiner Tür
aufsteigt und darauf lauert, mich, und alles was mir zugehört, zu
zermalmen.

26. November 1970

Natürlich wissen wir, daß auf jeder Stufe, auf jeder Ebene, die Verantwortlichen anzutreffen sind, natürlich lassen sie sich erkennen, beim Namen nennen, aus ihrem Gestänge hervorziehn, sie besitzen oft hohe Bildung, verfeinerten Geschmack, sie, die die Unmenschlichkeit anpeitschen, die das Stereotype, das Sterile um sich verbreiten, bewohnen zumeist edle Architekturen aus dem 18. Jahrhundert, die sie sich in der allgemeinen Zerstörung erhalten haben, sie, die die Fließbänder immer schneller laufen lassen, sind in Kunstgenüssen bewandert, sie sind in ihren Korporationen ausfindig zu machen, als einzelne, auch wenn sie ständig ihre Ausreden bei der Hand haben, vorgeben, nichts gesehn, nichts gehört zu haben, und versuchen, wenn du sie am Kragen packst, denn sie zerfließen vor Feigheit, dir ihre guten Absichten weiszumachen. Natürlich wissen wir, auf welche Weise die Transaktionen laufen, die Interessen sich miteinander verknüpfen, wer die Impulse ausgibt und weiterleitet, wer die Zahnräder ineinandergreifen, die Treibkolben ins Rotieren geraten läßt, natürlich können wir erkunden, wer hier auf einen Knopf drückt, dort einen Hebel umschaltet, natürlich können wir jedem auf die Schliche kommen, denn da steckt kein mythologisches Dunkel, keine absonderliche Gerissenheit dahinter, da rollt nur eine Mechanik ab, und alles was sich als plötzliches Aufflammen zeigt, ist monatelang, jahrelang sorgfältig, in jedem Detail, geplant und aufgezeichnet worden, du kannst dir überall den Auftraggeber, und den Auftraggeber des Auftraggebers, heranholen, hättest du nur die Kraft, und die Zeit, und die Ausdauer, und kämst du nur zum rechten Augenblick, und nicht Monate, Jahre zu spät, da alles schon rollt, nicht mehr aufzuhalten, und längst wieder neues geplant, entworfen, bestimmt wird, wovon du keine Ahnung hast. Und weil ich nicht unaufhörlich meine manische Wut, meine Gerechtigkeitsraserei zu praktischen Aktionen zu transformieren vermag, nehme ich mir die Freiheit, die Welt, die sich genau in ihre Klassenschichtungen, ihre Eigentumsverhältnisse zerlegen läßt, stundenweise als anarchisches Chaos zu sehn, wobei diese Welt sich nicht verändert, nur ihre Bildzeichen, ihre Lautsignale anders werden und anstelle des sozialen und ökonomischen Zwangs die psychotische Halluzination steht. Natürlich weiß ich, daß es eine momentane Schwäche ist, die Umwelt als ein einziges Instrument des Despotismus anzusehn, der allgemeinen Korruption, des allgemeinen Ausverkaufs aller Werte, und das panische Entsetzen gegenüber vollendeten Tatsachen überwiegen zu lassen. Natürlich weiß ich, daß es wertlos ist, mit Betäubung und Ohnmacht jener Aufgeblasenheit zu begegnen, die uns die Existenz zum Wahn entstellt. Doch muß ich auch zugeben, daß ich meine Grenzen kenne, daß das dokumentarische Forschen, vermag es zuweilen auch, kleine Felder klarzulegen, unversehns im Sand versickert, und das eben Erläuterte nicht mehr verständlich ist, daß ich Archive und einen Stab von Mitarbeitern brauchte, um mit den unaufhörlichen Verschiebungen, Erweiterungen, neu auftauchenden Motiven fertig zu werden. Greife ich hier und da ein Ereignis heraus, und versuche ich, es in seinen wahren Proportionen und Zusammenhängen darzustellen, so überwiegt früher oder später die eigene Machtlosigkeit, sie muß überwiegen, da die Kompliziertheit überhaupt nicht mehr von einzelnen, sondern nur noch von Super-Elektronengehirnen bewältigt wird, und ich kann mich nur damit trösten, daß ich zumindest ein Lehrbild, für Anfänger gleich mir, hergestellt habe, primitiv, lächerlich klein im Verhältnis zum Objekt, doch den Proportionen der gewöhnlichen Sterblichen angepaßt. Ich beobachte diesen ungleichen Kampf, den wir gegen den brodelnden Brei der Realität führen, auch an meinen Mitpatienten, die sich zusammen mit mir zweimal wöchentlich im Krankenhaus zu körperlichen Übungen zusammenfinden. Nunmehr zu halbtägiger Arbeit fähig erklärt, besitze ich den Vorteil, mich in einen geschützten Raum zu eigener Gedankentätigkeit zurückziehen zu können, während die andern sich wieder dem Hohn und der Unberechenbarkeit ihrer Kontore und Werkstätten aussetzen müssen. Vor allem einer von ihnen, den die Konflikte in seinem staatlichen Amt zusammenbrechen ließen, weist wieder eine Verschlechterung des Gesundheitszustandes auf, klagt über Beängstigung, über diesen typischen Druck auf der Brust, über Atemnot, und da kann ihm die Gymnastik, das Laufen, Springen, Hantelnheben, Ballwerfen nur eine Stunde lang ein wenig helfen, morgen früh im Büro schnürt ihm das Berufsleben wieder den Hals ab, und dagegen gibt es kein Mittel, was da an Feindseligkeit, Mißgunst, Intrigen und harter Konkurrenz entsteht, ist nur dazu angetan, ihm die geringen wiedererlangten Kräfte zu zerschleißen. In diesem Feldlazarett der städtischen Front, in dem wir Angeschossenen, Zusammengeschlagenen, Verbrannten, Verkrüppelten einander begegnen, wie die Verwundeten sich überall begegnen in

den Sammellagern, zu tausenden, zu hunderttausenden, herausge-
schleppt aus den Schlachtfeldern der Straßen, hier in dieser zufälligen Gemeinsamkeit, entsteht während einer kurzen Stunde der
Ansatz einer Klarsichtigkeit, von hier aus könnten von uns, die
wir von den gleichen Erfahrungen betroffen wurden, Vorbereitungen zur Veränderung unsrer Lage eingeleitet werden, und doch
kommen die Anlässe, die uns hierhergebracht haben, nicht zur
Sprache, nur die Symptome werden erörtert, und die Ärzte, die
Pflegerinnen sind auch nur dazu da, uns so weit zusammenzuflik-
ken, daß wir uns wieder eine Weile auf den Beinen halten und
draußen mitagieren können. Was wir uns hier, ein paarmal in der
Woche, vormachen, ist eine Demonstration von Standhaftigkeit,
und wir wissen doch, wie leicht die Farbe von uns abrinnt, wie
leicht wir einknicken und zerschmelzen, wenn uns der Hitze-
strahl trifft.

29. November 1970

Die Bilder aus den frühsten Ablagerungen sind in ihrer Schärfe
und gleichzeitigen Durchsichtigkeit den meisten späteren Erinnerungen überlegen, sie bestehen aus dem zum ersten Mal Gese-
henen, sie sind einmalig, abgesondert, nicht mit späteren Eindrücken durchmischt, sie bestehen aus dem zum ersten Mal Gese-
henen, sie sind unendlich klar, hell, luftig, lassen einen Garten
erscheinen, ein Haus, einen Zaun, eine Straße, mit Gebüsch, Himmel, Offenheit, sie sind in der heutigen Wirklichkeit kaum mehr
zu lokalisieren, und wenn dies in seltenen Augenblicken doch
einmal geschieht, so rufen sie einen Schock des Wiedererkennens
hervor, der einer Neugeburt gleichkommt. Diese Spiegelungen
stammen aus der Stadt Bremen, so wie diese sich dem Drei- oder
Vierjährigen zeigte, vor einem halben Jahrhundert, einer Stadt, die
heute nur noch in winzigen Bruchstücken vorhanden ist, und in
der sich hier und da nur, zwischen den neuen Bauwerken, die Zeit
vor der Zerstörung rekonstruieren läßt. 1947, als ich zum ersten
Mal nach der Emigration wieder durch Bremen ging, war mein
früheres Leben dort nur von Ruinen und Schutt überlagert, bei ein
paar späteren Besuchen überkam mich in dieser Stadt immer eine
Lähmung, die es mir unmöglich machte, nach meinen eigenen
Spuren zu suchen, nur nachts hin und wieder tauchen diese
grundlegenden Augenblicksaufnahmen, diese Filmstreifen aus
den zentralsten Kammern des Gedächtnisses auf, und wecken den
Wunsch, ihrem Ursprung noch einmal nachzuspüren. Ihre Far-
bigkeit, ihr Leuchten, ihre Stille, ihre Verhaltenheit, dieses Warten
darin, voll Aufmerksamkeit, ist von fünfzigjähriger Dauer, und
gegenwärtig. Wo befindet sich dieser Zaun, an den ich mich
lehnte, diese Frau, die Wäsche zwischen kahlen Bäumen auf-
hängte, und dieser Weg, an einem Bahndamm entlang, und schon
weiß ich, Wanderer, kämest du nach Bremen, daß ich gleich er-
müden würde, ginge ich durch diese Viertel, die sich jetzt dort
erheben, wo einmal die legendenhafte Grünenstraße lag, der Exer-
zierplatz, auf dem der Freimarkt abgehalten wurde, wo die Spei-
cher und Schuppen lagen, am Flußufer, und der Brunnen, an dem
die Bierkutscher ihre Pferde tränkten, ich weiß, daß ich abreisen
würde im Bewußtsein des mißglückten und absurden Versuchs,
etwas nicht mehr Vorhandenes hervorzurufen, etwas Versäumtes
und Verlorenes noch einmal zu durchleben, den Tod zu verleugnen. Und wenn sich diese ungeheuer wichtigen und wertvollen

Konfrontationen in der äußeren Realität nicht mehr herstellen lassen, dann gerate ich plötzlich bei Nacht an einen solchen gebannten Reflex aus der Vergangenheit, und dies führt zu einem äußerst gesteigerten Selbsterkennen, zu einer merkwürdigen Empfindung von Sicherheit, da besteht diese längst vernichtete Straße, dieser Garten, dieses Haus hinter dem Gezweig weiter fort, zu keinem andern Zweck, als mir zu zeigen, daß ich selbst vorhanden bin. Ich blätterte dann in Fotos, hier richtete ich mich im Kinderwagen auf, im Frühjahr 1917, mein Vater, in der Uniform des kaiserlich-königlichen Leutnants, hielt seine Hände um mich, meine Mutter, in langem weißem Kleid, breitrandigem Hut mit Straußenfedern, hatte ihre Hand unter seinen Arm geschoben, wir standen vorm Zauntor in Nowawes, Berliner Straße 146, an meinem Geburtshaus. Der hohe steinerne Pfosten, an dem das gußeiserne Tor hing, war auf dem Foto von 1934, als wir das Haus kurz vor der Emigration besuchten, in der Grundstruktur noch erkennbar, wir standen vor den gleichen Ziegelsteinen, von denen die angemauerten Gesimse jetzt abgeschlagen waren, und das Eisengitter war von einem Lattenzaun ersetzt worden, ich war siebzehn Jahre alt, in Knickerbocker-Hosen und zugeschnürtem Wintermantel, und mein Blick richtete sich nun auf den Betrachter aus gleicher Höhe wie der Blick meines Vaters, der ernst und trübe war, gezeichnet von der Schwere des Bevorstehenden. Auf einem Foto aus dem Jahr 1920 zeige ich mich als Guerillero, in Bremen, wohin wir übersiedelt waren, im Garten der Grünenstraße, im Winkel der hohen Mauer und der von Efeu umwachsenen Laube, ich reite auf einem schwarzen Pferd, das auf einem Brett mit Rädchen steht, und halte ein Gewehr in der Hand, die Abendsonne wirft unsern langen Schatten auf den Kiesweg. Und kurz vorm Ende ihres Lebens gehen meine Eltern mir noch einmal entgegen, im Park eines Kurhauses im Spessart, und bei diesem Bild ist nicht mehr wiederherzustellen, nicht mehr gutzumachen, da ist diese große unglückselige Familie, die wir einmal abgaben, längst zersprengt, und was an Fotografien auch noch dazwischengeschoben werden kann, aus dem Garten der Marcus-Allee im Bremer Vorort, aus den Ferien in Hammereisenbach, am Timmendorfer Strand, aus Chislehurst in Kent, aus Alingsås, wo unser Haus am Rand eines Sees zwischen blühenden Apfelbäumen stand, es wird immer nur der Abglanz einer mühsamen Zusammenscharung gezeigt, eines uneingelösten Versprechens, und von

dieser Gruppe, bestehend aus Vater, Mutter und Kindern, vor den
Stufen zur Haustür, vor der Hecke zum Garten, bleibt nichts
übrig als die Gewißheit, daß wir unfähig gewesen waren, miteinander auszukommen. Und nur in dem Starren auf diese kleinen
vergilbten Bilder, oder beim Blick hinein in die nächtlichen Aufspeicherungen, lebt etwas auf von dem, was sich nie erfüllen ließ,
von der Nähe, der Greifbarkeit, dem Verlangen nach gegenseiti-
gem Vertrauen, von all dem was uns beim Zusammensein versagt
war. Oft geht es mir beim Schreiben, beim Heraufbeschwören
von Einzelheiten, beim Umkreisen größerer Zusammenhänge,
um die Wiederherstellung von etwas Verlorenem, das vielleicht
noch vorhanden war, als meine Eltern mit mir vorm Gartentor in
Nowawes standen, das mich aber schon in der Grünenstraße, wenige Jahre später, in jenen Hinterhalt getrieben hatte, aus dessen
Efeudschungel ich ängstlich, die hölzerne Flinte umklammernd,
spähte.

30. November 1970

Nach dem ersten Durchschreiben des Hölderlin-Stücks, dem Entstehen der ersten Fassung, dem Abschluß der ersten Runde eines Arbeitsprozesses, der ohne Widerstände, aus eigener Kraft, eigenem Antrieb verlief, trat ich den gewohnten Gang um das Tiergartengewässer an, es wurde schon dunkel, um drei Uhr nachmittags, über der Stadt war der Himmel von der untergegangenen Sonne gefärbt, in den Parkwegen brannten die Lampen, niemand begegnete mir, das Eis knisterte unter den Schuhen, es geschah nichts andres, als daß ich den Weg entlang ging, bis zur Brücke, die über den Kanal führt, dann durch die schwarze Waldung zurück zur Stadt, deren Silhouette auf Goldgrund nach Naturschilderungen verlangte und die mir, beim Näherkommen, die mächtigen Häuserfassaden des Strandvägen entgegenstreckte, mit Fensterreihen, die alle vom glühenden Horizont erleuchtet waren zu einem einzigen riesigen Fest das, da ich die Straße betrat, schnell erlosch.

7. Dezember 1970

Mein Atelier in der Stockholmer Altstadt, in dem ich seit dem 6. Juni dieses Jahres nicht mehr war, beginnt, die gleichen merkwürdigen Entstellungen und Verfremdungen anzunehmen, wie meine früheren Arbeitsquartiere. Heute nacht fand ich es nicht mehr an seiner schmalen mittelalterlichen Geschäftsstraße, sondern zwischen den Bauplätzen, Ruinen und Ausgrabungen um die Fleminggata. Das Atelier, das ich mir 1956 eingerichtet, und in dem, mit dem Blick über die Dächer auf den südlichen Stadtteil, ein Jahrzehnt lang meine Bücherproduktion stattgefunden hatte, war hineingeschoben, hineingeschmolzen in die Behausung, zu der ich zum ersten Mal während des Krieges hinaufgestiegen war. Die beiden Wohnungen verschiedener Lebensepochen bildeten jetzt eine Synthese aus einem Vierteljahrhundert unaufhörlicher Versuche, Erwägungen, Formulierungen, aus einem unendlichen Kritzeln, Erfinden, Verwerfen und Neubeginnen. Das Gehäuse, das ich in der Nacht betrat, strahlte solche Verlassenheit aus, daß es anfangs unkenntlich war und sich dann nur mit Mühe den Räumlichkeiten anpassen ließ, die in den Erinnerungen vorhanden waren. Impulse, denen es darum geht, Kontinuitäten im Gedankeninnern zu erhalten, hatten mich dorthin geführt, um Fragestellungen, die ungelöst geblieben waren, Gestaltungen, die weitergeführt werden sollten, wieder aufzunehmen. Genau vor einem halben Jahr hatte ich die Anfänge des Hölderlin-Stücks auf dem Tisch neben der Schreibmaschine zurückgelassen, und anstatt am folgenden Morgen zur alltäglichen Tätigkeit die fünf Treppen zu ersteigen, lag ich an den Kanülen, Schläuchen und elektrischen Drähten der Intensivabteilung des Krankenhauses, und einen Monat darauf, da ich nicht beerdigt, sondern mir noch ein Aufschub gewährt worden war, gelangte alles, was sich im Arbeitsraum der Altstadt angesammelt hatte, Berge von Manuskripten, Notizblätter, Mappen voller Zeichnungen, Bücher, Archivmaterial, in unsre Wohnung im Stadtzentrum, wo ich nun die nach der Krankheit zurückgebliebene Unsicherheit zu überwinden suchte. Nach dem Sommermonat im Krankenhaus hatte der Übergang von einem Schreibtisch zum andern etwas Beruhigendes, es waren keine Mühen damit verbunden, die praktischen Schwierigkeiten des Abbrechens, des Transports und des Neuaufbaus hatte G übernommen, der neue Platz, den alles gefunden hatte, war organisch richtig, entsprach der bevorstehenden Situation, ich vermißte nicht den hellen eingesessenen Raum drüben auf der Insel hinter dem Schloß, ich vergaß ihn fast, verdrängte ihn aus den Gedanken, denn an eine Rückkehr war vorläufig nicht zu denken, da diese mit Anstrengungen verbunden war, die ich mir zur Zeit nicht leisten konnte. Erst heute nacht unternahm ich den Versuch, in das Abgelegte und Vergessene, in die Treppen, Gänge und Gewölbe einzudringen, hinter denen sich die Dachzimmer, mit den Deckenbalken, den weißgekalkten Wänden verbergen mochten, und es war wie beim Aufsuchen der Wohnung an der Fleminggata, ich gelangte an Stufen und Türen, auf Balustraden und in Kammern, die ich noch nie wahrgenommen hatte, und die sich meinem Arbeitsort jetzt doch hinzufügen ließen. Überrascht über die Größe, die neuen Möglichkeiten in diesem Raum ging ich umher, Nachbarn traten mir entgegen, die ich nicht kannte, und Fremde hatten sich, wie sie es auch oben in der Fleminggata zu tun pflegten, zwischen den Überresten meiner Vergangenheit angesiedelt. Indem der Raum seine reale Masse verloren und sich zum Unüberblickbaren erweitert hatte, bewegte ich mich bald mit der Freiheit dessen, der mit seinem Schritt nicht mehr an konkrete Schwellen und Wände zu stoßen braucht, bis sich der Raum nach meinem Verlangen hierhin und dorthin öffnete, völlig meinen Einfällen, meinen spontanen Wünschen ausgeliefert. Daß ich in dieser Nacht einzog in die leere Werkstatt, hatte seinen Grund im Auftauchen der Wölfin, deren Gestalt das Haus beherrschte. Ihre Schnauze, mit dem scharf gebleckten Gebiß, weckte nicht Furcht, sondern Zorn in mir, Zorn und Wut über ihre Raublust, mit der sie mir meinen Arbeitsplatz entreißen wollte. Sie, die sich in ihrem irdischen Dasein als Wohnungsvermieterin darstellt, hatte meine Krankheit dazu benutzt, mir den Vertrag zu kündigen, in der Hoffnung, daß ich, geschwächt, vielleicht schon im Sterben liegend, nicht mehr fähig wäre, in der gesetzlich bewilligten Wochenfrist alle notwendigen Gegenschritte zu meiner Verteidigung einzuleiten. Da ich das Atelier im Dachboden auf eigene Kosten hatte herrichten lassen, bedeutete eine Übernahme der Räumlichkeiten für sie einen beträchtlichen Gewinn. Aus dem Dickicht der Erpressungs-, Übervorteilungs-, Betrugs- und Zerfleischungsgesellschaft fauchte mich die behaarte Schnauze der Wölfin an. Sie schien ihrer Sache sicher zu sein, ihr Sohn stand schon mit seinem Hausrat vor der Tür, um sich zwischen den Wänden einzunisten, und ein großes Zischen und Knurren richtete sich gegen mich, der ich die Frechheit besaß, noch zu leben, und juridischen Beistand zu mobilisieren. Das Eindringen in mein Atelier war bedingt vom Haß gegen die Ausbeuter, die Wohnungen und Werkstätten in den Händen halten, um höchsten Gewinn aus der Existenzgrundlage andrer zu schlagen. Frau Hammar, die Wölfin, war es, die mich, nach längerer Ruhezeit, wieder in den notwendigen Kampf aufs Messer zog, und ich war nicht gesinnt, ihr den Fraß, aus Überdruß, aus Ermattung, in den Rachen zu werfen, ich war hier heraufgekommen, um den Raum in meinen Gedanken aufs neue herzustellen und zu bewachen.

9. Dezember 1970

Was ich versuchsweise über meine Situation aufzeichne ist das Ergebnis eines ständigen dialektischen Prozesses. Ich denke in der Form von These und Antithese, meine Reaktionen und Entschlüsse werden von dem daraus entstehenden Konflikt bestimmt. Ein definitives Ergebnis der Gedankentätigkeit kann es nicht geben, die Synthese liegt in der gesamten Existenz. Wenn ich schreibe, so bin ich gleichzeitig der Kritik an mir selbst in solchem Maß ausgesetzt, daß mir, vor allem in ideologischen Fragen, fast jede Äußerung anfechtbar erscheint. Dies hindert mich an einer praktischen organisatorischen politischen Arbeit. Meine Funktion als Autor liegt darin, daß ich infrage stelle, anzweifle, mich nie begnüge mit dem Fertigen, dem Vorgeschriebenen. So wie ich nicht dem traue, was ich selbst aufschreibe und alles dem oft quälenden Zwang des Überprüfens aussetzen muß, so können mir auch die politischen Richtlinien und Strategien nur zur Unterlage dienen für Erweiterungen und Erneuerungen. Lange Erfahrungen haben wohl zu grundsätzlichen Entscheidungen geführt, ich weiß, auf welcher Seite ich stehe, wo sich der Hauptfeind befindet, das politische Ziel ist bestimmt, von allen Zweifeln befreit, doch die Zeit der Bewegung auf dieses Ziel hin ist geprägt vom Dualismus. Solange ich mich mit subjektivem Material befasse (wenn es das überhaupt gibt), wird das Schwankende, Fließende, Widerspruchsvolle nicht störend empfunden, auf natürliche Weise spiegelt sich darin die Vorstellung, die ich von mir selbst habe. Doch richte ich meine Aufmerksamkeit auf die soziale Wirklichkeit, und will ich mich zwischen den Einflüssen, denen ich ausgesetzt bin, orientieren, gerate ich in das Dilemma, das von der Forderung erhoben wird, Eindeutiges und Konkretes auszusagen. Ich habe das Gesetz der Gegenständlichkeit als primär materielle Eigenschaft aller Dinge und Beziehungen anerkannt, und versuche, danach zu handeln. Die öffentliche Äußerung ist gegenständlich, greifbar, politisch. Sie muß unbestechlich, integer sein. Wie aber soll sie dies werden, da der dialektische Materialismus sich uns nicht länger als etwas absolut Eindeutiges darstellt, und da die damit zusammenhängenden historischen Perspektiven, sowohl beim Blick in die Vergangenheit, als auch beim Blick in die Zukunft, vielfach gebrochen, entstellt, verdunkelt wurden und antagonistisch geworden sind. Meine Einstellung gegenüber dem Problem der Parteizugehörigkeit, gegenüber der Kulturpolitik in der

Sowjetunion und der DDR, gegenüber dem Zwiespalt zwischen revolutionärem Sozialismus und friedlicher Koexistenz ließe sich am besten in dramatischer Form darstellen. Was mich bei der subjektiven Überlegung hin und herwirft zwischen Gedankenpolen, erhält im Stück eine feste Ebene, auf der sich unterschiedliche Ansichten, Behauptungen und Lösungsvorschläge gegeneinander ausspielen lassen. Wenn ich für mich schreibe, so muß ich meinen eigenen Angriffen Rede stehn und mich für jede Entgegnung selbst verantwortlich machen, doch die Übertragung dieser manchmal unerträglichen Zerreißprobe auf eine Vielzahl von Sprechern, die die für mich unlösbare Problematik in verteilten Rollen aufnehmen und prismatisch beleuchten, ist eine Therapie, mit der sich die Schwierigkeit, als Einzelner zu haltbaren Ergebnissen zu kommen, überwinden läßt. Versetze ich die in mir verwurzelten Gegensatzpaare auf eine Bühne, so läßt sich meine Zweifelsucht mit gutem Gewissen betrachten, und alles was mir sonst beim Schreiben den Boden unter den Füßen wegreißt, nimmt Beständigkeit und Überzeugungskraft an. Das Stückeschreiben ist ein äußerst effektiver Kniff, Nutzen aus der eigenen anarchischen Unruhe zu ziehn, und diese für sich arbeiten zu lassen, es ist ein Unterrichtsmittel zur Erwerbung von Kenntnissen über sich selbst, die man sonst nur schwer eingestehen würde. Beim Schreiben dieses Tagebuchs muß die Instabilität überwiegen, sie ist sogar die Voraussetzung für die Notizen, die nichts andres reflektieren wollen als den inneren Disput. In einem Schauspiel dagegen könnte ich mit allen Argumenten für den Vertreter des bewaffneten revolutionären Kampfs eintreten und ihm den Fürsprecher der geduldigen, disziplinierten Parteiarbeit gegenüberstellen, ich könnte die Bedeutung des Ersten Arbeiterstaats durch eine Figur verteidigen lassen und in einem Kontrahenten alles zur Sprache bringen, was das Ansehen der Sowjetunion untergraben hat. Auch ließe sich von diesem Podium aus am besten die Frage erörtern, ob die Wichtigkeit, die wir der Literatur und Kunst beimessen, tatsächlich dem Raum entspricht, die von den kulturellen Äußerungen in der allgemeinen Produktion eingenommen werden, ob denn unser ständiger Ruf nach Ausdrucksfreiheit, unsre plagsame Forderung auf Wahrheit, von Staat, Partei und Bevölkerung überhaupt ernst genommen werden kann. Da kann es dann heißen, daß wir uns in der alltäglichen Arbeit dem bestmöglichsten Vorgehen zur Verfügung zu stellen haben, und daß die Fehlerhaftigkeiten mit normalen menschlichen Schwächen in Einklang zu bringen sind. Mit deinen hochgestellten Aufgaben bleibst du doch in einem esoterischen Kreis, was du dir sonst auch immer über deine Zusammengehörigkeit mit den großen gesellschaftlichen Bestrebungen zurechtlegen magst. Die Antwort allerdings, die du darauf zu finden hast, ist, selbst wenn sie im Rahmen der Objektivität formuliert wird, von subjektiver Art, nur nach eigenem besten Ermessen kannst du die Auseinandersetzung zusammenfassen. Du würdest deinen Protagonisten sagen lassen, daß sich aus den Produkten der Kulturarbeiter stets der Zustand der Gesellschaft, in der sie wirksam sind, ablesen läßt. Mit ihrer Tätigkeit peilen sie die Möglichkeiten aus, die dem Bewußtsein in der Realität gegeben sind. Sie untersuchen in jedem Vorkommnis die Bestandteile, die sich weiterentwickeln, verändern lassen. Sie begegnen in jedem ausgegebenen Organisationsentwurf, jedem Handlungsplan der innewohnenden Gefahr der Erstarrung und Konformität. Findest du diese Aktivität in einer Gesellschaft erstickt, so ist auch diese Gesellschaft krank vor Atemnot.

10. Dezember 1970

Mein Stück ist zu verstehen als ein persönlicher Kommentar zu Hölderlins Gedichten, zu den Dokumenten über sein Leben. Obgleich Hölderlin selbst kaum zititert wird, nehmen seine eigenen Schriften für mich den Vordergrund des Stückes ein, sie sind es, die zunächst gelesen werden müssen, will man ein Bild von seiner Bedeutung gewinnen. Daß Hölderlins Werk zu meinem geistigen Besitz gehört, zu einem Besitz, der mich ständig begleitet, ist die Voraussetzung zu dieser Arbeit. Doch kann ich dieses Werk immer nur teilweise aufschlüsseln, es regt jedes Mal zu neuen Deutungen an. Obgleich ich es seit Jahren kenne, kann ich nicht sagen, daß ich es im Ganzen verstehe. Einige Zeilen genügen mir, selten nur habe ich ein Gedicht, mit all seinen Wortbildern, all seinen Ausblicken und Vertiefungen, all seinen Schwankungen in der zeitlichen und räumlichen Dimension, vom Anklang bis zum Abtönen, fassen können. Zwar ist mir ein großer Teil der Literatur über Hölderlin bekannt, ich habe die wissenschaftlichen Erläuterungen, die Lesarten der Gedichte studiert, vor allem aber habe ich sie subjektiv aufgenommen, habe meine eigenen Erfahrungen in sie hineingelesen. Ich erhebe keinerlei Anspruch darauf, ein Hölderlinkenner zu sein, ich greife aus dem Werk, das seinem Umfang nach gering, seinem Inhalt nach jedoch umfassender ist als das der meisten Klassiker, immer nur Visionen heraus, auf die mein Blick gerade stößt. Diese Visionen sprechen immer von der Gesamtheit. Ich könnte keine Zeile finden, die für sich dasteht, sie erhält ihren Widerklang, ihre Weiterführung, Modulierung, Variation in jeder andern Einzelheit. Ich versuche, den Blick auf Hölderlins Lebensart, seinen Lebenskonflikt, seine ungeheure gedankliche Beweglichkeit zu lenken. Das Schreiben dieses Stückes macht nur einen geringen Teil aus von meiner Beschäftigung mit Hölderlins dialektischem Dasein. Nach dem Schreiben des Stücks werde ich untersuchen, in welcher Hinsicht ich Hölderlin verstanden, oder mißverstanden habe. Diejenigen, die sich mit fundierten Kenntnissen der Literaturgeschichte, der Poetik, der Philosophie mit Hölderlin befassen, und darin ein Spezialistentum entwickelt haben, werden ihren Dichter, in der Gestalt, die ihm hier zugeteilt ist, vielleicht garnicht wiedererkennen. Sie werden meinen, es seien ihm hier Dinge zugeschrieben, die mit dem Dichter Hölderlin nichts zu tun haben. Wie beim Lesen seiner Niederschriften, so hole ich mir auch beim Schreiben dieses Stücks Hölderlin in meine Gegenwart, und benutze das, was er in mir anregt dazu, eine Gestalt entstehen zu lassen, die eine Problematik ausdrückt, die für mich aktuell ist. Es ist weder ein dokumentarisches, noch ein historisches Stück. Es ist ein Stück aus dem Gegenwärtigen, verfremdet nur durch die Hineinversetzung in eine vergangene Epoche. Hölderlins psychologische Reaktionen sprechen von den gleichen Gefahren, die auch uns bedrohen. Er gibt ein extremes Beispiel dafür, wie der Druck der Außenwelt einen solchen Grad von Unerträglichkeit annehmen kann, daß nur noch die Flucht in die innere Verborgenheit übrigbleibt. Daß er in eine totale Entfremdung geworfen wurde, steht über allem Zweifel, es wäre sonst nicht möglich, nach einem Jahrzehnt intensivster poetischer Aktivität, vier Jahrzehnte in der Isolierung des Turms auszuharren. Doch scheint ihm, nach der ungeheuren Anspannung bei der Suche nach einer neuen universalen Sprache, der Sinn für die Zeit gewichen zu sein. Er lebt in einem gleichbleibenden Zustand, in einer Grenzregion dahin. Im Stück vermag ich diesen Zustand nur andeutungsweise darzustellen. Diese vierzig Jahre forderten ein eigenes Stück, das zu schreiben ich noch nicht fähig bin. Ich verwende bei der Arbeit Hölderlins eigene Souveränität, mit der er sich über die Begrenztheiten, die Normen und Gesetze des realen Lebens hinwegsetzte. Sein Griechenland, das er nie gesehen hatte, ist der gleiche Handlungsraum, der auch einem Trotzki, einem Che Guevara bekannt war. Die Unmenschlichkeit, die Ignoranz und Brutalität der Außenwelt, die ihn schließlich niederstreckten, ohne ihn jedoch zu besiegen, sind die gleichen, die vielen heutigen Revolutionären allmählich die Kraft nehmen, und sie in die Irrenhäuser und Hungertürme der zeitgemäßen Übermächte werfen. Wenn er seinem Jakobinismus abschwört, so tut er dies nur, weil er unter den gleichen Terror geriet, dessen Wahngebilde in den politischen Prozessen unsres Jahrhunderts den Angeklagten die Umnachtung aufzwangen. Ich bewerte dieses Stück, mehr als irgendeine andre meiner bisherigen Arbeiten, als Unterlage für meinen eigenen Versuch, die Widerstände, Widersprüche und Verbautheiten ringsum in mein Blickfeld zu rücken und mit ihnen fertig zu werden.

12. Dezember 1970

In dem Grad, in dem sich die Resultate der linken Meinungsbildung in der Öffentlichkeit bemerkbar machen, verschärft sich auch der Widerstand innerhalb der bürgerlichen Institutionen und Massenmedien. Presse, Rundfunk, Fernsehn verschließen sich uns. In meinem Fall lässt sich diese Umstellung genau auf die Veröffentlichung der 10 Arbeitspunkte, September 1965, datieren. Zwar blieb mir die Möglichkeit der Verlagspublikationen erhalten, im übrigen aber vollzog sich eben das, was ich in den Arbeitspunkten fomuliert hatte. Meine politischen Stücke wurden in der Bundesrepublik ihrem Inhalt nach kaum mehr besprochen, die Aufführungen zum größten Teil negativ kritisiert. Literarische Auszeichnungen und Preise, die zur Zeit der Publikation meiner Prosabücher auf mich zukamen, standen selbstverständlich nicht mehr zur Diskussion. In Schweden wurden meine Arbeiten von der Kritik überhaupt nicht behandelt, mit Ausnahme von ein paar versteckten Hinweisen in literarischen Zeitschriften. Nach dem totalen Verriß des Angola-Stücks wurde nur noch der Mockinpott von ein paar kleineren Theatergruppen gespielt. Weder der Viet Nam Diskurs, noch Trotzki im Exil kamen zur Aufführung. Meine Artikel werden von den Tageszeitungen abgelehnt. Diese Entwicklung verläuft in völliger Logik. Jeder muß davon betroffen werden, der seine sozialistische Einstellung deutlich zu erkennen gegeben hat. Doch wenn die konservative Front jetzt auch versucht, ihre Stellungen zu sichern, und wenn sie dabei zeitweilig auch an Stärke gewinnt, so sind ihre Verdunklungskünste doch nicht mehr von gleicher Effektivität wie zuvor. Die Radikalisierung der Gesellschaftskritik hat in den Bastionen der Herrschenden ihre Spuren hinterlassen. Dem langen Druck der Opposition ausgesetzt, haben die Machthaber widerwillig etwas von ihrem Niedergang, ihrer Korruption zuzugeben. Dies zeigt sich vor allem im Hinblick auf Viet Nam, diesem ständigen Prüfungsobjekt der Kräfteverhältnisse. Was von den Gegnern des imperialistischen Krieges seit Jahren behandelt, und von der Reaktion ebenso konsequent abgewiesen worden war, wird plötzlich zum akzeptierten Faktum. Die oft wiederholten Berichte der antifaschistischen Seite über das Ausmaß der Zerstörung Nord Viet Nams, über die Bombardierungen Ha Nois und Hai Phongs wurden nicht beachtet, doch die Artikelserie des liberalen Journalisten Salisbury in den New York Times machte die Wahrheit von einem

Tag zum andern annehmbar. Niemand hörte auf die Bekanntgebung der Mordtaten von Song My, und die Schilderungen ähnlicher Massaker, durch die Publikationen der FNL und der DRV, glaubhaft wurden sie erst, als amerikanische Reporter viele Monate später darüber schrieben. Die unmenschlichen Verhältnisse in den Gefangenenlagern Süd Viet Nams, unzählige Male angeprangert, wurden zur sensationelllen Neuheit, als offizielle Repräsentanten der USA sich über die »Tigerkäfige« äußerten. Ohne die unaufhörliche Wühlarbeit der Kriegsgegner wären solche Zugeständnisse jedoch nie notwendig geworden, auch wenn sie immer noch äußerst vereinzelt auftreten und, da sie im System verwurzelt sind, nie die Gesamtheit der Destruktivität infrage stellen können. Jedes aus seinen Geheim-Verpackungen, aus seiner Verborgenheit hervorgehobene und der allgemeinen Anschauung überlieferte Detail aber spricht von einem Sieg der Guerilla in den kapitalistischen Ländern. Noch stehen die Eröffnungen aus über die umfassende Planung und die ersten Phasen des neo-kolonialistischen Eroberungskrieges der USA. Wir wissen längst, daß der sogenannte Zwischenfall in der Bucht von Tonking eine reine Provokation war, aus der der Anlaß zur Bombardierung Nord Viet Nams hergestellt wurde, wir wissen, daß das Pentagon seit 1954 immer wieder den Einsatz atomarer Waffen in Indochina erwog, wir kennen die ausgearbeiteten Pläne der Taylor, Staley, Rostow, McNamara und andrer, zur stufenweisen Vernichtung der Lebensgrundlagen in der Demokratischen Republik Viet Nam, uns ist bekannt, wie Kennedy unter falschen Vorspiegelungen der amerikanischen Bevölkerung das »Engagement« der Vereinigten Staaten in Südost-Asien verhüllte, doch bedarf es noch bestimmter antagonistischer Verschiebungen in der amerikanischen Gesellschaft, einer Ausweitung der Kriegsmüdigkeit, eines wachsenden Desinteresses der Großindustrie am Krieg, eines Nachlassens des monopolistischen Profits im »Vietnam-Sektor«, oder parteipolitischer Schachzüge im Kampf um den Präsidentenposten, ehe auch dieses Material von der westlichen Welt mit »Überraschung« und »Bestürzung« aufgenommen werden kann. Der Viet Nam Diskurs enthält in seinem zweiten Teil die Darstellung der Vorbereitungen zum Genocid, unter Eisenhowers und Kennedys Regierung, bis zum Einsatz der Großangriffe unter Präsident Johnsons Befehl. Es wurde mir, wie allen andern, die über die Hintergründe des imperialistischen Vorhabens in Indochina Bericht erstatteten, parteiische Haltung, Einseitigkeit, Übertreibung oder die Verwendung freier Erfindungen vorgeworfen. Auch mein sowjetischer Freund Ginzburg empörte sich in seinem Offenen Brief an mich in der Literaturnaja Gaseta darüber, daß ich in diesem Stück, das nichts als kalte Geometrie sei und nur schematische Figuren enthielte, den verstorbenen Präsidenten Kennedy unglaubwürdige akrobatische Kunststücke vollführen ließe. Er, der sowjetische Intellektuelle, wollte, ebenso wie die bürgerlichen Kritiker es taten, Kennedy die ehrenwerte Rolle eines Friedenspräsidenten zuschreiben, er lehnte sich auf gegen die Zeichnung eines Kennedy, der ein Sprachrohr der gleichen Tradition war, wie sie vor ihm von Truman und Eisenhower, und nach ihm von Johnson und Nixon vollstreckt wurden. Doch wenn es einmal so weit ist, nach unsern Vorarbeiten, Kennedy als den Initiator der »Säuberungsaktionen« und des »Spezialkriegs« hinzustellen, und Johnsons und Nixons Rolle im totalen Vernichtungskrieg zu beleuchten, so wird gleichzeitig auch der Versuch unternommen werden, die Aufdeckung der Machenschaften als ein Zeichen demokratischer Freimütigkeit auszuwerten. Seht, so wird es heißen, diese Offenheit und Selbstkritik ist bei uns möglich, im Gegensatz zu den kommunistischen Diktaturen, so funktioniert bei uns die Meinungsfreiheit, und unter dieser Lobpreisung, in die alle Opinionsbereiter des Westens einstimmen, können die inneren Zusammenhänge des Systems noch einmal versteckt werden. Der Kampf um die Aufdeckung des Unterdrückungsmechanismus wird von einer Position aus betrieben die den Herrschenden gegenüber dem Verhältnis eines Flugblatts zur riesigen Rotationspresse entspricht. Und doch durchsetzen die Aktionen derer, deren Massenmedium die Straße ist, allmählich den gesellschaftserhaltenden Überbau, sie sind es, von denen die entscheidenden Veränderungen hervorgerufen werden.

19. Dezember 1970

In diesem Journal, das ich neben der Arbeit am Hölderlin-Stück führe, überwiegen die Eindrücke der sozialen, politischen Welt, obgleich meine Absicht war, beim Beginn vor vier Monaten, eher die versteckten nächtlichen Bilder zum Ausdruck zu bringen, eher einer Stimme Gehör zu schaffen, die von den rationalen Erwägungen beiseite gedrängt worden war. Meine Aufmerksamkeit aber wurde immer wieder in Anspruch genommen von den Ereignissen, die bei Tag auf mich eindrangen. Vieles von dem, was in nächtlichen Impulsen und Begegnungen aufgeklungen war, ist jetzt im Stück enthalten, vieles aber auch sank wieder zurück und blieb mit seinen Emotionen unter der vordergründigen Wirklichkeit liegen, der mein Interesse sich zuwandte. Ich weiß nicht, ob ich einen Fehler beging, indem ich ein Anliegen wieder beiseite drängte und mich in eingefahrene Spuren zurückgleiten ließ. Doch bin ich unlöslich verbunden mit den Problemen und Konflikten der Außenwelt, meine Gedanken, meine Stimme sind Bestandteil dieser Totalität und spiegeln auch noch im Unartikulierten, im Traumbild nichts andres als die ständige Beziehung zu den Erscheinungen draußen, und jeder Versuch, sich davon zu entfernen, ist eine Illusion, denn es ist nichts vorhanden in mir, was nicht seinen Ursprung, seinen Anstoß fand in der greifbaren Realität. Mein Weg in konkrete politische Zusammenhänge, in soziale Zugehörigkeiten, in parteiliche Entscheidungen, entstand in den frühsten Regionen, in Straßen, Höfen, Gärten, wo sich aus Zusammenstößen und Reaktionen die erste Vorstellung eines eigenen Daseins zwischen andern Lebewesen formte. Zuerst durch die Auffassung eigener Schwäche gegenüber einer Bedrängung, Bedrohung und Feindlichkeit, dann durch die Einsicht, daß auch andre den Übermächten ausgeliefert waren, entstand allmählich das Bewußtsein der Zusammengehörigkeit mit Unterdrückten und Verfolgten, lange noch bevor es auf einen soziologischen Nenner gebracht werden konnte. Weil das Gefühlsmäßige im Erlebnis der Ausgesetztheit überwog, weil das Leben, wie es sich mir zeigte, von Beängstigungen und Schrecken überlagert war, weil alles ringsum unter dem Zeichen eines mythologischen Kampfes zwischen Gewalttätern und deren Opfern stand, deshalb blieb die Fähigkeit eines sachlichen, objektiven Erkennens aus, und ich mußte erst in das Stadium geraten, in dem die eigene Machtlosigkeit an sich selbst zugrunde ging, ehe ich, mit völlig neuen Bewertungen, noch einmal beginnen konnte. Zu jener Zeit hatte ich mich in mich selbst zurückgezogen, es war in den letzten Kriegsjahren, den ersten Jahren nach dem Krieg, ich war aus allen Zusammenhängen herausgerissen, und es dauerte fast ein Jahrzehnt, bis sich diese Notlage, diese totale Nutzlosigkeit überwinden ließ. Ich war beim Neuanfang in einem Alter, in dem sonst die berufliche und soziale Stabilität im Leben erreicht ist, ich war über vierzig, als mein erstes deutschsprachiges Buch erschien, und erst von 1960 an, da ich nicht mehr aus einer Isoliertheit heraus schrieb, sondern zum ersten Mal eine Resonanz fand, versuchte ich, meine Erfahrungen aus dem subjektiven Kreis zu lösen und auf eine breitere gesellschaftliche Ebene zu übertragen. Kritiker haben oft spöttisch vermerkt, daß ich ein politischer Anfänger und Dilettant sei, daß meine allzu spät erworbenen marxistischen Kenntnisse mangelhaft seien, und sie haben recht, natürlich wäre es besser gewesen, hätte ich schon in jungen Jahren Anschluß an sozialistische Lehrer und Organisationen gefunden, sie hätten mich vielleicht vor der falschen Einschätzung meines eigenen Niedergangs bewahrt und mir, durch eine Analyse der Situation, mehr Kraft zum Durchhalten gegeben. Doch vielleicht hätte eine solche frühzeitige Bindung mich auch dem Dilemma ausgesetzt, in dem viele nach der Katastrophe des Stalinismus ihren Mut verloren. Auch hat mich das Ausbleiben einer frühen parteipolitischen Festlegung vor dem Dogmatismus bewahrt, und die grundlegende Eigenschaft des Zweifelns, der Skepsis, die lange unbestimmte Suche nach Existenzformen, hat jede Anbahnung einer Bestechlichkeit unmöglich gemacht. Am 6. Juni dieses Jahres, als der Endpunkt überdeutlich vor mir stand, überwog die fast euphorische Empfindung, daß ich nicht aus einem verfehlten und verpfuschten Leben herausgerissen würde, sondern daß das Zurückgelassene richtig gewesen sei. Es gab kein Bereuen, nicht die furchtbare, zu spät kommende Einsicht, daß ich alles hätte anders machen sollen. Das Wissen, daß jeder Tag der letzte sein kann, und daß der letzte Augenblick voller Versöhnung ist, begleitet mich seitdem, es entsteht daraus keine großartige Lebensphilosophie, es stellt sich dar als eine einfache, allgemeingültige Tatsache, es stärkt mich darin, daß der Lüge, dem Betrug, der Fälschung einer Sache, der Unterdrückung des eigenen Wahrheitsbedürfnisses nie nachgegeben werden darf, und daß es keine Instanz gibt, die mich dazu zwingen könnte. Der einzige Maßstab, der Gültigkeit hat vor diesem entscheidenden Augenblick, ist das eigene Urteil, kann ich eintreten für das was ich erreicht habe, bin ich selbst ganz darin enthalten. Und wenn ich nicht daran zweifle, daß ich nach besten Kräften das subjektiv Richtige tat – auch wenn das Zweifeln zum Existieren gehört – dann ist es bedeutungslos, welcher Wert darüber hinaus noch übrig bleibt, ob es noch Beständigkeit für andre hat oder gänzlich mit mir untergeht, gültig ist nur die Antwort, daß ich mir vorstellte, eine bestimmte Funktion erfüllt zu haben. Und diese Funktion ist ein Aufnehmen von Eindrücken, deren Verarbeitung nach persönlichen Perspektiven, die Einbeziehung aller Widersprüche, Schwankungen und Revidierungen, das ständige Erweitern des Blickfelds, das Abweisen des Definitiven. Die Stellungnahmen zur äußeren Wirklichkeit können zeitweise überwiegen, zu andern Perioden ist das Fremdartige, Entlegene, schwer Artikulierbare wichtiger, doch immer ist das Feste und das Fließende gleichzeitig vorhanden, mitten im riesigen sozialen, politischen Kräftespiel befindet sich das eigene Gedankenzentrum, ein Schwamm, saugend, dunkel schwappend und phosphoreszierend.

20. Dezember 1970

Im Verlag, und bei Martin Walser, liegen jetzt Kopien des Manuskripts, doch bedeutet dies nicht, daß das Stück fertig ist. Es konfrontiert sich, versuchsweise, mit der Außenwelt, wartet auf Reaktionen. Die Arbeit geht weiter. Viele Stadien müssen noch durchlaufen werden, ehe der Punkt erreicht ist, an dem Hölderlin auf die Bühne steigt. Der Mechanismus ist immer der gleiche, kaum ist ein Zyklus im Prozeß des Schreibens abgeschlossen, bahnt sich schon der nächste an, auf dem Rückweg von der Post, nach der Versendung des Pakets, richten die Gedanken sich bereits auf alle die Einzelheiten ein, die verändert werden müssen. Die Hauptfrage ist, wird das Gegensatzverhältnis deutlich zwischen der Titelfigur und denen die sie umgeben, an denen sie sich mißt, von denen sie sich abhebt. Ist die Verschärfung in der Zeichnung der Kontrahenten überzeugend, ist es statthaft, Hegel, Schelling, Schiller, Goethe und Fichte in dem Sinn gegen Hölderlin auszuspielen, wie es das Drama verlangte. Trotz der Bedeutung, die diese Klassiker in der Geschichte besitzen, habe ich darauf verzichtet, ihren Entwicklungsgang ausführlich zu beleuchten, ich habe von ihnen nur einen Aspekt gezeigt, und zwar denjenigen, in dem ihre negative Auswirkung auf Hölderlin zutage tritt. Während Hölderlin sich kontinuierlich, konsequent bewegt, von Anfang an, bis zu seinem Ende, nicht abweicht von seiner Vision, in Übereinstimmung bleibt mit sich selbst, auch in der Zeit noch, die Umnachtung genannt wird, sind seine großen Zeitgenossen, vernünftiger als er, normaler als er, den Forderungen der Außenwelt in solchem Maß ausgesetzt, daß viele ihrer ursprünglichen Ideale verloren gehn, daß gesagt werden kann, sie haben gegen Ende ihres Lebens das betrogen, was einmal ihr Ausgangspunkt gewesen war. Hegel, Schelling und Fichte werden demnach aus der zugespitzten Sicht behandelt, die sich aus ihrem Spätwerk ergibt. Der Reformismus des alten Hegel, seine betonte Abwehr der Volksmacht, der Revolution, sein Aufgehn in der preußischen Monarchie wird zum stärksten Detail seiner Charakteristik. In ihm tritt die Gestalt des Sozialdemokraten hervor, der sich in unserm Jahrhundert als Feind des Revolutionärs entpuppen wird. Sein philosophisches Werk steht hier nicht zur Diskussion, behandelt wird hier nur sein zur Anpassung neigendes Wesen, das sich als Bremsklotz auswirken muß gegenüber dem expansiven Utopismus Hölderlins. Die mit mythologischen Zügen durchsetzte

Utopie Hölderlins ist jedoch nicht weltfremd, obgleich Hegel, vor allem in der Empedokles-Szene, ihm dies vorwirft, sie ist bedingt von praktischen Erwägungen über das Reich der Freiheit, in dem die staatlichen Begrenzungen zertrümmert sind. Für ihn, den Jakobiner, der sich an Babeuf, an Buonarotti orientierte, bedeutete der von Hegel vertretene Nationalstaat, mit König, Heer und Finanzgewalt, eine unerträgliche Regression. Das Furchtbare in der Beziehung Hölderlin–Hegel liegt darin, daß der Freund, der sich in seiner Jugend gegen die Tyrannei des Feudalismus wandte und sich für die grundlegende Veränderung der Gesellschaft einsetzte, später zum erklärten Gegner eben dieser Veränderung wurde, während Hölderlin mehr und mehr allein stand mit seinem Glauben an die Notwendigkeit der gesellschaftlichen Erneuerung. Schelling war, außer einer kurzen Periode schwärmerischer Begeisterung, der Revolution nie nah. Die Frage nach der Verwirklichung des Reichs Gottes auf Erden wurde von ihm nie so verstanden, daß der Mensch fortan die schöpferischen Kräfte selbst zu tragen habe und für die Errichtung erträglicher Zustände verantwortlich sei. Die praktischen Schwierigkeiten beim Kampf gegen die Nutznießer der Revolution, die unausweichlichen und blutigen Zusammenstöße, unter denen der große Anlauf zermahlen wurde, schreckten ihn so ab, daß er bald zu seinem außerirdischen Gott zurückgelangte. Was Schiller und Goethe betrifft, so werden sie im Stück gezeichnet, wie sie sich Hölderlin tatsächlich darstellten. Es ist zu bedenken, mit welchen Erwartungen Hölderlin, nach der qualvollen Isolierung in Waltershausen, nach Jena kam, um endlich literarische Anerkennung zu gewinnen, und wie verständnislos und überlegen sich die beiden Dichterfürsten ihm gegenüber verhielten. Auch in diesem Fall geht es nicht darum, dem Werk Schillers und Goethes gerecht zu werden, sondern sie nur in den Situationen zu zeigen, da sie dem jungen Poeten gegenüberstanden, dessen neuartige Versuche sie in autoritärster Weise abtaten. Zu Fichtes Auftritt sodann ist zu sagen, daß er das von ihm gepriesene Recht auf Revolution und auf den Gebrauch revolutionärer Gewalt später aufgab. Anstatt sich zu verwirklichen als Revolutionär, verwirklicht er sich als der ewige Liberale, festhaltend am Recht auf Eigentum und plädierend für den mit allen Machtbefugnissen ausgestatteten Staat, dessen Bestimmung es ist, »jedem das Seinige zu geben«. Fichte scheiterte an der damaligen Unaufhebbarkeit der Widersprüche der bürgerlichen Gesellschaft, und überdies zeigt sich in seiner Gestalt das Phänomen, dem deutsche Philosophen und Politiker so oft ausgesetzt sind, daß sie mit sich selbst nicht identisch werden können. Hölderlin, als einziger, hebt sich von dieser Schwäche ab, nichts kann ihn dazu zwingen, sein Gedankenbild zu verleugnen, und wenn der Druck der alltäglichen Forderungen so übermächtig geworden ist, daß er sich in der Außenwelt nicht länger halten kann, als der, der er ist, tut er den letzten genialen Schritt in die freiwillige Einkerkerung. Vielleicht ist er, in seinem Turm, von allen der am wenigsten Gebrochene.

21. Dezember 1970

Die Schwierigkeit, den Abschluß zu einem Arbeitskomplex zu finden, aktualisiert sich auch jetzt wieder. Dies hängt damit zusammen, daß alles was ich schreibe, Teil einer größeren Kontinuität ist, daß ein bestimmter, hervorgehobener Ideenkreis nur das Fragment einer Totalität ausmacht. Es gibt Autoren, die es verstehn, einzelne Abschnitte deutlich aus dem Gesamtmaterial ihres Lebens herauszuschälen. Für mich entsteht jeder Anfang im Formlosen, Unbewußten, Traumhaften, es werden dann, nachdem die ersten Worte daraus hervorgehoben sind, lange Reihen von Gedankenverbindungen festgehalten und ausgebaut, doch wenn sich das Thema schließlich erschöpft hat, tritt die Ungewißheit wieder auf, ich möchte am liebsten alles wieder dem Offenen, dem Unabschließbaren, dem Bereich unendlicher Möglichkeiten zurückgeben, und nur die Konventionen in der Begegnung zwischen Schreiber und Publikum nötigen mich dazu, ein Schlußzeichen zu setzen, mit dem das Ausgesprochene abgerundet, sinnvoll, allgemein verständlich gemacht werden soll. Das Dilemma, daß es an sich kein Finale gibt, und daß ich mich bereits im Übergang zu einer neuen Variation befinde, kenne ich von fast allen Stücken und Prosaarbeiten her. Die letzten Seiten des Fluchtpunkt wirken künstlich, erzwungen, sie spiegeln, nur weil das Buch einmal fertig sein mußte, eine Zusammenfassung, einen Ausblick, eine Überzeugung vor, die es in der Periode, die ich damals beschrieb, garnicht gab. Das Ende des Marat schrieb ich ein Dutzend Mal um, änderte in späteren Auflagen noch daran, und auch der Abschluß der Ermittlung und des Viet Nam Diskurs befriedigt mich nicht. Fast ausnahmslos wird das was ich eigentlich dem Publikum als ein Credo vorstellen sollte, zu einer Notlösung, nur im Kutscher und in dem frühen Text Dokument I war ich konsequent und ließ die Anstrengung des Artikulierens ohne Punkt ins Gestaltlose übergehn. Immer noch fehlt mir zum Hölderlin das richtige, zum Nachdenken und zum Handeln anregende Letzte Wort.

23. Dezember 1970

Fast jeder erlebt die Zerstörung der Stadt mit einer Unlust, die sich von matter Stumpfheit bis zu desperaten Ausbrüchen erstreckt. Vor allem die Menschen, die sich auch in ihrer täglichen Arbeit entfremdet fühlen, reagieren mit Lähmung und Lethargie auf den Zusammenbruch ihres Milieus, während diejenigen, die in ihren Tätigkeiten eine eigene Aktivität entwickeln, ihren Widerstand offen und zornig formulieren. Überwiegend für uns alle, beim Weg durch die Stadt, deren gesamtes Zentrum nunmehr dem Erdboden gleichgemacht wird, ist jedoch die Empfindung der Machtlosigkeit. Die Entscheidungen sind vor Jahren schon getroffen, die Maschinerie ist nicht mehr aufzuhalten, die von der Bevölkerung gewählte Stadtverwaltung hat längst die Vernichtung des historischen Stadtkerns und dessen Verkauf an das Großkapital angeordnet, die beschließenden Instanzen sind nicht mehr anzugreifen, da sie in voller bürokratischer Legalität gehandelt haben, sie können sich auf Reichstagsbeschlüsse und kommunale Abstimmungen berufen, es ist sinnlos, sich zu diesem Zeitpunkt noch über das Geschehene zu empören, da hätten wir vor einem Jahrzehnt schon, als die Umwandlungen vorbereitet wurden, mit massiven politischen Handlungen zur Gegenwehr schreiten müssen, jetzt bleibt uns nichts andres übrig, als zuzusehn und das Unabwendbare geschehen zu lassen. Die inzwischen in den verschiedenen Stadtvierteln entstandenen Aktionsgruppen, die die Erhaltung eines menschenwürdigen Stadtbilds propagieren, die sich einsetzen für die Interessen der Bewohner, die Vorschläge ausarbeiten zur Einschränkung des Automobilverkehrs, der Luftvergiftung, die für Grünanlagen, für die Errichtung von Jugendzentren plädieren, und alle die, die der Opinion Ausdruck geben, daß hier ein Park, dort eine noch überlebende Baumgruppe erhalten bleiben muß, sie alle, obgleich die Sympathien der meisten Stadtbewohner auf ihrer Seite sind, sehen sich in ein Vakuum gedrängt, es zeigt sich, bei allen Versammlungen, allen Aufrufen, allen vereinzelten Verstößen, daß die eigentliche Entscheidungsgewalt, die ihnen Gehör leihen müßte, garnicht zu erlangen ist, hier und da läßt sich ein Beamter der Behörden einmal heranziehn, er tut, als höre er zu, er lächelt zustimmend, er äußert Phrasen des Wohlwollens, doch aus dem Verborgenen kommend läuft alles weiter, durch höhere Gewalt werden dann doch die verteidigten Häuser geleert, die Bewohner zwangsversetzt, hier

ein Block, dort ein andrer Block abgerissen, die Planken und Gerüste stehen einfach da, die Rammböcke beginnen ihr Werk, die
Kapitalstarken behalten immer das letzte Wort und ziehen mit
ihren Büromaschinen, ihren Tresoren, ihren elektronischen Anla-
gen in die neuerrichteten Geschäftsräume ein, und wo Wohnungen in den funktionalistischen Architekturen eingerichtet werden,
so sind sie für den gewöhnlichen Arbeitenden unerschwinglich.
Es zeigt sich jetzt, daß es die revolutionären Gruppen, die proletarisierten Schichten, die Verarmten, die aus der Gesellschaft Aus-
gestoßenen sind, die um die Erhaltung einer kulturellen Tradition
kämpfen, sie als einzige haben Verständnis für diese Werte, sie
wollen sie in ihre eigenen Hände überführen, nicht um sie zu
konservieren, sondern um sie als lebendigen kollektiven Besitz zu
verwenden und zu erneuern. Die Planer, die Technokraten, die
Finanzverwalter, in ihren herrschaftlichen Großwohnungen, in
ihren Villen und Gärten, reden vom Fortschritt und von der Notwendigkeit der Niederreißung des Alten, sie vertreten die Ansicht, daß es reaktionär sei, an einer Stadt festzuhalten, die sich
selbst überlebt habe, und deren Gebäude den modernen Anprü-
chen nicht mehr entsprächen. Sie sagen nicht, daß mit diesen Ansprüchen die vorstürmende Gewalt des überschüssigen Monopol-
kapitalismus gemeint ist, die auf jeden menschlichen Aspekt des
Städtebilds pfeift und nur nach schnellsten, profitgünstigsten
Investierungen verlangt. Und da es nicht die Wünsche der Stadtbewohner, sondern die Wünsche ihrer Exploiteure sind, die im Ma-
gistrat entscheiden, so können die funktionalistischen Prunkbau-
ten ausgespielt werden gegen die Erinnerungen an eine verschlis-
sene Stadt, in der die Häuser, seit Jahren nicht mehr unterhalten,
der Verslumung preisgegeben waren. Wenn wir nun die Straßen-
züge um den weggesprengten Brunkeberg fallen sehn, mit ihren
reich ausgestatteten Fassaden aus dem 17. und 18. Jahrhundert,
ihren Portalen und Giebeln, ihren plasterbesetzten Höfen und
Stallgebäuden, ihren Grundmauern und Kellern, ihren Wand- und
Deckenmalereien, ihren historischen Assoziationen, wenn wir an
den Schutthaufen vorbeigehn, die von all den Häusern und Straßen, die einmal dem Stadtzentrum sein Gesicht gaben, übrigge-
blieben sind, so verliert das Argument, daß diese veralteten unhy-
gienischen Baulichkeiten mit den Ansprüchen der Gegenwart
nicht länger übereinstimmen, jeglichen Halt. Vielmehr wuchs
auch in Stockholm, wie in den meisten kapitalistischen Großstäd-

ten, das inflationistische Gewinndenken an. Die Vermietung von Wohnungen, Werkstätten und Läden in den alten Stadtvierteln war nicht mehr rentabel. Die Haus- und Bodenspekulanten, zu denen auch die Stadtverwaltung gehörte, ließen deshalb planungspolitisch große Teile der Innenstadt verfallen, um sie, nachdem sie abbruchreif geworden waren, an die Höchstbietenden zu verschachern. In den unmodernen Gebäuden waren die Mieten niedrig, hier waren Berufsgruppen ansässig, die weniger auf einen hohen Lebensstandard eingestellt waren, als auf eine Zusammengehörigkeit mit ihrem Milieu, die das Nachbarschaftsverhältnis, die besondere Vitalität dieser Straßen, Plätze und Gassen der Sterilität der neuerbauten Außenbezirke vorzogen. Es mag richtig sein, daß hier noch etwas von Individualität gezüchtet wurde, hier gab es Originale, Künstler, alte Handwerker, Pensionäre, und in den Bierkneipen waren Außenseiter der Gesellschaft zu finden. Der Eindruck einer lebendigen Stadt, die im Besitz ihrer Vergangenheit ist, war für den, der sich durch den jetzigen Staub und das Geröll hindurch noch daran zu erinnern vermag, in dieser Gegend dominierend, und daß nun nichts mehr davon vorhanden ist, zeugt nicht von einem natürlichen Übergang von einer alten zu einer neuen Epoche, sondern von einem Raubmord, der am Allgemeingut begangen wurde. Die Menschen, die hier zuhause waren und hier ihre Arbeit, ihren Handel betrieben hatten, waren der Bereicherungssucht, die sich ausbreitete, nicht gewachsen. Sie vermochten nicht, ihre Ansprüche zur Sprache zu bringen, und auch wenn sie rechtzeitig hierfür eine Organisationsform gefunden hätten, so wären sie von der Übermacht vertrieben worden. Während der Jahre, in denen die Finanzherren die Stadt in ihren Besitz nahmen, wurde nie die Möglichkeit erörtert, daß diese Viertel, die das Herz der Stadt ausmachten, aufgerüstet werden, daß die Fassaden, Wohnungen und Höfe, mit ihrem geschichtlichen Wert, erhalten bleiben könnten, daß sich auch hier zeitgemäße hygienische Verbesserungen installieren ließen. Dies war undenkbar, weil sich aus den gering Verdienenden, die hier lebten und arbeiteten, nicht mehr herausschlagen ließ, weil sie nur denen im Weg saßen, die dem Wert der Grundstücke gerecht werden konnten. Daß die Magnaten ihre eigenen Zentren außerhalb des Stadtkerns aufschlagen könnten, dies wurde nie erwogen, sie mußten mit ihren Hochburgen mitten in die Stadt hineingelangen. Einzelne kapitalstarke Firmen, die hier vormals ihren Sitz hatten, konnten dafür sorgen, daß sie in den neuen Gebäuden wieder ihren Platz fanden, sie als einzige gehörten hierher, und die Umbausummen ließen sich von den Steuern abschreiben. Diejenigen aber, die den Straßen ihre Färbung und ihren Ausdruck gegeben hatten, waren mit dem fallenden Gemäuer pulvrisiert worden. Keine Straße, kein Haus, das noch Zeichen einer kulturellen Herkunft aufweist, das noch in einer Beziehung zur städtischen Entwicklung steht, das noch an die Beschreibungen eines Bellman, eines Strindberg, Blanche oder Söderberg erinnert, ist von der unmittelbaren Bedrohung des Abbruchs verschont. Überall wo der Putz von einer Hausfront bröckelt, wo die Farbe im Treppenhaus zerspringt, die Risse im Mauerwerk klaffen, wissen wir, daß drinnen, zwischen faulenden Tapeten, berstenden Wasserröhren, schadhaften elektrischen Leitungen, die Bewohner der langsamen Zermürbung ausgesetzt sind. Unter dem spekulativen Fortschrittsbegriff der herrschenden Klassen wird die Technisierung und Automatisierung, das Anwachsen der Stadt zu einer Metropole des Bankwesens und der international verzweigten Industrie gepriesen. Die amerikanischen Super-Hotels, die Betontürme der Parkhäuser, die ungeheuren Niederlassungen des freien Unternehmertums, der neue Palast für »Kultur« und Parlament, dies alles stellt einen Lobgesang dar auf das Kapital, das dieses Land in Europa, und in der Welt, konkurrenzfähig machen will. Die Opposition derer, die jetzt einsehn, was mit ihrer Stadt geschehen ist, drückt nicht Zurückgewendetheit und Fortschrittsfeindlichkeit aus, sondern Aufruhr gegen ein zentralisiertes Verwaltungsinstrument, das, wenn auch demokratisch gewählt, sich selbständig gemacht hat und in Unerreichbarkeit über die Köpfe der Bevölkerung hinweg seine Entscheidungen trifft. Hier wird nicht das unwiederbringbar Vergangene beklagt. Die Umstampfung der Stadt wird kritisiert, weil damit nicht den Bewohnern, sondern nur einer privilegierten Klique gedient worden war. Die Niederreißung kulturhistorisch wertvoller Stadtteile könnte sogar akzeptiert werden, wenn dort billige und zweckmäßige Wohnungen für die Bevölkerung erbaut würden. Der Protest richtet sich gegen die gewaltsame Machtausübung der Besitzer der Produktionsmittel, und gegen die Übervorteilung, von der die Einwohner der Stadt betroffen wurden. Dies beschäftigt mich, weil ich Traditionalist bin, weil ich Entwicklung, Bewegung, Lebendiges nur in Erscheinungen sehen kann, die einen langen Anlauf hinter sich und vor sich die Möglichkeiten eines variationsreichen Auslaufs haben. Es ist die besinnungslose wütende Unterbrechung eines organisch wachsenden Prozesses, die mich reagieren läßt. Nicht die Ablehnung des Neuentstehenden ist es, die den Weg durch die Innenstadt zur Plage macht, sondern die stumpfsinnige, brutale Veränderung des städtischen Charakters, die Verachtung vor der Stadt als Lebewesen. Es sind die Amputationen, die am bewußten Körper der Stadt vorgenommen werden, es ist die klobige Lobotomie, die an ihr durchgeführt wird, es ist die Ablehnung eines natürlichen Verlaufs, in dem Generationen von Stadtbewohnern allmählich ihre Lebensformen verändern, und dessen Ersetzung durch roboterhaft aufgepfropfte Prothesen und den hohlen Kopf eines Moloch, was das Grauen in mir hervortreibt. Es ist die rasende Umstülpung einer ehemals intakten, in ihrer Gesamtheit vorhandenen Stadt, zu einem nur noch mechanisch funktionierenden Apparat, die auch dem einzelnen Bewohner, der darin noch überlebt, das Bewußtsein nehmen will. Immerhin ist mir diese Stadt, in die es mich vor 30 Jahren verschlug, zu einem Bestandteil meiner Existenz geworden, und ich habe ihre atmosphärischen Eigenschaften und ihre Materialien in meine Gedanken aufgenommen, wie alle andern, die hier zuhause waren. Und vielleicht stand mir die Stadt deshalb nah, weil ich in andern Städten stärker die totale Vernichtung aller Beziehungen unterm Exil erlebte. Ich sehe jetzt, beim Weg durch die Trümmer, wie sehr ich an ihre Straßen, Plätze und Häuser, ihre Anhöhen, Ufer, Silhouetten und Ausblicke gebunden war, und wie sehr, ohne daß ich früher daran gedacht hätte, dies alles zum Resonanzboden des eigenen Wesens gehörte. Unter der Zusammengehörigkeit mit Traditionen verstehe ich sowohl die Architekturen, die mich in ihrer langen Kette von Baustilen umgeben, als auch die Werke der Literatur, der Musik und Bildkunst, in ihren unendlichen Vorbereitungen und früheren Lösungsversuchen. In meiner Auseinandersetzung mit dem Gegenwärtigen sind immer die Arbeiten enthalten, die aus Epochen stammen, von denen wir uns, in unsrer sozialen Anschauung, entfernt haben. Absurd ist der Vorwurf, mit dem eine Richtung oft eine andre Richtung treffen will, daß sie nicht genügend Wahrheit, nicht genügend Leben, nicht genügend Tageslicht aufgefangen hat. Darin drückt sich immer nur Selbstüberschätzung, Eigenliebe aus, denn in den repräsentativen Werken aller Zeiten manifestiert sich stets das Äußerste an Realität, dessen man unter den

gegebenen Bedingungen habhaft werden konnte. Ich bin Traditionalist, weil ich nicht das Entscheidende in einem einzelnen Werk
sehe, sondern weil das eigentlich Vitale für mich in dem verfloch-
tenen Muster liegt, in dem alles aufeinander einwirkt und sich
gegenseitig zu neuen Inhalten und Formen anregt.

25. Dezember 1970

Es war lehrreich, noch einmal die Auseinandersetzung zu überlesen, die vor 5 Jahren zwischen Enzensberger und mir im Kursbuch stattfand. Ich hatte mich der Definition einer »reichen« und einer »armen« Welt widersetzt und behauptet, daß die Anschauung einer solchermaßen ökonomisch aufgeteilten Welt die tatsächlichen Verhältnisse mystifiziere. Enzensberger rechnete die Sowjetunion und die übrigen sozialistischen Staaten Europas der »reichen« Welt hinzu und vertrat die Ansicht, daß der Erste Arbeiterstaat den USA näherstand als China, das zur »armen« Welt gehörte. Ich wollte die Bezeichnungen »reich« und »arm« durch politische Kriterien ersetzen und benutzte als Arbeitshypothese die vereinfachende Teilung der Welt in »kapitalistische« und »sozialistische« Länder, wobei ich die Sowjetunion und China auf die gleiche Front stellte. Es kam mir vor allem darauf an, zu fragen, wer sich der Trennung zwischen Arm und Reich widersetzte, wer gegenüber dem Kapitalismus die Stellung des Sozialismus bezog. Und hier verlief die Grenzlinie nun nicht zwischen hochentwikkelten Industriestaaten und rückständigen Agrarländern, sondern quer durch jede Gesellschaft, in der es Privilegierte und Benachteiligte, Ausbeuter und Ausgebeutete gab. Für meine simplifizierende Gegenüberstellung zweier grundsätzlich verschiedener politischer Auffassungen hatte Enzensberger nur Spott übrig, wie er auch meine Solidaritätserklärung mit den revolutionären Befreiungsfronten als naiv und unrealistisch abwies. Mit den Erfahrungen, die wir beide seit 1965 erlangten, wäre es interessant, zu untersuchen, welche Position wir heute, beim Abschluß des Jahres 1970, einnehmen, nach fünfjährigem verheerenden Bombenkrieg auf Viet Nam, nach der chinesischen Kulturrevolution, nach Che Guevaras Tod, nach den Studentenrevolten, dem Aufstand der schwarzen Amerikaner, der Besetzung der Tschechoslowakei, dem Anwachsen der europäischen Streikbewegung. Widerspruchsfreie Weltbilder, die zu suchen mich Enzensberger bezichtigte, sind mir heute ebenso fern wie damals, wie aber werden wir heute fertig mit den Widersprüchen, die wir in jedem Vorgang finden. Ist unsre Skepsis so angewachsen, daß wir keinerlei politische Bindung mehr wagen, oder besitzen wir noch das Maß an Optimismus, das wir benötigen, um zu unsern begrenzten und vereinfachten Anschauungen und Stellungnahmen zu gelangen. Die Meinung, daß wir nicht in getrennten Welten leben, sondern in einem einzigen politischen Wirkungsraum, und daß die Hypothese einer »reichen« und einer »armen« Welt nur denen dient, denen an der Erhaltung der Klassenunterschiede gelegen ist, hat sich mir nur bestärkt. Zwar hat sich die ökonomische Kluft zwischen »reichen« und »armen« Nationen vertieft, doch ist die Kluft zwischen Überfluß und Armut in den »reichen« Ländern ebenso angewachsen, wie auch die besitzenden Klassen in den zurückgebliebenen Ländern sich stärkten und das Elend der Hungernden noch größer wurde. Ich bin mir bewußt, daß der Unterschied zwischen unserm europäischen Lebensstandard und den Existenzbedingungen vieler Völker Asiens, Afrikas und Lateinamerikas den Grad der Unvorstellbarkeit erreicht hat, trotzdem halte ich weiter an der Ansicht fest, daß es sich in Indien, Südafrika, Brasilien um den gleichen gesellschaftlichen Konflikt handelt, der auch in Westeuropa nach einer Lösung verlangt. Solange wir von einer »reichen« und einer »armen« Welt sprechen, halten wir diesen Konflikt fatalistisch von uns ab, erst wenn wir ihn an uns heranziehn, ihn zum Bestandteil unsrer eigenen Lebensregion erklären, können wir ihn in Angriff nehmen. 40 Prozent der indischen Bevölkerung, mehr als 200 Millionen Menschen, verdienen kaum 30 Pfennig pro Tag. 10 Prozent, etwa 55 Millionen, haben täglich nicht mehr als 20 Pfennig zum Leben. Auch die 5 Prozent der Reichen können, im Verhältnis zu unsern Summen, nur wenig am Tag ausgeben, doch ist es das Zehnfache, was den Armen zusteht. Was ich zeigen will ist, daß die sogenannte Grüne Revolution, als Methode zur Erhöhung der Agrarproduktion, nur den Landbesitzern zu Gewinnen verholfen hat, während sie die Massen der Kleinbauern und des städtischen Proletariats unter das Existenzminimum herabdrückte. Während die Planer der »reichen« Staaten noch versuchen, mit ihrer »Entwicklungshilfe« den kapitalistischen Mechanismus, und damit das System der Ausplünderung von Bodenschätzen und der Versklavung von Menschen, aufrecht zu erhalten, hat China längst gezeigt, daß die Lage der verarmten Landbevölkerung nur durch grundlegende Veränderung der Eigentumsverhältnisse, durch sozialistische Bodenreform verbessert werden kann. Und da auch bei uns die Forderung gilt auf eine Überführung der Produktionsmittel und der gesellschaftlichen Institutionen in kollektiven Besitz, können wir sagen, daß die Sozialisten in den bürgerlichen Ländern den revolutionären Befreiungsfronten näherstehn als den technokratischen, bürokratischen, finanzverwaltenden Führungsschichten ihrer eigenen Länder. Hier aber drängen sich Paradoxe und unvereinbare Elemente in die Erwägungen ein, denn es läßt sich heute, bei der Zuspitzung des Antagonismus innerhalb der sozialistischen Bewegung weniger noch als vor 5 Jahren eine grundsätzliche Haltung und eine Perspektive bestimmen. Doch Brüche, Gegensätzlichkeiten und Feindseligkeiten bestehen auch im Konglomerat des Spätkapitalismus. Da von Einheitlichkeit weder im einen noch im andern Lager gesprochen werden kann, läßt sich auch eine äußerst vereinfachte Grundeinstellung behaupten. Wir haben unsre Seite zu wählen und uns danach nach bestem Vermögen darum zu bemühen, unsre politische Situation zu definieren. Wir sind auf solche Vereinfachungen angewiesen. Als Einzelne, ausgeschlossen von den zentralisierten Planungen der Staats- und Parteiapparate, müssen wir uns die chaotisch zerfließenden Erscheinungen zurechtlegen und diese nach eigenem Ermessen behandeln, wollen wir nicht ganz der Passivität verfallen und die Teilnahme an den gesellschaftlichen Kräfteverschiebungen aufgeben. Deshalb steht es uns zu, sogar am Prinzip des gegenwärtig kaum sichtbaren Proletarischen Internationalismus festzuhalten, denn er ermöglicht eine Arbeitsmethode bei unserm Versuch, die Klassifizierung in Arme und Reiche auf den Nenner des Klassenkampfes zu bringen. Die Frage, ob ich dabei einem Wunschdenken, einer Utopie verfalle, habe ich noch nicht gelöst. Soweit aus den Verhältnissen ersichtlich ist, neigen weder die Lohnarbeiter der kapitalistischen Länder zur Einleitung des gewaltsamen Umsturzes, noch zeigen die sozialistischen Länder Sympathien für die revolutionären Initiativen der sogenannten Dritten Welt. Vielmehr ist die politisch bewußte aufständische Bewegung der zurückgebliebenen Länder zu einem Dasein in einem Zwischenreich degradiert das, eingeklemmt zwischen einer »reichen« und einer »armen« Welt, weiterhin seine Diskriminierung zu tragen hat. Es hat uns wenig geholfen, daß wir uns gegen den dünkelhaften Begriff der Drei Welten auflehnten, doch da wir die Schuldigkeit haben, uns vom Zynismus der Großmachtpolitik freizuhalten, lassen wir auch nicht von der These der Zusammengehörigkeit ab mit denen, die in entfernten Ländern den gleichen Kampf eingeleitet haben, der auch auf unsrer ökonomischen Ebene bevorsteht. Täten wir dies nicht, so akzeptierten wir, daß das Revolutionäre zum Restaurativen und Konservativen wird, daß vom Sozialismus nichts andres übrig bleibt als seine unmenschliche Hierarchie. Wir haben das Risiko auf uns zu nehmen, daß wir uns in unsern Vorstellungen als total unrealistisch erweisen, denn es ist möglich, daß das revolutionäre Zeitalter bereits im Verenden liegt. Wir sehen China, mehr und mehr sich entwickelnd zu einer freistehenden Supermacht, die zu ihrer Konsolidierung die gleichen außenpolitischen Schachzüge unternehmen wird, wie die Sowjetunion sie seit Jahren aufzuweisen hat. China und der Erste Arbeiterstaat werden sich weniger um ein Zusammengehn bemühen, als um die Erweiterung eigener Einflußbereiche, und die Vereinigten Staaten werden das Gegensatzverhältnis zwischen den beiden führenden sozialistischen Ländern zum Ausbau ihrer eigenen Machtpositionen benützen. Hin und wieder gerät der Kampf, der von Viet Nam geführt wird, zwischen den lautstark dominierenden Großmachtinteressen, in eine Art müder Vergessenheit. Während solcher Perioden erscheint es, als habe sich dieser unendlich lange, geduldige, mutige Befreiungskrieg schon überlebt, als müsse er sich bald ganz verdecken lassen vom realpolitischen unheroischen Ausspiel der Giganten. Sowohl der Sowjetunion als auch China ist an einer Beendigung dieses Krieges gelegen, der vielleicht der letzte Ausdruck ist für die offene bewaffnete Form des sozialistischen Kampfs. Che Guevara wird nicht nur von der Sowjetunion, sondern auch von China als Abenteurer abgelehnt, China wird von den nach der Kulturrevolution zurückgebliebenen »linken Elementen« und »Extremisten« gesäubert, die Partisanen Ceylons und Bangla Deshs sind verraten, ehe sie ihre Aktionen ins Werk setzen können, die palästinensische Guerilla wird preisgegeben, stärkste Unterstützung der Sowjetunion erhält das nationalistische Ägypten, in dem die Kommunisten verfolgt werden, weitgehende Zusammenarbeit etablieren die sozialistischen Staaten mit reaktionärsten bürgerlichen Regierungen, während die radikale Intelligenz der betreffenden Länder die Gefängnisse füllt, ohne Beistand zieht sich der Kampf der von ausländischen Interessen zersplitterten Befreiungsfronten Zentralafrikas hin, verblichen ist Castros Wahlspruch, daß es die Pflicht jedes Revolutionärs sei, die Revolution zu machen, die Vorstellung des Neuen Sozialistischen Menschen, konzipiert in der kurzen Blütezeit nach der Oktoberrevolution, wieder ins Leben gerufen durch Che Guevara, zum letzten Mal gepriesen auf der Kulturkonferenz zu Havanna, Januar 1968, hat fast den Nimbus der Peinlichkeit, jetzt, da es nicht darum geht, die kollektive Phantasie, die universale künstlerische Vitalität, die Einheit von Wirklichkeit und Poesie zu manifestieren, sondern das Gebundene, Verordnete zu erhalten und den Staaten, die mit den mühsamen Vorbereitungen zur Errichtung sozialistischer Verhältnisse begonnen haben, die Existenz zu sichern. Und doch, während der taktische Kampf geführt wird um Vormachtstellungen, um Interessenbereiche, während revolutionäre Impulse zerschlagen werden, um breite, gemäßigt progressive Fronten zu retten, während sich der Elan der Schwarzen Panther verbraucht, weil kein Zugang gefunden wurde zur gemeinsamen proletarischen Partei, während die internationale Studentenbewegung teils an individualistischer Selbstzerfleischung zugrunde geht, teils in den Prozeß einer Neuformierung tritt, ist der Sozialistische Mensch im Entstehen begriffen, in verschiedenen Abarten, unauffällig hier, ohne feierliche Präsentation, dort unter Vorzeichen, die wir nicht zu deuten vermögen, als Sowjetmensch, als Mensch der sozialistischen Länder im sowjetischen Block, Verbrauchsgüter verlangend, westlichem Luxus nachtrachtend, die Produktionsmittel nicht besitzend, schuftend wie sein arbeitender Bruder im Westen, als chinesischer Mensch, stehend zwischen hunderttausenden unter rosigen Bildern, die allen vormaligen Idealismus übertreffen, beherrscht von einem Gesicht, das allen je geträumten Personenkult nichtig macht, als einzelner nicht zu erkennen, da sein persönliches Lachen stets im gemeinsamen Lachen aufgeht, da sein persönlicher Gedanke stets überschattet ist vom kollektiven Wahlspruch, ein Mensch, befreit vielleicht von Egoismus und Gewinnsucht, ein Neuer Mensch vielleicht, dem die Werte und Normen des verwitterten Europas nichts mehr bedeuten, der Mensch des revolutionären Cuba, vom hartnäckigen Zangengriff des amerikanischen Imperialismus in seiner Entwicklung aufgehalten, Jahr nach Jahr von einem Minimum lebend, unter unmittelbarer Bedrohung schwer bewaffneter Gangster, ermüdend von Zeit zu Zeit, zur Ausdauer aufgerufen vom ruhelos die Insel durchkreuzenden Fidel, und der Kämpfende in Viet Nam, dessen Widerstandskraft wir uns nicht vorstellen können, der Reisbauer, der vorindustrielle Arbeiter, der Revolutionäre Neue Mensch, dessen Anliegen der Internationalismus war und der, durch die wachsende Auftürmung der Super-Gewalten, zur Verteidigung seiner selbst, zur Verteidigung seines kleinen nationalen Bereichs gezwungen wird, der, anstatt Gemeinsamkeit zu finden, nichts andrem zu vertrauen hat, als seiner eigenen körperlichen Stärke. Der Neue Sozialistische Mensch ist noch nicht da, um sich selbst zu verwirklichen, wo sein Ansatz zu finden ist, da ist auch die Wucht zu finden, die das Entstehende zermahlen will, dieser Neue Mensch hat sich zu wehren gegen das Unmenschliche, das in seiner eigenen Gesellschaft lauert, und gegen das grauenhaft Verbrauchte das vom kolonialistischen faschistischen Spätkapitalismus ringsum noch in verfaulter Blüte steht. Doch selbst dort, wo der Neue Mensch erst zu ahnen ist, ist er uns, in unsrer alten Welt, überlegen. Wenn wir von einem Abstand sprechen zwischen ihm und uns, so ist dies nicht der Abstand zwischen »arm« und »reich«, sondern der Abstand auf einer ideologischen Skala. Er ist entfernt von uns, er entspricht nicht unsern romantischen Bildern, wir wissen sehr wenig von ihm, er hat etwas erreicht, was wir noch nicht zu erreichen vermochten, und jeden Tag hat er darum zu kämpfen, daß es ihm nicht entgleitet. Alles was zwischen den Sozialisten Europas geschieht, ist verquält, überladen von Mißgunst, Furcht und Enttäuschung. Die großen Kommunistischen Parteien Frankreichs und Italiens, hin und hergerissen zwischen ihrem Abhängigkeitsverhältnis zur Sowjetunion und ihrem Streben nach Selbständigkeit, protestieren zwar gegen die Übergriffe auf die Tschechoslowakei und die streikenden Arbeiter Polens, sind aber eher bereit, ihre eigenen linken Fraktionen auszustoßen, als der reaktionären Seite konsequent zu begegnen. Nach der Auslöschung des sozialistischen Erneuerungsversuchs in der ČSSR wurde in diesem Land tatsächlich der Boden für konterrevolutionäre Impulse geschaffen. Der enthusiastische Aufschwung, der dem Sozialismus eine Weile größte internationale Anziehungskraft verliehen hatte, wurde abgelöst von tiefster Desillusionierung. Entwürdigt, erniedrigt und bevormundet, ist die tschechoslowakische Bevölkerung, anstatt sich kreativ entwickeln zu können, zurückgeworfen worden in eine mechanische Existenz, in der das Wort Sozialismus desavouiert und sich die bürgerliche Welt als Inbegriff der Freiheit abzeichnet. Bereits als die Rumänen Nixon, bei dessen Besuch in Bukarest, zujubelten, zeigte sich das Katastrophale in der Abgesperrtheit des sozialistischen Blocks. Das kollektive Händeklatschen war noch keine Sympathieerklärung für den Kapitalismus, es war eher Ausdruck einer kompakten Unkenntnis der Weltlage und des desperaten Wunschs, die Isoliertheit zu durchbrechen, doch eine weitere Erstickung der Meinungsfreiheit, und verschärfte Maßnahmen gegen jene, die gegen die Einschnürung rebellieren, können nur als Bankrotterklärung des Sozialismus gedeutet werden und müssen die Bourgeoisie mit einer neuen Glorie umgeben. In dieser Situation, in der die Dialektik außer Kraft gesetzt und nur mit einseitigen Machtfaktoren zu rechnen ist, in der die politischen Richtlinien von einem undemokratischen Parteiapparat festgelegt werden, hat alles, was nicht in die datierte Ordnung paßt, aus dem Blickfeld zu verschwinden. Die Unmöglichkeit, zu einer Diskussion zu kommen, haben wir zur Genüge erfahren. Die moralische Destruktivität ist so tief gegangen, daß es für parteiangeschlossene Sozialisten nur die Wahl gibt zwischen der Befolgung des Dogmas oder der Gewärtigung der Verstoßung. Dieses primitive und atavistische Entweder-Oder, das den Menschen als lebendige expansive Kraft verleugnet, treibt große Massen der jungen Gegner des Imperialismus in ein Niemandsland zwischen den Lagern. In den Vereinigten Staaten, in denen das politische Bewußtsein stets aus Mangel an Nahrung verkümmerte, läuft die Antikriegsbewegung Gefahr, sich in einem anarchistischen Vagabundieren, in einer kultischen, mystizistischen, von religiösen Sekten durchwobenen Wirklichkeitsflucht zu verlieren. Die Schuld trifft nicht diese Jugendlichen, sondern die sozialistischen Länder und Parteien, denen es nicht gelungen ist, den Sozialismus für die gegenwärtigen Ansprüche attraktiv und gebrauchsfähig zu machen. Mit ihrem Festhalten an starren Forderungen, am Statischen und Ikonenhaften, am Zwangsmäßigen und Paternalistischen, bei dem gleichzeitig stattfindenden Kampf gegen die autoritären Strukturen in der Gesellschaft, verbauen sich die Kommunistischen Parteien ihr Wirkungsfeld und machen sich als historischer Träger des Klassenbewußtseins unmöglich. Die sozialen Umwälzungen in den westlichen Ländern werden nicht nur von Industriearbeitern ausgetragen, der Begriff des Proletariats muß heute weiter gefaßt werden und die breiten Schichten der Jugendlichen, der Studenten, der Akademiker in sich aufnehmen. Zu ihrer Funktion im politischen Kampf kann die Partei nur kommen, wenn sie das Bündnis zwischen Lohnarbeitern und Intellektuellen errichtet. Die Notwendigkeit einer solchen Partei, einer solchen gemeinsamen Ausgangsfläche, ist heute überall latent. Immer mehr Menschen beginnen, zu verstehn, daß der Mechanismus des Verschleißes von Leben und Arbeitskraft, der Züchtung verarmter unterentwickelter Bevölkerungsgruppen, der Polizei- und Militärgewalt, in unsern Industriestaaten und in den entlegenen Agrarländern der gleiche ist. Wenn auch im Grad der Intensität große Verschiedenheiten bestehn zwischen unsern scheinbar liberalen Lebensbereichen und den furchtbarsten Pestherden dieser Welt, so lauert doch bei uns, unter Verschleierungen, Übertünchungen und falschen demokratischen Vorzeichen die selbe Entladung des terroristischen Ausnahmezustands, wie wir ihn von den Militärregimen, den rassistischen Diktaturen her kennen. Was von den Polizeitruppen Griechenlands, Spaniens, Portugals, Irans oder den USA unverhüllt betrieben wird, bahnt sich bereits in Frankreich an, ist in der deutschen Bundesrepublik bei geringster Verschärfung der Sachlage möglich, und kann auch im schwedischen »Wohlfahrts«-Staat als Tendenz, oder als plötzliche überraschende Entladung, gefunden werden. Die Käuflichkeit von Wachmannschaften und Schlägertrupps, die Erziehung zur Gewalttätigkeit, ist Bestandteil des staatlichen Despotismus, und kennt keine geographischen Grenzen. Die Entscheidungen, die wir treffen, um der einen politischen Anschauung gegenüber der andern ein größeres Recht auf Gewalt einzuräumen, sind, bei unserm Wissen vom Mißbrauch dieser Gewalt, äußerst fragwürdig. Doch auch wenn wir in einem immer enger werdenden Bereich die Gegengewalt als einziges Mittel der Notwehr erkennen, wenn wir in Viet Nam, in Cuba, Angola, Mocambique, Rhodesien oder Südafrika keine andre Möglichkeit sehn, als den bewaffneten Kampf, so legt sich immer dichter der Alptraum darüber, der von den Allermächtigsten ausgeht, und der, in universaler Verschwörung, überhaupt keine andre Gewalt gelten läßt als die der ungeheuren Arsenale. Es genügt, sich jedes Land, in dem wir uns befinden, einzeln vorzunehmen und auf seine Kräfteverteilung zu untersuchen, um sich davon zu überzeugen, daß die Problematik der im Entstehen begriffenen oder schon zutage getretenen inneren Konfrontation in jedem Land grundsätzlich die gleiche ist. Die verächtliche Bezeichnung »U-Land«, wie sie etwa für Äthiopien oder Süd-Jemen verwendet wird, kann, übertragen auf eine höhere Konsumtions-Stufe, auch auf Schweden zutreffen. Unser hoher Lebensstandard ist berühmt. Das heißt, wir verhungern nicht, wir gehen nicht an Seuchen zugrunde, wir verrecken nicht in Sklavenlagern, zum Wohnen haben wir keine erbärmlichen Hütten aus Wellblech und Pappe, doch zeichnet sich in unsrer

Sattheit, unsrer Schläfrigkeit, unserm Dösen das ganze Muster von Unterdrückung und Ausplünderung ab. Von den aktiven schwedischen Altersgruppen zwischen 20 und 66 Jahren, etwa 4,7 Millionen Personen, haben kaum die Hälfte, 2,2 Millionen, ganzjährige Arbeit zu wöchentlich 35 Stunden. Etwa 1,1 Million führt Teilarbeiten von mindestens 500 Stunden im Jahr aus. 1 430 000 arbeiten weniger als 500 Stunden im Jahr. Der Stundenlohn für 170 000 Menschen liegt unter 5 Kronen. 700 000 erhalten Stundenlohn bis zu 7 Kronen 50 Öre. 750 000 verdienen bis zu 9 Kronen per Stunde. 1,6 Millionen Arbeiter und Angestellte, die ganztägig beschäftigt sind, verdienen höchstens 900 bis 1 300 Kronen im Monat. Diese können, in Anbetracht der hohen Steuerabzüge und der immensen Lebenskosten, kaum das Existenzminimum erreichen. Eine präliminäre Untersuchung berechnet die in diesem Jahr von offener Arbeitslosigkeit Betroffenen auf 150 000, eine Zahl, die sich, bei der versteckten Arbeitslosigkeit der Teilbeschäftigten, auf mindestens 200 000 erhöhen wird. Ein Drittel aller fest Angestellten beginnt den normalen Arbeitstag vor 7 Uhr morgens und beschließt ihn nach 6 Uhr abends. Der Achtstundentag, vor der Jahrhundertwende angestrebt, ist, bei den langen Anfahrtszeiten zu Werkstatt, Fabrik, Geschäft, Kontor, illusorisch. Die Hälfte aller Familienversorger ist zur Doppelarbeit an Feiertagen und bei Nacht gezwungen. Eine halbe Million Arbeitender ist nicht imstande, sich Ferien zu leisten. Der größte Teil aller Arbeit findet unter gesundheitsschädlichen Verhältnissen und unter dem Druck einer unerträglichen Hetze statt. Wie üblich sind die schwersten und schmutzigsten Arbeiten die am schlechtesten bezahlten. Da die Wohnungen fast ausschließlich im Besitz privater Profiteure sind, muß der Hauptteil des Lohns für Mieten ausgegeben werden. An Kindergärten besteht katastrophaler Mangel. Die meisten Pensionäre, die ihr Leben in harter und unergiebiger Arbeit verbrachten, sind während ihrer letzten Lebensjahre dem Elend und der Isolierung ausgesetzt. 200 000 Menschen in Schweden leben in völliger Verarmung. Die Einkünfte der sogenannten Sozialgruppe I, kaum 8 Prozent der Bevölkerung, sind dreimal so hoch wie die der »Sozialgruppe III«, die 60 Prozent der Bevölkerung ausmacht. Das Gleichheits-Ideal, seit fast 4 Jahrzehnten von der sozialdemokratischen Regierung gepredigt, ist noch nicht einmal im Keim vorhanden. Der riesige Machtfaktor der Gewerkschaften ist bei der opportunistischen sozialdemokratischen Politik weitgehend unausgenützt geblieben. Daß fast die Hälfte der Wähler ihre Stimme dennoch der sozialdemokratischen Partei gibt, ist der traditionellen Gebundenheit an diese einstmals bedeutungsvolle Arbeiter-Organisation zuzuschreiben, sowie dem Mißtrauen gegenüber der KP, die es nicht verstand, in Schweden ein eigenes Gesicht aufzuweisen. Von der liberalen westlichen Presse wird Schweden gern als Musterland sozialer Gerechtigkeit hingestellt, bürgerliche Massenmedien sprechen sogar vom schwedischen Sozialismus, in Wahrheit aber bekommt die arbeitende Bevölkerung dieses Landes auf allen Gebieten des täglichen Lebens die krassen Auswirkungen der Klassengesellschaft zu spüren. Die Frage, die sich in das kommende Jahr richtet, wird sein, ob es der Kommunistischen Partei gelingt, ihren inneren Antagonismus zu überwinden und sich gegenüber dem Reformismus und der Konzessions-Politik der Sozialdemokraten, sowie der ungeheuren Verdummungs-Kampagne der bürgerlichen Massenmedien, geltend zu machen.

26. Dezember 1970

Die allabendlich durch das Fernsehn ausgestrahlte Massenbetäubung erreicht am Wochenende ihren Höhepunkt. Zu diesen Stunden, da die schwedische Bevölkerung maximal zu erreichen ist, wenden die gesellschaftserhaltenden Kräfte ihre ganze Verschlagenheit an, um bei den Millionen Konsumenten nicht einen Augenblick des Nachdenkens über ihre Situation, der Erwägung über die sozialen und politischen Zustände im eigenen Land oder im internationalen Bereich aufkommen zu lassen. Ermattet von der Arbeitswoche versammeln sich die Familien zum gemeinsamen Feierabend vor dem Bildschirm, und nun werden sie, die während der Woche keine Zeit zur kulturellen und wissenschaftlichen Weiterbildung hatten, vom Spätnachmittag an bis nach Mitternacht überschüttet von einer einzigartigen Entladung der Stupidität. Um zu erfahren, was am Sonnabend, in einem Land, das von einer Arbeiterpartei regiert wird, die Bevölkerung in ihrer Abgestumpftheit über sich ergehen läßt, schalte ich den Apparat um 6 Uhr abends ein, und drehe ihn erst aus, da das elektronische Flimmern und Rauschen der Leere die letzte irrsinnige Grimasse, das letzte Gebrüll des Hohns, der Menschenverachtung abgelöst hat. Einer der Hauptorganisatoren dieser repressiven Tätigkeit heißt Hyland. Sein Programm, genannt Hylands Ecke, erfreut sich großer Popularität. Diese Popularität ist darauf zurückzuführen, daß das breite Publikum, unter unausgesetzter Indoktrinierung, gelernt hat, die niedrigste Dummheit gutzuheißen und den Impuls einer Besinnung als etwas Ungehöriges abzuweisen. Das Programm beginnt am späten Nachmittag, richtet sich zunächst an die Kinder, um auch diesen ihr Maß von Verblödung zu schenken, wird dann einmal von seichtem musikalischem Gewäsch, und noch einmal von der Hauptstunde des mehrmals wöchentlich abgehaltenen Intensiv-Unterrichts in praktischem Faschismus unterbrochen, diesem amerikanischen Machwerk brutalster und zynischster Mord- und Torturpropaganda, und kriecht, jault und heult dann bis zum allerletzten Bier dahin. Wenn jemandem der Preis gegeben werden soll für die Verbreitung reaktionärer Charaktereigenschaften, so ist es Hyland. Seine Person ist von keinem Interesse, er ist nur der rechte Mann am gegebenen Platz, er führt aus, was der verrottete Spätkapitalismus von ihm verlangt, er sitzt an einem der entscheidendsten Schalthebel des Gesamtapparats, dessen Zweck es ist, die Entfremdung des Menschen von sich selbst so weit voranzutreiben, bis die letzten Reste eines Wunsches, eigene Initiative zu entwickeln, abgestorben sind. Das schwedische Fernsehn, auf zwei Kanälen laufend, erfüllt bis zur Perfektion das Anliegen der Meinungsnivellierung. So wie in der übrigen Kulturpolitik des Landes die meisten gesellschaftskritischen Vorstöße auf dem Gebiet der Dramatik, des Films, des Ausstellungswesens zerschlagen wurden, und man den jungen Theatergruppen durch Zensur und Sperrung der Subventionen die Weiterarbeit erschwert oder unmöglich macht, so wird auch in der Television das Marginal für Äußerungen fortschrittlicher, radikaler Art ständig enger gezogen. Schleicht sich einmal in der Woche, 15 oder 20 Minuten lang, am späten Abend ins zweite Programm ein Film, der eindeutig Stellung bezieht gegen die imperialistischen Herrschaftsformen, so wird dieser winzige Ansatz in der großen Gleichförmigkeit sogleich einer ungeheuren Überdimensionierung unterworfen und von den bürgerlichen Beobachtungsposten her als kommunistische Propaganda bezeichnet. Was die mächtigste Basis der Beeinflussung, mit ihren Projektionsflächen in jedem Heim, bereits angerichtet hat, und was sie unbehindert, mit wachsendem Nachdruck, weiterführt, zeigt sich an diesem Wochenende mit erschreckender Deutlichkeit. Es wird während dieser Stunden, in denen der Familienbegriff gefestigt wird, nur noch mit geistigen Knüppeln, mit total zusammengeschlagenen, auf keine differenzierten Mitteilungen mehr reagierenden, absolut passiven Menschen gerechnet. Mit unverschämter Selbstsicherheit erheben sich die führenden Instanzen eines bevormundenden Staats, kraft ihrer gekauften Apologeten und Schaumschläger, über das Volk, und erklären dieses ein für alle Mal zu einer willenlosen Herde von Analphabeten. Während die Außenseiter der Bevölkerung, die vom Druck der Übermacht desperat gewordenen Einzelnen, die Letzten, die ihren Widerstand, ihren Aufruhr noch zeigten, in Zwangsjacken gespannt, von Elektroschocks, Insulinschocks, von einschläfernden Injektionen niedergehalten und hinter Gitter gesperrt werden, toben sich auf dem Bildschirm vor den Blicken der sogenannten Normalen Sabberer, Stammler, Schreihälse, Lügenbolde und Falschspieler aus, defekter, monotoner, stumpfsinniger, manischer, hirnverbrannter als sie in einer psychiatrischen Klinik zu finden wären, und zwischen ihnen grinst Zirkusdirektor Hyland, ein Einpeitscher, eine Ausgeburt, die die Vorläufer eines Dr. Caligari, eines Dr. Mabuse übertrifft.

Und diese wahre Manie, diese Katatonik, diese Hysterie, Epilepsie und Schizophrenie dringt unabwendbar in das Bewußtsein der Zuschauer ein, zermürbt ihr Wesen bis auf den letzten Grund, so daß sie, nach dem in Schläfrigkeit und Machtlosigkeit verbrachten Sonntag, in der nächsten Woche aufs neue willenlos, halb umnachtet, antreten können zu ihren Tätigkeiten, mit denen sie den Unterdrückungs- und Vergewaltigungsstaat erhalten. Ich versuchte an diesem Abend, mir vorzustellen, wie ich diese, als volkstümlich bezeichnete und von den steuerzahlenden Lohnarbeitern bis zum Schwindel, bis zur Übelkeit, bis zum Kotzen hingenommene Sendung auffassen würde, läge ich festgebunden auf der Pritsche eines der offiziellen Irrenhäuser, und müßte, Stunde auf Stunde, diese Manifestation der anerkannten, begünstigten und umworbenen Außenwelt ertragen. Als Verstoßener aus dem Kollektiv der Angepaßten würde mir panische Angst Schreikrämpfe entlocken, ich würde heulen vor Verzweiflung, bis sich die Wärter der Normalität über mich werfen und mir ihre Spritzen ins Fleisch jagen würden. Dann läge ich noch eine Weile jammernd, bis ich der Bewußtlosigkeit verfiele.

27. Dezember 1970

Nach Geschäftsschluß beginnt das neuerbaute Stadtzentrum sogleich abzusterben. Abends liegt es in völliger Leere, nicht einmal gähnend, steintot. Die Monumente zur Verherrlichung des Kapitals ragen eisig auf, riesige Grabsteine über der Asche der vergangenen Stadt. Wo einmal abendliches Leben herrschte, in Straßen, die noch in den Träumen einiger Uralten auftauchen, dehnt sich jetzt unsagbare Öde aus, eine Öde, in der kein Hauch vorhanden ist von einer Erwartung, daß sich hier irgendetwas regen, irgendetwas ereignen könne, eine Öde, in der jeder Gedanke an Begegnungen und Überraschungen, und auch an Beängstigungen oder Schrecken ausgemerzt ist, eine Öde, so total, wie sie nur hervorgerufen werden kann durch die absolute, uneingeschränkte Macht des Geldes. Selbst die Erinnerungen an die Stadt von früher erstarren hier, die gläsernen Fassaden sind so erloschen, daß jede Empfindung vor ihnen vergeht, in diesem Friedhof hörst du nur noch das immer schneller werdende Pochen deiner fliehenden Schritte. Mit der Symbolträchtigkeit abnormer Handlungen haben die Dekorateure der Mausoleen die enormen Fenster des sogenannten Kulturhauses mit Figuren angefüllt, in der Kleidung des 18. Jahrhunderts. Die Puppen, letzte Spiegelungen des Hinweggefegten, stehen in Lebensgröße starr nebeneinander, mit verkitschten bleichen Kunststoffgesichtern, Damen in Krinolinen, Herren im Redingot, ein Reitknecht, Kutscher und Mägde, ein Theaterharlekin. Diese hinter Glas gestellten Atrappen werben noch in der Nacht für den vollständigen Ausverkauf, von dem die Stadt Stockholm betroffen wurde. Indem die Mächtigen keinen Zweifel daran lassen wollten, welchen Kräften das Herz der Stadt gehöre, ließen sie auch in den umliegenden Vierteln die letzten Aufenthaltsstätten für abendliche Wanderer, die letzten Sammlungspunkte für die unbehauste Jugend sperren. Aus ihrem Altbauhaus, das man ihnen vor einem Jahr, in Ermangelung besserer Einrichtungen, zur Verfügung gestellt hatte, wurden die Jugendlichen, da sie den freiwilligen Abzug verweigerten, von den Polizeitruppen an Haaren und Beinen herausgerissen, und auch ihr Café »Terrassen«, in der Nähe des Hundertmillionenbaus für Kultur und Parlament, wurde mit Gewalt geräumt. Sie haben hier nichts zu suchen, die Herumstreunenden, die nachts Herumsitzenden, die Diskutierenden, Musizierenden, tauchen noch Gruppen von ihnen auf, so fallen die Wachhunde über sie her. Sie, die

Abweichenden, die Originalbewohner der Stadt, dürfen nicht mehr in Erscheinung treten, ebenso wie die Bauherrn die schmalen, krummen, unregelmäßigen, verschachtelten, dichtbesiedelten, farbigen, überaus bewohnbaren, überaus anziehenden, überaus vergangenheitsvollen und zukunftsfrohen Straßen und Gassen nicht dulden in ihrem korrupten Bild von Urbanität. Raserei überkommt dich beim Gedanken an die Menschenfeindlichkeit dieser Gesellschaft, die sich in ihrem Dünkel noch »Volksheim« nennt, und die rasend schnell immer tiefer hineingeraten ist in einen Mechanismus, in dem es gilt, allen lebendigen Austausch, alle Verbindungen zwischen Berufsgruppen, Interessen- und Altersgruppen, zwischen kritischen Konzentrationen zu unterbinden und zu zerstückeln. Rasend auch der Gedanke an die Notwendigkeit, diese Destruktivität zu bekämpfen, diese Destruktivität, deren Zweck es ist, jede einheitliche politische Gegenbewegung zu verhindern. Es ist über Stockholm nichts andres mehr zu sagen, als daß es eine Stadt ist, die ermordet wurde, in der tagsüber wohl noch die Mörder in ihren Beton- und Glaskulissen herrschen, über der bei Nacht aber die Pestfahne weht. Wenn irgendwo in dieser Stadt dem rastlosen, vom Wahn gezeichneten Wanderer noch ein Haus erscheint, oder ein Straßenzug, oder ein Platz, eine Uferstrecke, eine Brücke, ein Baum, irgendein Punkt, an dem sich die vage Hoffnung entzündet, es könnte vielleich noch etwas Erkennbares geben, er könnte sein Bewußtsein vielleich noch zurückerlangen, so täuscht er sich, er braucht nur die Hand auszustrecken, und das Bild zerstäubt vor seinem Blick.

28. Dezember 1970

An einer Endstation erklomm ich eine halb zerborstene hölzerne Treppe, ging einen mit Gras überwucherten Bahnsteig entlang auf einen Plankenzaun zu, in dem sich ein Tor befand. Der Himmel war hell, klar, sehr offen. Alles still. Hinter ein paar verlassenen Magazinen lag das Ufer eines Sees. Ich nahm an, daß hinter dem Tor ein Weg hinabführen würde. Als ich die Tür geöffnet hatte, geriet ich jedoch in ein kleines Gehege zwischen vier Bretterwänden. Dort standen einige Burschen, es waren ihrer sechs oder acht. Ein paar trugen abgerissene Kleidung, einer, ein Bärtiger, war in Marineuniform. Als der erste mich, mit gespielter Freundlichkeit, anrempelte, ahnte ich schon, daß sie einen Überfall auf mich planten. Ich versuchte, unbeschwert zu erscheinen, ich lachte und tat, als sei ich einer von ihnen. Ich rief dem Matrosen zu, Ronny, erkennst du mich denn nicht, wir waren doch zusammen im Gefängnis. Damit aber kam ich nicht bei ihnen an. Sie grinsten, rückten näher, stießen mich zwischen sich hin und her. Rasende Furcht. Wilde Überlegungen, wie ich aus der Falle gelangen könne. Die Holzwand war nicht sehr hoch, vielleicht ließ sie sich, mit übermenschlicher Kraft, in einem einzigen Sprung überwinden. Doch sie standen zu nah. Sie würden mich festhalten. Hilferufe wären nutzlos, ich hatte gesehn, daß die Gegend draußen leer war. Auch würde man mir sogleich den Mund zuhalten. Ich grub meine Taschen aus, um ihnen Geld anzubieten, hatte aber keins. Hätte ich Geld, würden sie es sich ohnedies holen. Es gab keine Möglichkeit des Entkommens. Sie ließen sich noch Zeit, waren ihrer Sache gewiß. Sie würden mir erst die Brille abschlagen. Dann die Zähne aushauen. Lachend drängten sie sich an mich heran. Ich wußte, sie wollten nur einen haben, den sie zu Tode quälen konnten.

29. Dezember 1970

Das Jahr geht seinem Ende entgegen unter einer Auftürmung von Gewalt, Betrug und Mordlust. Todesurteile sind ausgesprochen worden über russische Juden, die ihre demokratischen Rechte erzwingen wollten, und über baskische Patrioten, die Francos Diktatur bekämpften. Der Erste Arbeiterstaat muß im gleichen Maß wie der dunkelste Winkel der Reaktion um Gnade für die Verurteilten gebeten werden. Während wir bei den sechzehn Spaniern sind, die sich zum Hungerstreik in einer katholischen Kapelle in Stockholm versammelt haben und auf den Abschluß der grauenhaften Farce warten, in der sich der Potentat in Madrid entweder die Maske von Humanität anlegen und seinen Gefangenen das Leben schenken, oder den Befehl erteilen wird zur Garottierung vor Morgengrauen im Gefängnishof, vernehmen wir die moralische Empörung über den faschistischen Henker, wie sie zu uns aus der Sowjetunion dringt, wo die eigenen Todesurteile der Bevölkerung nicht bekannt gegeben wurden. Der Kampf, der heute in der Welt geführt wird, rückt nah, mit allen seinen Frontabschnitten, an die schweigende Zusammenscharung heran, in dieser Kirche, die den Namen Mariä Verkündigung trägt. B-52 Geschwader haben eben wieder schwere Bombardierungen auf die laotisch-vietnamesischen Grenzgebiete durchgeführt. Die äthiopische Luftwaffe griff die Stadt Keren an, Zentrum der Befreiungsfront Eritreas, wobei über 500 Menschen getötet wurden. Während dieser kaum bemerkte Krieg gegen die Aufständischen seit 10 Jahren geführt wird, rechnet Schweden das Reich des »Löwen von Juda« zum vorrangigen Entwicklungsland. Der Klasse der Landbesitzer wurden für das nächste Jahr wieder 40 Millionen Kronen zur Unterstützung zugesagt. Während Fluggeschwader, schwedischer Herstellung, nun den Widerstand zu zertrümmern versuchen, hält Haile Selassie 20 000 politische Gegner eingekerkert. Äthiopische Studenten in Stockholm besetzten an diesem Nachmittag die Botschaft ihres feudalen Herrschers und werden nach einer Stunde von der schwedischen Polizei verhaftet. Amerikanische Kriegsdienstverweigerer, politisches Asyl in Schweden suchend, doch nur aus »humanitären« Gründen aufgenommen, werden des Landes verwiesen, da sie, in ihrer ökonomischen Notlage, bei Narkotikavergehen erlangt wurden. Nach der abgesessenen Gefängnisstrafe werden sie weitergegeben an die amerikanischen Zuchthäuser. Angela Davis ist, in folgerichtiger Verachtung der weltweiten Proteste, dem californischen Verteidiger der Gaskammer, Reagan, überliefert worden. 18 Afrikaner sind nach 2 Monate langer Tortur durch die Portugiesen in einem Gefängnis Mocambiques verendet. Griechische Freiheitskämpfer werden in die Konzentrationslager geschleppt. Die mexikanischen Gefängnisse sind seit den Olympischen Spielen überfüllt mit Männern und Frauen, denen nie ein Gerichtsurteil, geschweige denn eine Verteidigung zuteil wurde. Jordanische Regierungstruppen verstärken die Verfolgung der palästinensischen Guerilla. Die Vereinigten Staaten bemühen sich um eine Verschärfung des diplomatischen und wirtschaftlichen Boykotts Cubas. Unmittelbare Beendigung amerikanischer Nickellieferungen wird angedroht, wenn Schweden einen zusätzlichen Einkauf dieser Ware aus Cuba betreibt. Die lappländischen Rentierzüchter Nordschwedens erlassen einen Aufruf, in dem sie fordern, als gleichwertige Bürger des Staats, und nicht als Minorität eines Reservats, zu gelten. Die Massen der sozial Benachteiligten, der Arbeitslosen und Ausgeschlagenen sind in Schweden im Anwachsen begriffen, und die scheinheilige Äußerung des sozialdemokratischen Innenministers Holmqvist, daß der Staat eine Arbeitsmarkts-Reserve braucht, kann das Herannahen des verschärften Klassenkampfs nicht verdecken. Und wenn sich durch winzige Drehung des Kaleidoskops auch sogleich neue Einzelheiten auffangen lassen im Gesamtsystem der Unterdrückung, wenn wir die Gefangenen sehn in den violetten Torturkammern Brasiliens, aufgehängt an der Papageien-Schaukel, der Boger-Schaukel, wenn wir die Toten sehn, die im südafrikanischen Staub liegen, nach einer Terror-Aktion der Polizeitruppen, während England Waffen an die rassistischen Herrscher liefert, wenn wir die hunderttausend Eingesperrten in Indonesien sehn, die ihre Abschlachtung erwarten, und die Millionen Obdachlosen in Ost-Pakistan, wenn unser Blick auch überall auf Qual und Verheerung stößt, so lagert sich darüber doch eine Wolke von Vergessen. In den Hallen der großen europäischen Flugplätze stehen Menschenmengen und drängen sich durch die Sperren, um die Neujahrsnacht in den Ländern der Mörder zu feiern. Sie haben nichts von den Militärgerichten in Burgos, Marrakesh, Ankara, Athen und Lissabon gehört. Allein von Schweden aus fliegen in diesen Tagen 7 000 Reisende an die sonnigen Küsten. Das Blut der Erschossenen kann ihre Ferientage nicht stören. Über den Gefängnissen liegt ein großes Schweigen.

Die Polizeigarnisonen aber befinden sich in Alarmbereitschaft. Tränenbomben, Gasbomben, Maschinenpistolen, kugelsichere Westen, Panzerwagen warten auf ihren Gebrauch. In der Stille wartet Maria darauf, was ihr noch alles verkündet werden mag. Alles was geschieht ist gegenwärtig. An allem sind wir beteiligt. Millionen gehen und fahren noch wie Schlafwandler umher, doch die Illusion einer Verschontheit ist längst zerrissen. Jede Lüge die wir hinnehmen, ist unsre eigene Lüge. Wer gefangen, gefoltert und erschlagen wird, ist unser Nächster. Unsre Ohnmacht ist unser Tod.

31. Dezember 1970

Als wir uns gestern um 7 Uhr abends zum Demonstrationszug versammelten, erhielten wir die Nachricht, daß Franco die Todesurteile aufgehoben hatte. Der Beweis war erbracht worden, daß weltweite Opinionsäußerungen eine Mordtat verhindern konnten. Die lebenslänglichen Kerkerstrafen, mit ihren Torturen, ihrer allmählichen Zermürbung, müssen als eine »Begnadigung« angesehn werden, da wir das Leben so ungemein lieben, und da die Hoffnung nie abstirbt, daß auch die Gefangenen von Burgos einmal vorm Tag der Befreiung von der faschistischen Herrschaft stehen werden. Noch machen die sechs Basken, die nicht in die Hände des Henkers gerieten, nur eine verschwindende Minorität aus, die kaum zu einem Symbol werden kann, da hunderttausende von jeder Rettung ausgeschlossen sind. Wollen wir es auch einen Triumph nennen, daß es gelungen ist, einen der Tyrannen zur Geste des Rückzugs zu zwingen, so ist er, und mit ihm sind es alle seine Verbündeten, schon auf dem Weg, Münze aus seiner Handlung zu schlagen. Er, der mit Blut Verklebte, brüstet sich nun als der Menschliche, der Barmherzige, und indem er, der tausendfach gemordet hat, einmal begnadigt, weckt er nicht Bestürzung über solche Machtvollkommenheit, der es zusteht, über Leben und Tod von Menschen zu entscheiden, sondern zieht Sympathien an sich und weckt die Vorstellung, es könnte in Spanien, unter dem Walten eines solchen Staatschefs, nicht allzu schlimm stehn. Stellvertretend für die portugiesischen Massenmörder, die den phantastischen Einfall hatten, »die Verbrechen des Franco-Regimes« anzuprangern, stellvertretend für den Machtapparat der Vereinigten Staaten, der jeden Tag Verheerung ausbreitet, stellvertretend für alle, die in allen Teilen der Welt die Arbeit und das Leben von Menschen zertreten, spricht Generalissimus Franco, Charge eines Höllen-Spektakels, eine Begnadigung aus, und alle Verbrecher in Regierungsposition reiben sich die Hände. Das Leben von sechs baskischen Freiheitskämpfern ist gerettet. Es wäre vermessen, zu sagen, daß wir uns die Zellen der Zuchthäuser vorstellen können, in denen sie Jahrzehnte auszuharren haben. Wir wissen nur, daß sich der Gefangene leichter zermahlen läßt, als die Bastion, die ihn umschließt. Die Welt der Gefängnisse, mit ihren Folterkammern, ihren Hinrichtungsstätten, diese Welt hinter vielfach gestaffelten Mauern und gepanzerten Türen, diese Welt, aus der das Rasseln der Ketten, das Stöhnen und Schreien nicht dringt, besteht weiter fort, und das huldvolle Winken des spanischen Gefängniswächters ist eher dazu angetan, diese Unterwelt eine Weile in Vergessenheit geraten zu lassen, als uns anzuspornen, sie zu stürmen. Und eh sich der Zug in Bewegung setzte, mit Fackeln, mit baskischen Fahnen, und mit den alten Fahnen der Republik, die von ehemaligen Spanienkämpfern getragen wurden, kam mir eine Äußerung zu Gehör, die auf ihre Weise von der gleichen Heimtücke und Arroganz geprägt war, wie der Gnadenspruch des faschistischen Selbstherrschers. Einer der Altkommunisten unter der Fahne, mich erkennend, und dann über die Jugendlichen blickend, von denen viele dem Verband der Marxisten-Leninisten, den FNL-Aktivisten und auch den Syndikalisten angehörten, sagte, hier ist mancher Wolf im Schafspelz dabei. Dieser Hinweis auf die Rubrik des Haß-Artikels, den die kommunistische Zeitung Norrskensflamman im Frühjahr gegen mich erlassen hatte, dieses Aufklingen einer irrationalen Hetze zu Beginn eines gemeinsamen Marsches der schwedischen Linken, aktualisierte das Gespenst unlösbarer Versperrtheit und Verbautheit. Dieser Alt-Stalinist, unter der rot-gelb-roten Fahne, zog zu Felde, wie er vor mehr als 30 Jahren nach Spanien gezogen war, um im Bürgerkrieg die Syndikalisten, Anarchisten und Trotzkisten zu liquidieren. Beim wütenden Starren auf Meinungsgegner im eigenen Lager hatte er den Blick auf den eigentlichen Feind verloren. Versteinert, unfähig, etwas anderes zu erkennen als das, was ihm von der Doktrin der Dreißigerjahre eingegeben worden war, unfähig zu verstehn, daß es neue Generationen gab, die ihre sozialistischen Vorstellungen anders formulierten als er, wie jener Kempe, der mir gegenüber die moskautreue Parteilinie vertrat, nichts andres im Sinn, als jeden aus den Reihen zu stoßen, dessen Anblick ihm nicht paßte. So lange diese Bannerträger, denen nicht an der Entwicklung des Sozialismus gelegen ist, sondern nur an der Konservierung längst erstorbener Reliquien, so lange diese Genossen, die sich selbst überlebt haben, in der Partei stecken, so lange steckt in der Partei ein Geschwür, ein Alptraum, das jede Bewegung verkümmern läßt, das die Partei am Atmen und Wachsen hindert. So lange ein Zug, wie an diesem Abend, zu dem sich die antiimperialistische Opposition sammelt, angeführt wird von solchen Vertretern der Verstocktheit und Erstarrung, so lange können die Bürger unerschrocken hinter ihren verschlossenen Fenstern bleiben, und unsre Sprechchöre klingen dünn und stumpf im Treiben des Schnees.

1. Januar 1971

Wir behalten noch die Zeremonie der Neujahrsfeier bei, stoßen mit dem Glas, im Kreis engster Freunde, auf das kommende Jahr an, wünschen der Welt, und uns darinnen Glück, und befinden uns schon wieder unmerklich in der Weiterbewegung, die sich durch Zeitbemessungen nur notdürftig einteilen läßt. Nichts wissend vom Kommenden, können wir uns nur das bereits Erfahrene vornehmen, und versuchen, es zu etwas Bestehendem zu stanzen, doch auch dies kann nur eine Andeutung geben von den Augenblicken, die wir erfahren haben. Immer nur bleibt die Wahrnehmung, wie mangelhaft alles Festgehaltene ist. In Erwägung der fließenden Eindrücke, die unter den Begriff des vergangenen Jahrs gebracht werden können, stellt sich dann doch eine eigentümliche Abrundung dar, eine Geschlossenheit, die vielleicht vertieft wurde durch die Tagebuch-Eintragungen, zu denen ich mich, entgegen meinen Gewohnheiten, entschlossen hatte. Die Krankheitskrise in der Mitte des Jahrs wurde zum Fokus, von dem aus sich die vorhergehenden 6 Monate und das folgende Jahr beurteilen ließen. Vom turbulenten Jahresbeginn mit der Aufzeigung eines fertigen Stücks, bis zur Absendung der neuentstandenen Arbeit in den letzten Tagen des Jahrs, zeichnet sich eine Linie ab, die zwischen zwei Polen verläuft. Hölderlin steht Trotzki gegenüber. Der eine der politisch unentwegt Aktive, seinen Sinn ständig nach außen richtend, ständig verwickelt in kontroversielle Dispute, ständig nach praktischen Lösungen gesellschaftlicher Fragen suchend, mitbauend an der Geschichte der Revolution, bis zur letzten Stunde seines Lebens kämpfend um die Erhaltung der sozialistischen Grundlagen, von seinen Gefährten verraten, schließlich von seinen Gegnern ermordet. Der andre ihm verwandt, und doch sein Gegensatz, immer das Gegenwärtige, den Streit der Ideen, den Kampf um Gerechtigkeit auf eine zeitlose Ebene übertragend, den tagesaktuellen Appell zum poetischen Bild machend, das Pamphlet durch die Vision, den handfesten Politiker durch die mythische Figur ersetzend, auch er unablässig bemüht um die revolutionäre Veränderung des Lebens, doch allzu verletzbar, die Umwelt nicht als Praktiker sondern als Nervenbündel aufnehmend. Trotzki und Hölderlin – beide scheiterten an dem Bruch, der sich innerhalb der Revolution vollzog, und in dessen Folge die Erbauer neuer Hierarchien aufstiegen, deren Übermacht jene verdrängte, die noch meinten, die Revolution könnte den Menschen aus allen Abhängigkeiten und Gefangenschaften befreien. An beiden, dem in die äußere und dem in die innere Emigration Getriebenen, wird etwas demonstriert, was mich immer wieder beschäftigt, dieses absolute und unbeirrbare Festhalten am Gedanken der revolutionären gesellschaftlichen Veränderung. Was auch immer an Entstellungen, Fälschungen und Lügen aus dem Lager der Eigenen auf sie zukam, was auch immer sie in solche Enge trieb, daß an Verteidigung nicht mehr zu denken war, sie vergaßen nicht die Wahrheit und Leuchtkraft, von der sie einmal ausgegangen waren. So wie die Jakobinische Revolution ein unveränderliches Ereignis war, das Hölderlins ganzem Leben Nahrung gab, so besteht auch für uns die Oktoberrevolution weiter fort. Wir brauchen uns nur mit Photographien, Filmen, Dokumenten aus den wenigen Jahren bis zu Lenins Tod zu konfrontieren, um das Einzigartige, das in dieser Zeit zum Ausdruck kam, zu verspüren. Vom Gesichtsausdruck, vom Gestus der auf den Fotos und Filmstreifen festgehaltenen Menschen ist unverkennbar der Anbruch von etwas überraschend Neuem abzulesen. Die gesamte kulturelle Tätigkeit dieser Jahre ist von dem neuartigen Auftrieb, der Entladung von Imagination und Konstruktivität geprägt. Alle menschlichen Beziehungen sind umgestülpt worden, nicht mehr für Einzelne wird gearbeitet, sondern für eine Totalität. Auch in cubanischen Dokumentarfilmen tritt uns dieses Phänomen entgegen. Beim Vergleich zwischen Aufnahmen kurz vor der Revolution und unmittelbar nach der Befreiung zeigen sich die Menschen der alten verbrauchten Gesellschaft müde, grau und lethargisch, und unmittelbar darauf, durch die Umwälzung, die sie erlebt haben, voller Vitalität und Freude. Die chinesische und vietnamesische Revolution, und auch der Pariser Maiaufstand und die expansiven Monate in der Tschechoslowakei belegen im Bild und im Dokument, daß nichts so sehr den Menschen aus sich selbst herausreißt und zu unerwarteten Kräften befähigt, wie diese revolutionäre Lawine, die alles was Unterdrückung und Ausbeutung heißt, niederwalzen will, und nichts ist auch so erschreckend, und führt zu solcher Trübe und Leere, wie die Aufhaltung und Eindämmung dieser elementaren Gewalt. Das Bild Lenins, da er dynamisch vorgestreckt auf der Tribüne steht, und Trotzki, im Soldatenmantel, neben ihm, ist unauslöschlich, und der später wegretuschierte Befehlshaber der Roten Armee läßt die nebelhafte Schwärze, die zurückblieb, fortwährend an den verschwundenen Elan und die verlorenen Hoffnungen einer Generation erinnern. Dabei geht es nicht nur um die Gestalt Trotzkis, ebensowenig wie es bei dem im Irrenhaus Gefangenen um Hölderlin allein geht, es geht um die Verwischung der Realität, um den einsetzenden Betrug, der schließlich das Denken einer Epoche deformieren muß. Die Erfahrungen haben uns gelehrt, skeptisch zu sein gegenüber dem kühnen Risiko des revolutionären Versuchs, wir wissen, daß der Ruf nach Revolution in unsern Ländern zur Zeit nicht gelten kann, daß es für uns nur langwieriges Planen gibt, unermüdliche politische Aufklärung, geduldiges Reorganisieren der Partei, und doch taucht vor dem Stabilen, Ausgewogenen, sorgsam Unterbauten, vor der vernunftsmäßigen Tätigkeit, für die wir eintreten, immer wieder das Element der Ungebundenheit, der Spontaneität auf, des utopischen Wunsches nach der schnellen gewaltsamen Lösung unerträglicher Zustände, dieses nie zu bändigende Verlangen nach dem großem Atemholen, dem befreiten Lachen. Und diese beiden Kräfte gehören zueinander, sie müssen einander ergänzen, nur in ihrer Einheit können sie das Überleben einer gesellschaftlichen Umwälzung sichern. In den Völkern, die während der beiden letzten Jahrhunderte die Stärke aufbrachten zur sozialen Revolution, oder auch nur zum Versuch einer revolutionären Erneuerung, lebt das Außergewöhnliche weiter fort, sie sind davon gekennzeichnet. Mißglückte ihnen auch der Anlauf, mußten sie ihre Energien auch abgeben an jene, die ihnen noch überlegen waren, in ihrem Verharren, ihrer Phantasielosigkeit, so entsteht für neue Generationen doch wieder der übermächtige Druck, der den Zustand herbeiführen will, in dem das Gesicht, der Blick, die Stimme, die Haltung, das Denken von Grund auf verändert sind. Die wenigen sozialistischen Länder oder Befreiungsbewegungen, die ihr revolutionäres Stadium bewahrt haben, stellen die einzige Ebene einer intakten Existenz dar, einer Existenz, in der der Mensch in Übereinstimmung mit sich selbst lebt. Diese seltenen Materialisierungen, einer ungeheuren Feindlichkeit ausgesetzt, ständig angefressen vom tödlichen Pragmatismus, sind, da sie so flüchtig sind, schwer zu erkennen, leicht zu verkennen. Wo sie noch vorhanden sind, benötigen sie unsre ganze Kraft, daß sie sich erhalten, und dies ist nicht Revolutionsromantik, sondern äußerstes Realitätsverständnis. In der gewaltsamen Konfrontation, mit der wir als einzelne unlösbar verbunden sind, sprechen wir dem Sozialismus Überlegenheit zu, denn während die Splitterung innerhalb der bürgerlichen Welt immer von Egoismus, Profitsucht, Opportunismus und Perspektivenlosigkeit bedingt ist, und nie zu einem tatsächlichen Zusammengehn führen kann, ist die zerspaltene, in Fehden gegeneinander geratene sozialistische Weltbewegung in einer wissenschaftlichen Gesellschaftsauffassung verankert und kann, bei einer Mobilisierung aller dialektischen Kriterien, zu einer Einheit gebracht werden. Dies zu diskutieren, darum geht es jetzt vor allem.

Editorische Notiz

Entstehung: Vermutlich 10. August 1970 - Ende 1971. Erstveröffentlichung. Das Manuskript, von Peter Weiss immer wieder zur Publikation erwogen, fand sich mit dem vom Autor stammenden Titel im Nachlaß. Es wurde von Peter Weiss paginiert von 1-142. Nicht in diesem Manuskript, sondern in der Satzvorlage für die *Notizbücher 1960-1971* befinden sich die Eintragungen für den 10. August 1970, 11. August 1970, 12. August 1970, 13. August 1970, 15. August 1970, 16. August 1970, 17. August 1970, 19. August 1970, 21. August 1970, 2. September 1970, 4. September 1970, 5. September 1970, 6. September 1970, 7. September 1970, 10. September 1970, 24. September 1970, 4. Oktober 1970, 3. November 1970, 5. November 1970, 29. November 1970, 30. November 1970, 7. Dezember 1970, 10. Dezember 1970, 20. Dezember 1970. Sie wurden in überarbeiteter Form auf den Seiten 778-845 der *Notizbücher* publiziert. Die Einträge für den 10. Dezember 1970 und den 20. Dezember 1970, die auch in die *Notizbücher* aufgenommen wurden, erschienen zuerst in dem von Thomas Bekkermann und Volker Canaris herausgegebenen Band *Der andere Hölderlin. Materialien zum ›Höderlin‹-Stück von Peter Weiss*, Frankfurt am Main 1972 (suhrkamp taschenbuch 42). Im Nachlaßmanuskript fehlen die Seiten 27-36 mit den Einträgen für den 23., 24. und 25. August 1970. Inhaltliche Korrespondenzen und die Form des Typoskripts legen die Vermutung nahe, daß Peter Weiss diese Seiten überarbeitet, vordatiert und mit dem Hinweis »Eingefügte Aufzeichnungen«, März 1970 in den *Notizbüchern 1960-1971*, S. 697 ff. publiziert hat. Da in dieser Überarbeitung die Hinweise auf die Tage der Niederschrift fehlen, wurde auf eine Wiedergabe dieser Passagen verzichtet. Der hier wiedergegebene Text folgt bei den in die *Notizbücher 1960-1971* eingegangenen Eintragungen dieser Ausgabe. Bei den anderen Eintragungen folgt er dem Manuskript (nur Tippfehler wurden stillschweigend korrigiert). Dieses Prinzip wurde in einem Falle durchbrochen. Die Tagebucheintragung zum 13. Oktober 1970 wurde von Peter Weiss in gekürzter, stark überarbeiteter Form in den *Notizbüchern 1960-1971* publiziert und mit der Überschrift »Unnumerierte Notizblätter. 1962« versehen. Hier wird die ursprüngliche Manuskriptfassung abgedruckt.

Peter Weiss
im Suhrkamp Verlag und im Insel Verlag

Abschied von den Eltern. Erzählung. Mit 8 Collagen von Peter Weiss. BS 700 und st 85

Die Ästhetik des Widerstands. Roman. Erster Band. Leinen

Die Ästhetik des Widerstands. Roman. Zweiter Band. Leinen und kartoniert

Die Ästhetik des Widerstands. Roman. Dritter Band. Leinen und kartoniert

Die Ästhetik des Widerstands. Roman. es 1501

Avantgarde-Film. Aus dem Schwedischen von Beat Mazenauer. es 1444

Die Besiegten. Aus dem Schwedischen von Beat Mazenauer. Mit einem Nachwort von Gunilla Palmstierna-Weiss. es 1324

Das Duell. Aus dem Schwedischen von J. C. Görsch in Zusammenarbeit mit dem Autor. Mit 10 Federzeichnungen von Peter Weiss. st 41

Die Ermittlung. Oratorium in 11 Gesängen. es 616

Fluchtpunkt. Roman. Mit vier Collagen von Peter Weiss. BS 797

Fluchtpunkt. Roman. es 125

Das Gespräch der drei Gehenden. es 7

»In Gegensätzen denken«. Ein Lesebuch. Herausgegeben von Rainer Gerlach und Matthias Richter. Kartoniert und st 1582

Der neue Prozeß. Stück in drei Akten. es 1215

Notizbücher 1960-1971. 2 Bde. es 1135

Notizbücher 1971-1980. 2 Bde. es 1067

Rapporte. es 276

Rapporte 2. es 444

Der Schatten des Körpers des Kutschers. BS 585 und es 53

Stücke I. Der Turm. Die Versicherung. Nacht mit Gästen. Mockinpott. Marat/Sade. Die Ermittlung. es 833

Stücke II. 2 Bde. Gesang vom Lusitanischen Popanz. Viet Nam Diskurs. Hölderlin. Trotzki im Exil. Der Prozeß. es 910

Die Verfolgung und Ermordung Jean Paul Marats, dargestellt durch die Schauspielgruppe des Hospizes zu Charenton unter Anleitung des Herrn de Sade. Drama in zwei Akten. es 68

Der Fremde. Erzählung. es 1007

Buchkunst, Übersetzungen

Hermann Hesse: Kindheit des Zauberers. Ein autobiographisches Märchen. Handgeschrieben, illustriert und mit einer Nachbemerkung versehen von Peter Weiss. it 67

41/1/4.91

Peter Weiss

im Suhrkamp Verlag und im Insel Verlag

Hermann Hesse: Der verbannte Ehemann oder Anton Schievelbeyn's ohnfreywillige Reisse nacher Ost-Indien. Handgeschrieben und illustriert von Peter Weiss. Mit einem erstmals veröffentlichten Opernlibretto von Hermann Hesse. it 260

August Strindberg: Drei Stücke in der Übertragung von Peter Weiss. Der Vater. Fräulein Julie. Ein Traumspiel. Leinen

August Strindberg: Fräulein Julie. Ein naturalistisches Trauerspiel. Deutsche Übertragung und Nachwort von Peter Weiss. BS 513

Zu Peter Weiss

Peter Weiss im Gespräch. Herausgegeben von Rainer Gerlach und Matthias Richter. es 1303

Peter Weiss. Herausgegeben von Rainer Gerlach. stm. st 2036

Peter Weiss' ›Die Ästhetik des Widerstands‹. Herausgegeben von Alexander Stephan. stm. st 2032

Materialien zu Peter Weiss' ›Marat/Sade‹. Zusammengestellt von Karlheinz Braun. es 232

41/2/4.91

Deutschsprachige Literatur
in der edition suhrkamp:
Prosa

Deutschsprachige Literatur
in der edition suhrkamp:
Prosa

300/2/6.90